Ilustrações © Samuel Araya, 2023

Tradução para a língua portuguesa
© Andrio J. R. dos Santos, 2023

Diretor Editorial
Christiano Menezes

Diretor Comercial
Chico de Assis

Diretor de MKT e Operações
Mike Ribera

Diretora de Estratégia Editorial
Raquel Moritz

Gerente Comercial
Fernando Madeira

Gerente de Marca
Arthur Moraes

Gerente Editorial
Marcia Heloisa

Consultor Editorial
Enéias Tavares

Capa e Proj. Gráfico
Retina 78 e Vitor Willemann

Coordenador de Arte
Eldon Oliveira

Coordenador de Diagramação
Sergio Chaves

Designer Assistente
Jefferson Cortinove

Finalização
Sandro Tagliamento

Preparação
Monique D'Orazio

Revisão
Francylene Silva
Retina Conteúdo

Impressão e Acabamento
Gráfica Geográfica

DADOS INTERNACIONAIS DE CATALOGAÇÃO NA PUBLICAÇÃO (CIP)
Jéssica de Oliveira Molinari - CRB-8/9852

Chambers, Robert W.
   O rei de amarelo / Robert W. Chambers; tradução de Andrio Santos; ilustrado por Samuel Araya.
   — Rio de Janeiro : DarkSide Books, 2023.
   288 p. : il, color.

   ISBN: 978-65-5598-268-8
   Título original: The King in Yellow

   1. Ficção norte-americana 2. Ficção gótica (Gênero literário) 3. Terror
   I. Título II. Santos, Andrio III. Araya, Samuel

23-2593   CDD 813

Índices para catálogo sistemático:
1. Ficção norte-americana

[2023]
Todos os direitos desta edição reservados à
DarkSide® *Entretenimento LTDA.*
Rua General Roca, 935/504 — Tijuca
20521-071 — Rio de Janeiro — RJ — Brasil
www.darksidebooks.com

ROBERT W. CHAMBERS

O REI DE AMARELO

ILUSTRAÇÕES SAMUEL ARAYA

TRADUÇÃO ANDRIO J. R. DOS SANTOS

DARKSIDE

APRESENTAÇÃO

SOCIEDADE SECRETA

No curso das eras, Sociedades Secretas eram agremiações místicas, grupos de estudiosos arcanos, reuniões de autores e humanistas, aglomerações de pessoas que almejavam melhorias sociais, espirituais ou pessoais. Os rituais desses grupos envolviam encontros regulares, celebrações sazonais e registros de seus sistemas de fé e magia.

Reais ou ficcionais, sociedades secretas têm inspirado a imaginação humana em sua busca por comunhão, compreensão e autodesenvolvimento. Individualmente, queremos pertencer a comunidades, sejam elas autênticas ou simbólicas, integrando grupos que tenham na troca de experiências e no aprendizado mútuo sua bússola. Ademais, esses espaços de conhecimento e reconhecimento servem de estímulo às nossas sensibilidades, dando-nos as ferramentas simbólicas para enfrentar as intempéries de nossas vidas.

Essa é a compreensão que permeia a iniciativa Sociedade Secreta na DarkSide® Books, uma casa que há mais de dez anos tem reunido leitores ao redor do fogo editorial para celebrar histórias de fantasia, horror, ficção científica, true crime e magia. Falamos de um projeto que nasce para resgatar narrativas que formam o nosso imaginário literário e místico, encontrando no misterioso e no enigmático sua gema filosofal.

Mas diferente de grupos secretos do passado, fechados e pouco inclusivos, nossa Sociedade Secreta é aberta e coletiva, ofertando aos leitores uma jornada literária e lúdica por universos ficcionais que constituem a matriz da nossa cultura, seja ela pop ou clássica, antiga ou atual, textual ou pictórica, sonora ou fílmica, individual ou coletiva.

Para começarmos tal jornada, escolhemos *O Rei de Amarelo*, de Robert W. Chambers, obra que igualmente celebra história e criação, escrita e recepção, além de motivar artistas de ontem e de hoje a forjarem suas próprias tramas de horror, fantasia e assombro. Tal celebração é dupla, oportunizando ao público brasileiro tanto a íntegra do texto original de Chambers quanto sua adaptação para a linguagem dos quadrinhos.

A versão em Graphic Novel é de autoria do artista inglês I.N.J. Culbard ao passo que na edição em livro escolhemos como anfitrião visual o artista latino-americano Samuel Araya, que muitos dos nossos leitores conhecem do RPG *Vampiro: A Máscara*. Como alquimistas da imagem, usando as pedras elementais de suas diferentes artes e estilos

Araya e Culbard nos levam por uma experiência de leitura imersiva, num convite para novas descobertas em direção a Carcosa, Hastur e, para nosso pavor ou assombro, à presença do próprio Rei de Amarelo.

E se arte é diálogo e comunhão, esse é um empreendimento mais do que meritório: contatarmos a arte e a vida de Robert W. Chambers através desses dois mestres, ambos — de diferentes modos e em diferentes mídias — magos da arte de transformar antigas rochas em renovadas joias narrativas.

Mas não só isso. Com esse primeiro ciclo de Sociedade Secreta, que une Chambers, Araya e Culbard, convidamos os darksiders a integrarem esta aventura, numa expedição que funde ritual e diálogo, passado e presente, revelações de ontem e (re)visões de hoje e além.

Com esse duplo lançamento, celebramos o elemento do fogo, criativo e misterioso, numa viagem em busca dos marcos fundamentais desse universo sombrio e mágico, híbrido de realidade e ficção, o próprio lugar onde mora e viceja a arte.

Quanto ao ritual iniciático necessário para integrar nossa Sociedade Secreta, basta descansar o corpo, virar a página, abrir a mente e aproveitar o fascinante percurso pelos saberes místicos & terríficos disponíveis nas poções ficcionais que sorvemos em busca de inspiração e encantamento.

O REI DE AMARELO

"A CANÇÃO DE CASSILDA" .15
INTRODUÇÃO DARKSIDE .17

TOMO I
O REPARADOR DE REPUTAÇÕES .31

TOMO II
A MÁSCARA .69

TOMO III
NA TRAVESSA DO DRAGÃO .91

TOMO IV
O SIGILO AMARELO .105

TOMO V
A DEMOISELLE D'YS .129

TOMO VI
O PARAÍSO DO PROFETA .149

TOMO VII
A RUA DOS QUATRO VENTOS .159

TOMO VIII
A RUA DA PRIMEIRA BOMBA .167

TOMO IX
A RUA DE NOSSA SENHORA DOS CAMPOS .207

TOMO X
RUE BARRÉE .251

BIOGRAFIAS EM AMARELO .281

A CANÇÃO DE CASSILDA

Ao longo da orla irrompe a turva torrente,
Os sóis gêmeos quedam ao lago silente,
E essas sombras jocosas
     Se assomam em Carcosa.

Estranhas são as estrelas escuras ao léu
E as noites que estranhas luas singram o céu,
Mas mais estranha se mostra
     A perdida Carcosa.

Que a canção das Híades de voz fortuita
Vinda donde os andrajos do Rei se agitam,
Feneça auspiciosa
     Na indistinta Carcosa.

Nos versos da vida, minha voz se esvaiu,
E que morras muda, feito pranto senil,
Definhando na umbrosa
     E perdida Carcosa.

"A Canção de Cassilda"
O Rei de Amarelo
Ato I, Cena II.

INTRODUÇÃO DARKSIDE

Quão frágeis são os muros que separam os reinos da imaginação e da loucura da realidade material em que todos nós vivemos? Seria possível iniciarmos nossa vida aqui, neste plano físico e neste plano terrestre, e findá-la nos reinos etéreos da ficção e do sonho? Ou então o oposto: será que criaturas e sombras nascidas da mente inquieta de autores imaginativos e encerrados em carcomidas e amareladas páginas antigas poderiam saltar do papel envelhecido em direção ao nosso mundo, em direção a você e a mim, para nos abraçar ou então para nos conduzir à loucura e ao delírio?

Poucas obras objetivam de forma tão clara aprofundar essas perguntas como *O Rei de Amarelo*, livro publicado originalmente em 1895. De autoria do norte-americano Robert William Chambers (1865-1933), o volume reuniria uma série de contos inquietantes que tanto aludem a um livro amaldiçoado — cuja leitura leva seus leitores a horrores inomináveis — quanto registram, mesmo que ficcionalmente, as lembranças do próprio autor quando viveu em Paris entre os anos 1886 e 1893.

O livro de Chambers teve uma recepção mediana em seu lançamento, pouco a pouco ganhando ardorosos leitores que mergulhariam em sua narrativa para fazer dele a matriz de um tipo característico de horror atmosférico central ao gênero no decorrer do século XX. Entre esses leitores, H.P. Lovecraft (1890-1937) se inspiraria nos narradores de Chambers para contar suas próprias histórias de loucura, medo e assombro, criando seu próprio livro maldito, o *Necronomicon*, e investindo numa escrita complexa e ultraelaborada. O próprio Chambers, por sua vez, parece querer se inserir numa tradição prévia ao retirar de um conto do também norte-americano Ambrose Bierce (1842-1913?*) os nomes "Carcosa" e "Hastur", entre outras remissões reveladoras aos anos finais do século XIX.

De seu lançamento até o momento, nomes como Lin Carter, Stephen King, Neil Gaiman, Alan Moore e Nic Pizzolatto — este na primeira temporada da série *True Detective* e Moore na forma como trabalha as Câmaras Letais no primeiro capítulo da graphic novel *Providence* — entre tantos outros autores, retomariam a obscura mitologia criada por Chambers, dando a ela profundidade e visibilidade. Essa revisita posterior, permeada de fascínio obcecado, nos faz abrir a primeira página do livro de Chambers na expectativa do que iremos encontrar. Para a nossa surpresa, o horror é contrabalançado com futuristas debates políticos, artísticas formações juvenis, conflituosas paixões amorosas e complexos estudos psicológicos, quando não sociais e históricos.

Composto de dez textos, divididos em dois grupos, *O Rei de Amarelo* continua constituindo um enigma literário, biográfico e artístico que nos convida insistentemente a desvendá-lo. A primeira metade do volume compreende os contos "O Reparador de Reputações", "A Máscara", "Na Travessa do Dragão" e "O Sigilo Amarelo". Essas primeiras quatro histórias referem ao mistério central da obra, que trata dos efeitos produzidos pelo texto da peça teatral *O Rei de Amarelo* — uma criação fictícia que funciona como peça dentro da peça ou, neste caso, como peça dentro dos contos. Os quatro enredos tratam da leitura desse texto

---

* A data de morte de Ambrose Bierce é desconhecida. O escritor desapareceu misteriosamente em dezembro de 1913, aos 71 anos de idade, durante uma viagem ao México. Ele nunca mais foi visto e seu destino final permanece um mistério.

amaldiçoado por um conjunto de diferentes personagens, sendo que muitos deles vivem em Paris nos anos em que o próprio autor estudara na cidade luz.

Todavia, o primeiro conto — intitulado "O Reparador de Reputações" — apresenta uma narrativa ainda mais inquietante, sendo datado de 1920 e mostrando um futuro hipotético para os Estados Unidos no qual racismo, eutanásia e autoritarismo marcariam a política de um governo despótico e violento. Num conto de caráter premonitório, Chambers parece prenunciar o destino das utopias que se multiplicariam no decorrer do século xx, entre elas o nazismo alemão e o fascismo italiano. Nele, os leitores são transportados para o futuro da América, com uma página de abertura que detalha a condição política do país e a inauguração das Câmaras Letais, cubículos públicos para eutanásia auto-imposta.

Pensando que a obra de Chambers foi publicada em 1895, a trama tem um efeito perturbador e chocante, fazendo leitores questionarem a natureza da história que estão lendo, se foi de fato a previsão de um futuro possível ou então mero delírio presente do narrador. De forma proferticamente perversa, Chambers abre seu livro mesclando a consciência de seu protagonista a de seus leitores, numa história em que é difícil separar o real do imaginado, o vivido nos territórios da mente do vivenciado externamente no mundo real, num intricado jogo entre fato e imaginação que continuará por todo o volume.

Assim, do segundo ao quarto conto dessa primeira metade, estamos no território mais comum ao livro, as sociedades boêmias do final do século xix, grupos artísticos que abarcam a atmosfera, os ideais e os temas comumente relacionados ao decadentismo dos últimos anos do século xix. O próprio Chambers tinha à época pretensões à pintura, não sendo exagero dizermos que boa parte das narrativas de *O Rei de Amarelo* possui um verniz — senão até uma estrutura — autobiográfica. Trata-se do mundo e da vida de jovens artistas prenhes de desejos estéticos, crises existenciais, experimentações sensuais e desapontamentos amorosos, quando não financeiros ou identitários.

A segunda metade do livro dá continuidade a esses mesmos temas, mas através de outro viés. Composta de outros quatro contos — intitulados "A Rua dos Quatro Ventos", "A Rua da Primeira Bomba", "A Rua de Nossa Senhora dos Campos" e "Rue Barrée" — a segunda parte "parece" afastar-se da temática terrífica dos primeiros contos, sem menções ao mito de Carcosa e ao Rei de Amarelo. Digo "parece", pois suas temáticas também apresentam cenas parisienses, em tramas de amores desejados e frustrados. Nesse segundo conjunto, vê-se um autor criar cenas elaboradas de uma Europa em guerra ou em paz, mas não destituída dos dramas de seus heróis imperfeitos, também artistas em seus anos de formação. Mesmo assim, há nesses contos referências indiretas a personagens das primeiras narrativas, sugerindo uma estranha, mesmo que tênue, inter-relação entre os dois conjuntos.

Unem os dois grupos de histórias a narrativa de caráter onírico e fantástico "A Demoiselle d'Ys" e a reunião de enigmáticos poemas em prosa intitulada "O Paraíso do Profeta". Esses excertos parecem dialogar com ambos os grupos. E aqui está um importante adendo ao conjunto como um todo e suas dez seções ou tomos. Chambers bagunça as estruturas, os elencos e os elementos de suas histórias, deixando ao leitor o convite de investigar por sua própria conta suas relações internas, relações que ora apontam para meras coincidências ora para um elaborado mundo compartilhado de vidas cruzadas, referências trocadas e sonhos ou pesadelos divididos por diferentes personagens.

Por exemplo, na primeira história do livro, temos uma alusão a uma escultura cujo autor será mencionado no segundo conto. Quanto ao destino do narrador do primeiro conto, ele será mencionado de forma rápida na terceira história. Essas duas remissões *a posteriori* nos fazem rever a leitura do primeiro texto como obra futurista. Já no quinto conto, "A Mademoiselle d'Ys", a trama de viés fantástico e de verniz medieval não alude diretamente à mitologia do *Rei de Amarelo*, embora o texto finalize com uma singela remissão a Hastur, um termo que Chambers também retira da ficção de Ambrose Bierce.

O mesmo entrecruzamento de referências acontece na segunda metade do volume. Em "Rua de Nossa Senhora dos Campos", temos uma alusão à Travessa do Dragão, a mesma rua do conto de mesmo nome da primeira metade. Além disso, há neste penúltimo conto uma remissão a Severn, personagem de "A Rua dos Quatro Ventos" e a Colette, nome da mesma garota que se casa com o personagem West em "A Rua da Primeira Bomba", embora nesse caso, o conto anterior pareça ser ambientado décadas antes desta história. Além disso, muitos dos boêmios desse penúltimo conto serão vistos no seguinte, "Rue Barrée", mas da perspectiva de Selby, o protagonista da última narrativa.

Assim, de forma indireta, ambígua ou confusa, a ficção de Chambers vai mais e mais sugerindo uma interconexão profunda. E essa impressão também compreende a cor referida em seu título. Quando foi publicado, era improvável que o leitor não atentasse ao uso da cor amarela em seus múltiplos sentidos, especialmente no contexto francês e inglês. No livro, as menções ao amarelo ganham sentidos diversos, por vezes literais e por vezes simbólicos, tanto em ambientação quanto em referencial artístico ou espiritual. Essa remissão não é acidental, uma vez que nos anos de 1890, anos nos quais o livro foi escrito e publicado, menções a livros de cor amarela remetiam à literatura decadentista francesa — ficção que não raro ganhava encadernações em amarelo e que possuía a fama de trazer histórias imorais e malignas.

Registra essa compreensão condenatória, sobretudo em terras inglesas, a remissão que Oscar Wilde faria em 1889 ao misterioso "livro de capa amarela" no enredo do seu *O Retrato de Dorian Gray*. Nele, o jovem e ingênuo protagonista recebe do experiente Lorde Henry Wotton um enigmático livro de capa amarela. Embora seja provável que Wilde tivesse em mente o livro de Huysmans (1848-1907), *Às Avessas*, o narrador de *Dorian Gray* silencia sobre o título e a autoria de seu livro fictício. Por outro lado, não economiza espaço para falar de seu pérfido efeito sobre o protagonista. Descrito como um "livro venenoso", o exemplar mudaria o curso da vida de Gray e reforçaria o juízo negativo que a literatura francesa — ou amarela — teria sobre seus leitores.

De um lado, essa utilização do amarelo marcaria a própria compreensão da cor como misteriosa, mística e revelatória ou então, como alucinógena, maldita e nefasta. Prova disso é o conto "O Papel de Parede Amarelo", de Charlotte Perkins Gilman (1860-1935), publicado pela primeira vez em 1892. Nele, um médico leva sua adoentada esposa para um casarão antigo para que ela possa repousar. O cenário perfeito, porém, é alquebrado pela presença de um papel de parede amarelo que gera na protagonista inquietantes efeitos que mais a desesperam do que a acalmam. Outro exemplo, entre muitos, da utilização dessa cor para comunicar elementos de horror e estranheza é a peculiar capa amarela da primeira edição de *Drácula* (1897), de Bram Stoker.

Passados Wilde e Perkins, e um pouco antes de Stoker, nenhuma publicação reuniria os múltiplos efeitos (e defeitos) associados à cor amarela do que a revista decadentista inglesa *Yellow Book*, criada por Elkin Mathews e John Lane em 1894, com participação do ilustrador Aubrey Beardsley, que assinaria as artes internas e de capa, este um nome marcadamente associado ao que se chamaria de "Yellow Nineties". A revista publicaria até 1897 nomes como Max Beerbohm, Ernest Dowson, Edmund Gosse, Henry James, Charlotte Mew, Arthur Symons, H.G. Wells e William Butler Yeats, além de fomentar a publicação de dois romances reveladores do período: *The Dancing Faun* (1894), de Florence Farr, e *O Grande Deus Pã*, de Arthur Machen. Muitos desses nomes orbitaram a sociedade secreta conhecida como Golden Dawn.

O nome de Aubrey Beardsley (1872-1898), artista prodígio e de morte precoce, tem uma importância dupla neste contexto, pois além de sua associação com a *Yellow Book*, ele foi o artista admirado (e condenado) pelas gravuras feitas para o poema dramático de Wilde, *Salomé* (1891), um poema escrito em francês e que alguns críticos assumem como principal influenciador da peça fictícia criada por Chambers para o seu *O Rei de Amarelo*. Assim, quando Chambers publica seu livro cinco anos depois de *Dorian Gray* e um ano depois do lançamento de *Yellow Book*, o cenário está montado e o público, educado para reconhecer a remissão ao amarelo como ilustrativa de um tipo de comportamento reprovável ou então de uma estética perigosa e de uma paisagem mental pecaminosa.

Nos primeiros contos, referências à cor amarela ora estão presentes nas citações diretas à peça fictícia ora a elementos diversos de cena. Neste caso, essas referências também são perceptíveis no ciclo parisiense. Em "A Rua de Nossa Senhora dos Campos", o amarelo está presente nas luzes do sol e no modo como essas brilham no rosto de Valentine. Já em "Rue Barrée", o protagonista "sonha que estava se afogando num rio de amarelo-ocre". Já "A Rua dos Quatro Ventos", conto que abre a segunda metade do livro, o amarelo é associado aos olhos da felina que interage com o protagonista. Desse modo, a cor emblemática conecta os dois ciclos de histórias, sugerindo uma relação entre o fantasismo das narrativas de horror da primeira metade e o pretenso realismo das ficções de paixão, ciúme e decadência da segunda.

Quanto à peça de teatro maldita, escrita em dois atos, ela supostamente seria encadernada em pele de cobra, num pesado volume resistente ao calor do fogo e à passagem dos tempos. Quanto ao texto dramático em si, ele teria apenas dois atos, uma vez que Hildred Castaigne, o protagonista de "O Reparador de Reputações", descreve a diferença entre o que seria produzido pela "banalidade e inocência do primeiro ato" em contraste com o "efeito terrível" produzido pelo segundo. Tessie, de "O Sigilo Amarelo", lê apenas "a segunda parte", justamente a parte que "ninguém jamais se aventurou a discutir". É notável a rapidez com que ela lê a peça, o que pode indicar uma obra curta, de apenas duas partes. Se o efeito atroz é produzido já no segundo ato, não seria sequer necessário um terceiro.

Sobre o que conseguimos depreender de seus personagens e de sua trama, Ken Hite escreve, na versão anotada da obra de Chambers:

> Conhecemos três personagens com papéis falados: Camilla, Cassilda e o Estranho. Cassilda também se dirige a um rei, sugerindo um quarto personagem no palco, provavelmente o Rei de Amarelo do título da peça. O Estranho pode ser o portador da "Máscara Pálida" e pode figurar como o "Fantasma da Verdade", dois conceitos com os quais os leitores da peça se familiarizam. No entanto, Chambers nunca identifica explicitamente ninguém, incluindo o Estranho ou o Rei. Camilla e Cassilda podem ser irmãs, mãe e filha ou rivais na corte que serve de cenário ao drama. A peça se passa total ou parcialmente na cidade de Carcosa, pois o diálogo da peça ecoa "pelas ruas escuras de Carcosa". [...] O Ato I tem pelo menos duas cenas, uma vez que ambas as citações explicitamente fornecidas por Chambers da peça ocorrem no Ato I, Cena II. Quanto ao Ato I, Cena II, este parece mostrar um baile de máscaras, enquanto Camilla e Cassilda incitam o Estranho a retirar sua máscara nesse ponto. "As últimas linhas do primeiro ato" consistem em "palavras terríveis ecoando pelas ruas escuras de Carcosa", muito possivelmente um "grito agonizante" de Camilla. Além das duas epígrafes, Chambers cita pelo menos mais uma linha da peça, dita por Cassilda: "Não sobre nós, ó Rei, não sobre nós!" Dada a métrica e a repetição de Chambers em duas histórias da frase "Os farrapos recortados do Rei de Amarelo devem esconder Yhtill para sempre", parece provável que essa seja outra citação da peça. As palavras da peça fictícia

são belas, "mais reconfortantes que a música", "a essência suprema da arte". A peça exerce um poder quase hipnótico ou sedutor sobre alguns leitores, mesmo depois de apenas uma linha, embora a doença pregressa possa ter tornado Alec e Hildred especialmente suscetíveis a seus efeitos. Pode-se considerar a peça um meio de transmissão de *memes* tóxicos que reprogramam o leitor através de um *malware* alienígena. (Tradução do autor, 2018, p. 191)

Esse "*malware* alienígena" pode não ter relação alguma com o horror cósmico — com o vazio supremo da existência humana ante um universo indiferente e deuses (se existentes) impassíveis à dor humana — tão debatido por críticos lovecraftianos. Antes, pode ter mais a ver com o niilismo filosófico da segunda metade do século XIX, uma sensação que coloca homens e mulheres como párias em um mundo cujo sentido é vazio em si próprio. Além disso, segundo os narradores nada confiáveis de Chambers — afinal, todos eles estariam vivenciando graus diversos de enlouquecimento ou confusão mental, expediente do qual H. P. Lovecraft faria uso de modo nada econômico — a leitura da peça maldita levaria seus leitores a outra dimensão, dando-lhes acesso aos reinos insones e terríveis de Carcosa e ao abraço do Rei de Amarelo, uma entidade que na obra de Chambers ganha as vestes do Javé bíblico, um deus vivo cuja vingança alocaria a humanidade num estado perpétuo de medo, horror e condenação.

Nos contos que o leitor está prestes a desvendar, cenas de loucura, perseguição, morte e pavor parecem se avolumar na medida em que se avança na leitura. Mesmo na sua segunda metade, considerada realista e dramática, o perigo espreita, sobretudo quando vem de cima, dos aviões de combate, nas visões da fome, das mortes e atos execráveis da guerra, como é o caso de "A Rua da Primeira Bomba". Ou então nas dores de um amor perdido e da descoberta da morte, como é o caso de "A Rua dos Quatro Ventos".

Assim, poderíamos aqui cogitar a importância dos dois conjuntos como complementares em seus efeitos, com ambos os grupos tratando de diferentes graus de percepção de um cosmos igualmente assustador e horrendo. Se aplicarmos a descrição da peça fictícia ao todo do volume, poderíamos até mesmo questionar se o segundo ciclo, em suas cenas pueris e em seu pretenso realismo, não seriam até mais desesperadoras do que as histórias do primeiro. Nessa acepção, três são os temas que perpassam o volume inteiro, dando ao todo uma unidade que transforma a leitura numa experiência ainda mais misteriosa.

O primeiro desses temas seria o da Arte, tanto enquanto obra em processo de construção quanto em seu caráter final, tanto na percepção de artistas em formação quanto na daqueles já experientes. Ao que tudo indica, algumas das histórias de *O Rei de Amarelo* foram escritas por Chambers em seus anos parisienses, quando ele próprio era um jovem artista, estudando composição visual e escultura em Paris. Boa parte dessas histórias ganharia forma final no romance de 1894 — de pouco repercussão — *In the Quarter*. Sob certo aspecto, as histórias de *O Rei de Amarelo* poderiam configurar materiais extras ou excertos não utilizados do projeto anterior. Reforça essa hipótese o fato de personagens desse romance serem reencontrados nos contos que integram o segundo ciclo de *O Rei de Amarelo*.

Em outra acepção, que não a biográfica, as camarilhas artísticas, as vidas desregradas, as aventuras libidinosas e os debates estéticos que perpassam as páginas de *O Rei de Amarelo* parecem convidar o leitor a pensar sobre sua própria relação com a criatividade e as obras de arte. E aqui, não é apenas a literatura que é debatida, afinal não estamos falando apenas de um livro sobre uma peça de teatro que enlouquece seus leitores, mas sim sobre uma obra que remete a outras artesanias, como metalurgia, pintura, escultura, música e iconografia religiosa.

O próprio rei do título possui um emblema ou sigilo, um elemento visual que quando visto produz sobre seus observadores o mesmo efeito que o segundo ato da peça fictícia tem sobre seus leitores. Assim, num primeiro momento, *O Rei de Amarelo* parece constituir um ficcional tratado estético no qual visões de arte são debatidas e discutidas, sobretudo quando o assunto é o preço pago por seus consumidores e realizadores diante de obras dessa natureza. No que concerne ao tema da arte, a obra de Chambers emparelha-se com *O Retrato de Dorian Gray*, de Wilde, sendo ambas um possível estudo sobre as complexas e perturbadoras relações que leitores e artistas têm com artefatos de arte.

Quanto ao segundo tema presente em *O Rei de Amarelo*, este seria o do Amor e das relações amorosas frustradas ou idealizadas. Não devemos deixar de registrar que se tratam neste caso mais de amores imperfeitos, relações desfeitas ou então triangulações conflituosas nas quais ciúme, suspeita e ansiedade sexual se fazem presentes. Em cada uma das narrativas do volume, com exceção talvez de "Na Travessa do Dragão", protagonistas masculinos vêem-se surpreendidos por jovens musas, modelos de estúdio ou então damas desconhecidas que de um lado são potenciais amores e de outro, iminentes figuras de fascínio e poder.

Assim, em contos como "O Reparador de Reputações", temos o protagonista apaixonado por uma jovem que dedica seu amor a outrem, num tipo comum de triangulação amorosa presente também em "A Máscara" e em "O Sigilo Amarelo". Quando relações do tipo não ocorrem, encontramos aflição amorosa ante a revelação de um passado que retorna, como em "A Rua da Primeira Bomba", ou ainda uma figura insólita que representa o próprio passado, como em "A Demoiselle d'Ys".

No caso do segundo ciclo de histórias, as aventuras amorosas são ainda mais definidoras do enredo, sendo talvez este o aspecto central das duas histórias que fecham o volume, narrativas sobre diferentes enamorados disputando um único objeto de desejo. Nesse sentido, não deve surpreender aos leitores de Chambers que todos os personagens do seu *O Rei de Amarelo* vivam dramas de amor frustrado, sendo criaturas de desejo, paixão e alento amoroso, havendo aqui um verdadeiro abismo entre sua ficção e a de seu indireto seguidor, Lovecraft. O tema do amor e dos dramas decorrentes do apaixonamento seria inclusive o caminho narrativo que Chambers seguiria em sua carreira como escritor, tanto em suas subsequentes histórias insólitas quanto em seus dramas sociais e históricos.

Quanto ao terceiro elemento dessa tríade, falamos de uma obra permeada de reflexão lógica, de elucubração intelectiva e de linguagem rica e elaborada. Em Chambers, as existências, assim como a arte e o amor, são extremamente pensadas, analisadas e compreendidas por grandes potências mentais que tornam o texto, por mais sinestésico que seja, profundamente racional. Exemplificam isso contos como "A Máscara", "A Demoiselle de d'Ys" e "A Rua de Nossa Senhora dos Campos", nos quais amor, tristeza e morte se anunciam como fenômenos profundamente racionalizados, mais pensados do que sentidos.

Nesse aspecto, todos os contos tratam de criadores ou de observadores de arte, entre outras experiências igualmente racionalizadas, sejam elas urbanas, religiosas, políticas ou espirituais. Assim, o *Rei de Amarelo* parece produzir uma lente de observação que dramatiza ao leitor a dissolução da mente e do discurso racional diante da arte, do ciúme, do passado, da guerra e da arquitetura das cidades. Por outro lado, a peça dentro do livro funciona como um amuleto maldito capaz de dissolver mentes que já estão perturbadas pela presença do desejo, da morte, do passado ou do futuro, todos temas encapsulados por longos processos reflexivos, sejam eles de personagens ou narradores.

Ao leitor da DarkSide, talvez a pergunta que figura neste momento seja: Mas que relação haveria entre temas como Amor, Arte e Pensamento a outros como Medo, Horror e Loucura, esses mais associados ao livro de Chambers do que aqueles? Como essas diferentes representações se conectam com a temática horrenda que você, leitor e leitora, espera encontrar nesta obra em específico?

O Rei de Amarelo compreende uma série de experiências que são da ordem da estética, do sentimento, do desejo e da perda, não havendo em suas narrativas uma diferença entre um extremo e outro. Chambers parece sugerir que todos nós vivemos ao Leste do Éden — alusão explícita nas menções a serpentes nos contos "O Sigilo Amarelo" e "A Demoiselle d'Ys" e implícita nos demais contos —, tendo perdido o paraíso que nos fora prometido anteriormente, na infância, na arte, na religião e no amor.

Expulsos de nosso paraíso inicial, resta-nos a reconstrução de experiências de perfeição e sonho nos reinos idealizados da arte, nos palácios fulgurantes do amor ou então nos sólidos, embora também frágeis, castelos do pensamento e da razão. O que Robert W. Chambers faz é justamente identificar em seus personagens e em seus delírios — racionais, espirituais ou sentimentais — a serpente que fragiliza nossas certezas, que questiona nossos desejos, que debilita nossas defesas.

Assim, Carcosa pode ser um reino de horror cósmico futuro ou então um passado épico perdido nas brumas do tempo. Ou ainda, um cenário político desolador no qual Câmaras de Morte aguardam em praças públicas por seus alquebrados visitantes. Ou se não, um coração partido ante a perda do amor ou diante da não compreensão do desejo não retribuído. Ou mesmo uma obra de arte que ao prometer alívio e entretenimento nos entrega desespero, loucura e horror.

E aqui voltamos ao medo, nosso companheiro mais antigo, mestre mais instrutivo e guardião mais devoto. Sem dúvida, *O Rei de Amarelo* é um estudo sobre o medo, mas entremeado aos sentimentos que o geram — amor e pensamento — ou então que o desafiam — arte e cultura. Nos espaços distantes — ou próximos — de Carcosa, ouvindo as vozes de Hastur ou vendo os sigilos que identificam o *Rei de Amarelo*, lemos a obra de Chambers tendo a impressão de que suas páginas trazem veladas revelações, escondidas respostas, atrozes eventos de sanidade e loucura.

Dizem que alguns perderam sua mente ao mergulhar em suas páginas. Que outros, encontraram entre elas verdades poderosas demais para a compreensão humana. Já outros deixaram suas histórias profundamente emocionados, narrativamente entorpecidos, amorosamente inspirados. Aqui, neste volume que você tem em mãos e que dá início à lúdica experiência da coleção Sociedade Secreta, a materialidade do livro fictício é ressaltada, num projeto gráfico que fascina e desafia nossas visões, contando com as oníricas, líricas e emblemáticas ilustrações do artista latino-americano Samuel Araya, ele próprio um criador de monstros inúmeros e de pictóricos pesadelos.

Quanto ao leitor DarkSide que está adentrando essas páginas em busca de um novo tipo de experiência obscura e enigmática, deixo as seguintes perguntas: Que tipo de leitor é você? Qual sorte de história acelera seu coração, emociona seus sentidos, atiça seus desejos? Quais assombros povoam seus sonhos despertos e suas fantasias noturnas, quando o véu do dia dá lugar ao palácio da lua e das sombras?

Indiferente das respostas, tome cuidado ao virar a página.

Neste exato momento, o Rei de Amarelo aguarda a sua chegada em seus remotos e próximos domínios.

Enéias Tavares
Rio de Janeiro, junho de 2023.
Ou dos Reinos de Carcosa, além do tempo e do espaço...

TOMO I

"O REPARADOR DE REPUTAÇÕES"

O primeiro conto de *O Rei de Amarelo* se passa em uma América distópica na qual judeus, negros e outros imigrantes foram expulsos ou mortos, isso depois de uma série de ações políticas autoritárias e opressivas. Nesse cenário, a inauguração das Câmaras Letais que propiciam suicídio indolor a quem desejar parece prenunciar as ideias que dariam origem ao nacional-socialismo alemão, sobretudo se levarmos em conta seu primeiro programa de eutanásia voltado a doentes mentais e idosos. É somente depois desse preâmbulo político, que passamos à rotina de Hildred Castaigne, o narrador de "O Reparador de Reputações". Nela, conhecemos seu primo, o oficial militar Louis, a amada deste, Constance, que trabalha como atendente de uma loja de reforma de armaduras, e o pai dela, Hawberk, além do singular e bizarro sr. Wilde — o reparador do título — e sua gata, bem como o assustador e delirante sr. Vance. É ao redor desses personagens que se desenrolará um drama de amor, ambição, delírio e nostalgia. O conto pode ser lido como uma oposição de ideais republicanos, então em voga, em contraste com ideais monarquistas, ideias essas presas a um passado épico e a delírios que beiram a insanidade. Estaríamos diante de uma visão do futuro ou de alucinações de um perverso defensor do passado?

O REPARADOR DE REPUTAÇÕES

Ne raillons pas les fous;
Leur folie dure plus longtemps que la nôtre...
*Voila toute la différence.**

I

Perto do fim de 1920, o governo dos Estados Unidos havia praticamente concluído o planejamento adotado nos últimos meses da administração do presidente Winthrop. O país encontrava-se em estado de aparente tranquilidade. Todos sabem como as questões tributárias e trabalhistas foram resolvidas. A guerra contra a Alemanha, resultante da conquista germânica das ilhas Samoa, não produzira qualquer ferida visível na república. E a ocupação temporária de Norfolk, empreendida pelo exército invasor, fora esquecida diante das consecutivas vitórias navais e dos subsequentes infortúnios e frustrações que as tropas do general Von Gartenlaube passaram no Estado de New Jersey. Os investimentos em Cuba e no Havaí haviam sido extremamente bem-sucedidos e o

---

* "Não escarneçamos dos tolos; / A loucura deles é mais duradoura que a nossa... / Eis aí toda a diferença." Anônimo.

território de Samoa compensava os custos devido ao provimento de carvão. O país apresentava uma soberba preparação militar. Cada cidade costeira fora provida de fortificações terrestres. O exército, sob o escrutínio do Estado-Maior, organizado de acordo com o sistema prussiano, recebera um contingente adicional de 300 mil homens, contando com uma reserva de um milhão. Além disso, seis magníficos esquadrões de cruzadores e encouraçados patrulhavam as seis seções dos mares navegáveis, reservando-se uma frota de navios a vapor devidamente adequada à patrulha das águas territoriais. Os cavalheiros ocidentais haviam enfim se resignado e reconhecido que universidades destinadas à formação de diplomatas eram tão necessárias quanto às de Direito; por consequência, nossa representação em terras estrangeiras não estava mais relegada a patriotas incompetentes. A nação prosperava. Chicago, que passara por um momento de estagnação depois de um segundo grande incêndio, renascera das ruínas, límpida e majestosa, mais bela do que a cidade reluzente que fora construída por mero divertimento em 1893. Por todo o país, a boa arquitetura tomava o lugar da de mau gosto e, até mesmo em Nova York, um repentino anseio por decência tinha extinguido uma considerável porção dos horrores existentes. Ruas foram alargadas, pavimentadas e iluminadas; árvores foram plantadas; praças, construídas; e viadutos foram postos abaixo, substituídos por passagens subterrâneas. Os novos prédios e quartéis governamentais eram elegantes exemplos da boa arquitetura; o vasto sistema de cais de pedra que cercava inteiramente a ilha fora convertido em parques, o que se revelara uma bênção à população. Os investimentos no teatro e na ópera estatais acarretaram recompensas particulares. A Academia Nacional de Design era, de fato, semelhante às instituições europeias de mesmo tipo. Ninguém invejava o Secretário de Belas Artes, seu gabinete ou seu portfólio. Já o trabalho do Secretário de Meio Ambiente e Preservação da Fauna Selvagem era sem dúvida mais prático, graças à implementação da Polícia Montada Nacional. Obtivéramos boas vantagens nos recentes tratados com França e Inglaterra: a deportação de judeus nascidos no exterior como medida de autopreservação; a fundação do novo Estado independente de Suanee, destinado aos negros; a checagem de imigração; as novas leis sobre naturalização; e a gradual centralização do poder executivo, tudo isso havia contribuído para o estado de calmaria e prosperidade nacional. Quando o governo solucionou a questão dos nativos — o antigo Secretário de Guerra substituiu os esquadrões indígenas de batedores montados, que ostentavam indumentária primitiva, por destacamentos lastimáveis anexados a regimentos deploráveis —, a nação produziu um suspiro de alívio. Quando, depois do colossal Congresso das Religiões, o fanatismo e a intolerância foram postos a sete palmos e a bondade e a caridade passaram a unir séquitos religiosos antagônicos, muitos consideraram que a prometida Nova Era de paz e prosperidade havia chegado — ao menos, para o Novo Mundo, que se trata, afinal, de um mundo em si mesmo*.

No entanto, a autopreservação era a regra número um, e os Estados Unidos tiveram que assistir desamparados enquanto Alemanha, Itália, Espanha e Bélgica agonizavam nas garras da anarquia; e a Rússia, à espreita no Cáucaso, fazia sombra sobre elas e as dominava uma a uma.

Na cidade de Nova York, o verão de 1899 foi marcado pela demolição dos viadutos ferroviários. Já o verão de 1900 persistirá na memória do povo nova-iorquino por muitas gerações, pois a estátua de William Earl Dodge fora removida naquele ano. O inverno seguinte viu o surgimento das manifestações pela revogação das leis que proibiam o suicídio, que renderam os derradeiros frutos em abril de 1920, quando a primeira Câmara Letal do Estado foi inaugurada na Washington Square.

Naquele dia, eu fora à casa do dr. Archer, na Madison Avenue, por mera formalidade. Desde que caíra do cavalo, havia quatro anos, era por vezes afligido por dores de cabeça e na nuca. No entanto, fazia meses que elas não se manifestavam. O médico me dispensara naquele dia, dizendo que não havia nada em mim a ser curado. Não se podia dizer que o valor

---

* Nota do tradutor: Essa talvez seja uma das passagens mais aterradoras de Chambers, visto tratar-se do anseio de expurgar o "outro" da pátria mãe. Nela, o escritor mostra-se atento às ansiedades sociais emergentes na Europa e nos EUA no final do século XIX: questões relativas à imigração, xenofobia e racismo produzidas por crises políticas e econômicas. Não é à toa que, nesse período, olhares mais atentos já observavam as sombras da Primeira Guerra Mundial se projetando no horizonte. Ao final desse longo parágrafo, o horror se oculta por trás do tom burocrático, com Chambers utilizando o mesmo discurso dos nacionalistas de extrema-direita do período na narrativa de Hildred, o que já fica claro na menção da "checagem de imigração; as novas leis sobre naturalização; e a gradual centralização do poder executivo", ao passo que "a fundação do novo Estado independente de Suanee, destinado aos negros" e a "questão dos nativos" ressoa a um dos episódios mais brutais e perversos da humanidade: o Holocausto. Claro que Chambers escreveu *O Rei de Amarelo* muito antes da Segunda Guerra Mundial, mas é interessante notar sua perspicácia política e antevisão narrativa.

da consulta valesse a informação, pois eu mesmo já sabia daquilo. Ainda assim, não me ressenti por ter de pagar; eu me ressentia era de seu erro inicial. Logo que me recolheram do pavimento onde jazia inconsciente, e depois que alguém dera um tiro de misericórdia em meu cavalo, fui levado ao dr. Archer. O médico, atestando que meu cérebro fora afetado, internou-me em um sanatório privado, onde fui obrigado a suportar um tratamento para insanidade. Por fim, ele decidiu que eu estava saudável e eu, tendo ciência de que minha mente sempre fora tão lúcida quanto a dele, se não mais, "paguei pela orientação", como ele próprio disse, risonho. Em resposta, sorri-lhe e disse que ainda acertaria as contas com ele devido ao erro. O homem riu alto e pediu-me que o visitasse de vez em quando, o que de fato fiz, na esperança de encontrar meu acerto de contas, o que não aconteceu. Dei-lhe um sim e então parti.

Por sorte, a queda do cavalo não havia produzido sequelas. Pelo contrário, mudara todo o meu caráter para melhor. De um jovem ocioso dado à errância, eu me tornara ativo, vívido, ponderado e, acima de tudo — ah, acima de tudo — ambicioso. Só uma coisa me perturbava: eu ria de minha própria inquietação, e ainda assim, a questão me inquietava.

Durante minha convalescença, eu lera pela primeira vez *O Rei de Amarelo*. Recordo-me que, depois de terminar o primeiro ato, me ocorreu deixar o livro de lado. Sobressaltado, lancei-o na lareira; o volume atingiu o guarda-fogo e caiu aberto sob a claridade das chamas. Se eu não houvesse vislumbrado as linhas iniciais do segundo ato, talvez jamais tivesse terminado a leitura. Quando inclinei-me para pegá-lo, meu olhar fixou-se na página aberta e, em uma exclamação de terror, ou talvez de um júbilo tão intenso que açoitou cada um dos meus nervos, apanhei a coisa das brasas e, trêmulo, vagueei para o meu quarto. Então eu o li e reli e chorei e ri e estremeci tomado por um terror que, de quando em quando, ainda me assola. Essa é a questão que me atribula, pois não sou capaz de esquecer Carcosa, onde estrelas escuras pairam pelos céus; onde as sombras dos pensamentos humanos assomam-se ao entardecer; onde os sóis gêmeos quedam no lago de Hali; e minha mente guardará para sempre a memória da Máscara Pálida. Peço a Deus que amaldiçoe o autor assim como o autor amaldiçoou o mundo com essa bela e estupenda criação, tão terrível em sua simplicidade e irresistível em sua verdade — um mundo que agora vacila ante o

Rei de Amarelo. O governo francês apreendeu os exemplares traduzidos da obra assim que chegaram a Paris. Então Londres, é claro, mostrou-se ansiosa para ler o volume. É de conhecimento comum que o livro espalhou-se como doença infecciosa, de cidade a cidade, de continente a continente, proibido aqui, confiscado ali, denunciado pela imprensa e nos púlpitos das igrejas, censurado até mesmo pelos mais modernos anarquistas literários. Aquelas páginas ímpias não tinham violado nenhum princípio nem promulgado qualquer doutrina, nem ofendido alguma crença. A obra não podia ser julgada a partir de nenhuma base conhecida e, embora se reconhecesse que *O Rei de Amarelo* representava a mais elevada expressão artística, comumente sentia-se que a natureza humana não era capaz de suportar aquela torrente narrativa nem se beneficiar de suas palavras, palavras que continham o mais insidioso veneno. A própria banalidade e inocência do primeiro ato não faziam mais do que potencializar o efeito do choque subsequente.

Foi em 13 de abril de 1920, se bem me lembro, que a primeira Câmara Letal do Governo foi inaugurada no lado sul da Washington Square, entre a Wooster Street e a Quinta Avenida. O quarteirão, antes um punhado de prédios antigos e decrépitos que abrigavam cafés e restaurantes para estrangeiros, fora adquirido pelo governo no inverno de 1898. Os comércios franceses e italianos foram postos abaixo e a área inteira foi logo circundada por uma adornada cerca de ferro fundido e transformada em um jardim repleto de gramados, flores e fontes. No centro do lugar, erguia-se uma pequena construção branca, concebida em arquitetura clássica e emoldurada por arbustos floridos. Seis colunas jônicas sustentavam o frontão e havia apenas uma porta, forjada em bronze. Um magnífico estatuário em mármore, representando as Moiras, fora alocado diante da porta, sendo o trabalho de um jovem escultor norte-americano, Boris Yvain, que falecera em Paris com apenas vinte e três anos.

A cerimônia de inauguração estava em andamento quando passei pela University Place e entrei na praça. Abri caminho em meio à muda multidão de espectadores, sendo detido por um cordão de isolamento na Fourth Street. Um regimento dos Lanceiros dos Estados Unidos formava um perímetro em torno da Câmara Letal. O governador de Nova York postava-se em um palanque diante do Washington Park e, atrás dele, agrupavam-se o prefeito de Nova York e do Brooklyn, o inspetor-geral de polícia, o comandante das tropas estaduais, o coronel Livingston, assessor militar do presidente dos Estados Unidos, o general Blount, comandante de Governor's Island, o major-general Hamilton, comandante das guarnições de Nova York e do Brooklyn, o almirante Buffby, da frota de North River, o secretário de saúde Lanceford, a equipe do Hospital Nacional de Caridade, os senadores de Nova York Wyse e Franklin e o secretário de obras. O palanque estava cercado ainda por um esquadrão de hussardos da Guarda Nacional.

O governador encerrava uma resposta ao breve discurso do secretário de saúde. Eu o ouvi dizer: "As leis que proibiam o suicídio e puniam qualquer tentativa de autodestruição foram revogadas. O governo achou por bem reconhecer o direito individual de findar uma existência que talvez tenha se tornado intolerável devido ao sofrimento físico ou ao desespero psicológico. Acreditamos que a comunidade se beneficiará da remoção de tais indivíduos de seu seio. Desde a aprovação dessa lei, o número de suicídios nos Estados Unidos não aumentou. Agora que o governo determinou a instalação de uma Câmara Letal em cada cidade e distrito do país, resta-nos saber se aquele tipo de criatura humana, cujas desesperançadas fileiras produzem diariamente novas vítimas de autodestruição, aceitará o alívio oferecido." Ele fez uma pausa e virou-se para a plácida Câmara Letal. A rua se encontrava em absoluto silêncio. "Ali, uma morte indolor aguarda aquele que não se vê mais capaz de suportar as aflições da vida. Ao que deseja a morte, que a busque ali." Ele rapidamente virou-se para o assessor militar do presidente e então continuou: "Declaro aberta a Câmara Letal", e, outra vez, agora encarando a numerosa multidão, bradou: "Cidadãos de Nova York e dos Estados Unidos da América, pelos poderes em mim investidos, o governo declara a Câmara Letal aberta".

A quietude solene foi rompida por uma ordem mordaz de comando. O esquadrão de hussardos formou uma fila à retaguarda da carruagem do governador e os lanceiros alinharam-se ao longo da Quinta Avenida, esperando pelo comandante da guarnição. A polícia montada os seguiu. Deixei a multidão boquiaberta fitando a marmórea Câmara da Morte. Atravessei a Quinta Avenida e segui-a até Bleecker Street. Ali, virei à direita e parei diante de uma fachada escurecida que apresentava a placa:

HAWBERK, ARMEIRO.

Da entrada, dei uma olhadela no interior da loja e vi Hawberk ocupado em sua pequena oficina no final do corredor. Ele ergueu o rosto e, tendo um vislumbre de mim, clamou em sua voz baixa e cordial: "Entre, sr. Castaigne!". Constance, sua filha, ergueu-se para me receber assim que cruzei a soleira, estendendo-me sua bela mão. Mas notei o rubor da decepção lhe colorir as maçãs do rosto e soube que era outro Castaigne que ela esperava: meu primo Louis. Sorri diante de sua confusão e elogiei-a pelo estandarte que bordava tendo como modelo uma gravura em cores. O velho Hawberk estava sentado, rebitando as desgastadas grevas de uma velha armadura, e o tilintar, o *ting!, ting!, ting!* do pequeno martelo, inundava a loja com um som agradável. Ele então largou a ferramenta e, por um momento, empenhou-se em uma tarefa exasperada, munido de uma minúscula chave inglesa. A arremetida suave contra a cota de malha despertou em mim um arrepio de prazer. Eu adorava ouvir a canção do aço contra o aço, o rugido macio do martelo contra os coxotes e o retinir das cotas de malha. Essa era a única razão pela qual eu visitava Hawberk. A pessoa do armeiro jamais despertara meu interesse e o mesmo valia para Constance, exceto pelo fato de estar apaixonada por Louis. O caso me interessava e às vezes me mantinha acordado à noite. Mas em meu coração eu sabia que as coisas ficariam bem e que o futuro deles a mim caberia, assim como seria de minha incumbência o futuro de meu afável médico, John Archer. No entanto, eu jamais teria me dado ao trabalho de visitá-los naquele momento se não fosse pelo fato de que, como já mencionei, a música do martelo tilintante despertasse em mim um intenso fascínio. Eu costumava sentar-me por horas e horas, ouvindo, apreciando e, quando um feixe de luz do sol incidia contra o aço, eu era acometido por uma sensação quase abrasadora demais para suportar. Meus olhos tornavam-se estacionários, dilatando-se em um tipo de prazer que distendia todos os meus nervos a ponto de quase se romperem. Então algum movimento do velho armeiro obliterava a luz do sol. E eu, ainda estremecendo em segredo, me encolhia e seguia ouvindo o som do pano de polimento, *swish!, swish!*, raspando e removendo a ferrugem dos rebites da armadura.

Constance trabalhava com o bordado sobre os joelhos, de quando em quando pausando para examinar de forma mais atenta o padrão na gravura colorida, proveniente do Museu Metropolitano.

"Para quem seria isso?", eu disse.

Hawberk explicou-me que, em adição ao acervo de armaduras do Museu Metropolitano, do qual ele tinha sido nomeado armeiro, ele também era responsável pela manutenção de diversos acervos de ricos colecionadores. Aquela era a greva, antes perdida, de uma famosa armadura; um cliente a havia rastreado até uma lojinha no Quai d'Orsay, em Paris. O próprio Hawberk havia negociado e garantido a aquisição da peça e agora a armadura estava completa. Ele deixou o martelo de lado e leu-me a história da vestimenta, que partia de 1450 e passava por cada proprietário até ser adquirida por Thomas Stainbridge. Quando sua esplêndida coleção fora vendida, o tal cliente de Hawberk comprara a armadura e, desde então, eles vinham procurando pela greva faltante. Esta fora localizada em Paris quase por acidente.

"O senhor continuou buscando a greva com tal persistência mesmo sem qualquer certeza de que ela ainda existia?", quis eu saber.

"Mas é claro", respondeu ele, de um jeito casual.

Então, pela primeira vez, senti um interesse particular por Hawberk.

"A peça era valiosa para o senhor", sugeri.

"Não, o prazer que tive em encontrá-la foi minha recompensa", ele comentou e riu.

"O senhor não tem qualquer ambição de enriquecer?", falei-lhe, dando um sorriso.

"Minha única ambição é ser o melhor armeiro do mundo", disse com seriedade.

Constance me perguntou se tinha visto a cerimônia da Câmara Letal. Ela vira a cavalaria cruzando a Broadway naquela manhã e considerara assistir à inauguração, mas seu pai precisava que ela terminasse o bordado do estandarte. E então, a pedido dele, ela ficara na loja.

"O senhor chegou a ver seu primo por lá, sr. Castaigne?", perguntou ela, com um breve tremor perpassando os cílios suaves.

"Não", respondi desinteressado. "O regimento de Louis está em exercício no condado de Westchester." Levantei e peguei meu chapéu e minha bengala.

"Vai subir para ver aquele lunático de novo?"

O velho Hawberk deu uma risada. Se ele soubesse o quanto detesto o termo "lunático", jamais o empregaria em minha presença. Aquela palavra despertava em mim certos sentimentos sobre os quais prefiro não discorrer. Entretanto, eu lhe respondi sem me exaltar: "Acho que vou dar uma passada e ver o sr. Wilde por um instante".

"Coitado", Constance disse, dando um aceno de cabeça. "Deve ser difícil viver sozinho, ano após ano, aleijado e quase demente. É muita bondade sua, sr. Castaigne, visitá-lo com tanta frequência."

"Eu o considero um tanto perverso", Hawberk comentou, pegando o martelo e retomando o trabalho.

Ouvi o retinir dourado emitido pela greva. Assim que terminou, contestei: "Não, ele não é nem perverso nem demente. A mente dele é uma câmara de maravilhas da qual é capaz de retirar preciosidades que o senhor e eu despenderíamos anos para adquirir."

Hawberk riu.

Continuei, agora um tanto impaciente: "Ele conhece a História como ninguém. Nada, por mais trivial que seja, escapa à sua percepção. Sua memória é tão perfeita, tão precisa e afeita aos detalhes que, caso se soubesse em Nova York que tal homem existe, as pessoas não parariam de louvá-lo."

"Que absurdo", Hawberk murmurou, procurando por um rebite caído ao chão.

"Seria mesmo absurdo?", inquiri, sendo capaz de suprimir o que sentia. "Seria absurdo quando ele afirma que as tassetas e os coxotes da armadura comumente conhecida como 'Brasonada do Príncipe' podem ser encontrados em meio a uma profusão de aparatos cênicos enferrujados, estufas quebradas e outras velharias em um sótão em Pell Street?"

Hawberk deixou o martelo cair. Ao pegá-lo, ele perguntou, em uma boa demonstração de comedimento, como eu sabia que as tassetas e o coxote esquerdo da "Brasonada do Príncipe" estavam sumidos.

"Só soube disso porque o sr. Wilde mencionou a questão um dia desses. Ele comentou que as peças estão em um sótão na Pell Street, 998."

"Isso é um absurdo", exclamou o homem, mas notei que, sob o avental de couro, a mão dele tremia.

"Então me diga se isso também seria absurdo", acrescentei em tom ameno. "Seria absurdo quando o sr. Wilde se refere ao senhor como o marquês de Avonshire e à srta. Constance como..."

Nem precisei terminar a sentença, pois Constance ergueu-se repentinamente, com todo seu rosto expressando terror. Hawberk fitou-me, alisando o avental de couro.

"Isso é impossível", afirmou. "O sr. Wilde talvez saiba de muitas coisas..."

"Sobre armaduras, por exemplo. Sobre a 'Brasonada do Príncipe'", eu intervim, sorrindo.

"De fato", continuou vagarosamente. "Sobre armaduras, talvez. Mas ele está enganado a respeito do marquês de Avonshire, que, como o senhor deve saber, deu cabo do homem que difamou sua esposa anos atrás e mudou-se para a Austrália, onde faleceu pouco depois."

"O sr. Wilde está enganado", Constance murmurou. Seus lábios tinham perdido a cor, mas sua voz era doce e calma.

"É claro, então concordemos que o sr. Wilde está errado a respeito disso", disse eu.

II

Subi os três arruinados lances de escada que tantas vezes já subira e bati à discreta porta ao fim do corredor. O sr. Wilde atendeu e convidou-me a entrar.

Depois de passar duas trancas pela porta e de bloqueá-la com um baú pesado, ele sentou-se ao meu lado, perscrutando meu rosto com aqueles olhos claros. Meia dúzia de novos arranhões cobriam o nariz e as bochechas do homem e os retentores metálicos que sustentavam suas orelhas artificiais tinham sido desalojados. Considerei que jamais o vira em um estado tão terrível e fascinante. Ele não tinha orelhas. As artificiais, que agora pendiam desalinhadas dos suportes prateados, eram seu único ponto fraco. Elas eram feitas de cera e coloridas em um pálido tom rosado, embora o restante do rosto fosse amarelo. Ele bem que poderia ter desfrutado do luxo de uma prótese para suprir a ausência dos dedos da mão esquerda também, mas aquilo parecia não lhe causar qualquer incômodo. E estava satisfeito com suas orelhas artificiais. O homem era deveras diminuto, só um pouco mais alto do que uma criança de dez anos, ainda que seus braços fossem admiravelmente desenvolvidos e suas coxas, tão fortes quanto as de um atleta. Apesar disso, o que mais impressionava na figura do sr. Wilde era que um homem dotado de tal assombrosa inteligência tivesse uma cabeça como aquela; achatada e angulosa, como a de muitos daqueles desafortunados aprisionados em sanatórios. Muitos o consideravam insano, mas eu sabia que ele era tão equilibrado quanto eu.

Não nego que ele fosse excêntrico; a obsessão que tinha por sua felina, por provocá-la a ponto de que ela o atacasse em um ímpeto demoníaco, bem, isso era de fato excêntrico. Jamais fui capaz de compreender por que ele mantinha aquela criatura ou que prazer encontrava em trancafiar-se no quarto acompanhado daquela fera perversa e intratável. Recordo-me que, certa vez, ao erguer o olhar do manuscrito que estudava sob a fraca luz de parcas velas, vi o sr. Wilde empoleirado, inerte, em sua cadeira de espaldar alto, os olhos reluzindo, ao passo que a gata, que tinha saído do lugar de costume diante do fogareiro, vinha insidiosa na direção dele. Antes que pudesse fazer qualquer coisa, ela agachou-se, arqueou-se, estremeceu e saltou sobre o rosto do homem. Eles rolaram e rolaram pelo chão, uivando, engalfinhando-se, espumando pela boca; então a gata grunhiu e fugiu para debaixo do armário. O sr. Wilde virou de costas para o chão, os membros contraindo-se e contorcendo-se como as patas de uma aranha moribunda. Sim, ele *era* excêntrico.

O sr. Wilde tinha se sentado em sua cadeira de espaldar e, depois de analisar-me por um momento, pegou um livro-razão todo marcado por orelhas e o abriu.

"Henry B. Matthews", ele leu, "escriturário na Whysot, Whysot & Company, negociantes na área de ornatos para igrejas. Procurou-me em três de abril. Reputação lesada nas pistas de corrida. Foi tachado de caloteiro. Reputação a ser reparada até primeiro de agosto. Adiantamento: 5 dólares."

Ele virou a página e seguiu as colunas atarracadas com os nós da mão sem dedos.

"P. Greene Dusenberry, pastor de igreja, Fairbeach, New Jersey. Reputação lesada no Bowery, a ser reparada o quanto antes. Adiantamento: 100 dólares." Ele pigarreou e acrescentou: "Procurou-me em seis de abril".

"Então o senhor não precisa de dinheiro, sr. Wilde?"

"Escute." Ele limpou a garganta outra vez.

"Sra. C. Hamilton Chester, de Chester Park, Nova York. Procurou-me em sete de abril. Reputação lesada em Dieppe, França. Será reparada até primeiro de outubro. Adiantamento: 500 dólares. Nota: C. Hamilton Chester, capitão do U.S.S. Avalanche da Esquadra dos Mares do Sul, recebeu ordens de retornar para casa em primeiro de outubro."

"Bem, vejo que a profissão de Reparador de Reputações é lucrativa", eu disse.

Seus olhos sem cor buscaram os meus.

"Eu queria apenas demonstrar que estava certo. O senhor disse que era impossível ser bem-sucedido como Reparador de Reputações, que mesmo que eu tivesse êxito em alguns casos, me custaria mais do que eu ganharia. Hoje, tenho quinhentos homens a meu serviço e, embora sejam mal pagos, eles se empenham ao trabalho com um entusiasmo que bem poderia se originar no medo. Esses homens se embrenham por cada canto e classe da sociedade. Alguns são membros fundamentais das mais exclusivas organizações sociais, outros são o orgulho ostensivo do mundo financeiro ou exercem indiscutível influência entre 'Ricos e Prodígios'. Eu os seleciono ao meu bel-prazer entre aqueles que respondem aos anúncios. É uma tarefa fácil, pois são todos covardes. Eu triplicaria esse número em vinte dias se quisesse. Então veja só, eu tenho em minha folha de pagamento aqueles que têm nas mãos a reputação de seus concidadãos."

"Mas eles poderiam se voltar contra o senhor", sugeri.

O sr. Wilde roçou o polegar pelas orelhas decepadas, ajustando as substitutas de cera.

"Acredito que não", murmurou pensativo. "Só tenho de usar a chibata em casos raros, e nunca a utilizo mais de uma vez. Além disso, eles apreciam as somas que recebem."

"Como o senhor faz uso da chibata?", questionei.

Por um momento, o rosto dele tornou-se uma coisa terrível de se contemplar. Os olhos se condensaram em um par de labaredas esverdeadas.

"Eu os convido para uma conversinha", disse ele em tom macio.

O homem foi interrompido por uma batida à porta, e seu rosto assumiu outra vez uma expressão amigável.

"Quem é?", inquiriu.

"O sr. Steylette", foi a resposta.

"Volte amanhã", disse o sr. Wilde.

"Impossível", o outro continuou, mas foi silenciado por uma espécie de rosnado emitido pelo sr. Wilde:

"Volte amanhã!"

Ouvimos alguém se afastar pelo corredor e tomar a escadaria.

"Quem era?", indaguei.

"Arnold Steylette, dono e editor-chefe do *New York Daily*."

Ele tamborilou no livro-razão com a mão sem dedos e acrescentou: "Eu o pago muito mal, mas ele acha que é um bom negócio".

"Arnold Steylette", repeti impressionado.

"Sim." O sr. Wilde soltou um arquejo de satisfação.

A gata, que tinha entrado na sala enquanto ele falava, empertigou-se e, ao olhar para o homem, rosnou. Ele desceu da cadeira e tomou a criatura nos braços, acariciando-a. O animal passou então a emitir um audível ronronado que parecia se intensificar conforme ele a afagava.

"Onde estão as notas?", perguntei.

Ele apontou para a mesa e, pela centésima vez, peguei o manuscrito intitulado:

A DINASTIA IMPERIAL DA AMÉRICA

Estudei aquelas páginas desgastadas uma a uma — gastas apenas devido ao meu manuseio. E embora soubesse tudo de cor, desde "Quando, de Carcosa, das Híades, Hastur e Aldebaran" até "Castaigne, Louis de Calvados, nascido em 19 de dezembro de 1877", eu as lia em ávida e extasiada atenção, pausando para repetir algumas seções em voz alta e detendo-me especialmente em "Hildred de Calvados, filho único de Hildred Castaigne e Edythe Landes Castaigne, primeiro na linha de sucessão" e assim por diante.

Quando terminei a leitura, o sr. Wilde assentiu e soltou um pigarro.

"Falando em sua ambição legítima", ele começou, "como vão as coisas entre Constance e Louis?"

"Ela o ama", respondi.

A gata, até então acomodada sobre os joelhos dele, virou-se num átimo e atacou-lhe os olhos. Ele jogou-a no chão e se empoleirou na cadeira diante da minha.

"E o dr. Archer? Esse é um problema que você pode resolver quando quiser", acrescentou.

"Sei disso, mas essa questão pode esperar. Chegou a hora de ver meu primo Louis."

"O momento é apropriado", concordou. Então pegou outro livro-razão e folheou-o rapidamente. "Neste momento, estamos em contato com 10 mil homens", murmurou. "Podemos contar com 100 mil nas primeiras 28 horas e, em 48, o estado se erguerá *en masse*. O país vai acompanhar o estado, e a porção que não o fizer, refiro-me à Califórnia e ao Noroeste, seria melhor que nem tivesse sido povoada, pois não enviarei a eles o Sigilo Amarelo."

O sangue me subiu à cabeça, mas respondi apenas: "Uma vassoura nova varre melhor".

"A ambição de César e Napoleão empalidece diante dessa, que não cessará até que tenha dominado a mente dos homens, controlando inclusive o devir de seus pensamentos", o sr. Wilde arrematou.

"O senhor fala do Rei de Amarelo", sussurrei, estremecendo.

"Ele é o rei a quem muitos imperadores serviram."

"Estou satisfeito em servi-lo", respondi.

O sr. Wilde esfregou as orelhas com a mão aleijada. "Talvez Constance não o ame", sugeriu.

Antes que eu pudesse responder, uma repentina eclosão de marcha militar, vinda da rua lá embaixo, abafou minha voz. O 20º Regimento dos Dragões, antes guarnecidos em Mount St. Vincent, retornava dos exercícios bélicos realizados no condado de Westchester às novas casernas a leste da Washington Square. Tratava-se do regimento de meu primo. E que belo grupo formavam, trajando casacas azul-pálidas de bom corte, barretinas vistosas e calças brancas de equitação adornadas pelas tradicionais faixas duplas de cor amarela que modelavam perfeitamente suas pernas. Todos os esquadrões brandiam lanças das quais as pontas metálicas tremulavam flâmulas em amarelo e branco. Logo após a passagem da banda tocando a marcha militar, o coronel surgiu junto a outros oficiais; os cavalos trotavam em sincronia, bufando em uníssono, e as flâmulas se agitavam no cume das lanças. As tropas, que cavalgavam no esplêndido estilo inglês, estavam queimadas de sol devido a sua pacífica campanha em meio às fazendas de Westchester. Eu saboreava a música emitida pelo tilintar dos sabres contra os estribos e pelas esporas e carabinas. Então avistei Louis cavalgando à frente de seu destacamento. Ele era o oficial mais belo que eu já vira. O sr. Wilde, que subira em uma cadeira próxima à janela, também o viu, mas não disse palavra. No caminho, Louis olhou diretamente para a loja de Hawberk e pude perceber o rubor em suas bochechas. Imagino que Constance estivesse à janela. Depois que as últimas tropas trotaram para longe e que as últimas flâmulas desapareceram ao sul da Quinta Avenida, o sr. Wilde desceu da cadeira e arrastou o baú para longe da porta.

"De fato", ele disse, "é hora de ver seu primo Louis."

Ele destrancou a porta; eu peguei meu chapéu e bengala e ganhei o corredor. Na escuridão da escadaria, acabei tropeçando em alguma coisa macia, que rosnou para mim. Tentei atingir a gata com um golpe mortal, mas a bengala se estilhaçou contra a balaustrada. A besta disparou de volta ao apartamento.

Ao passar outra vez diante da loja de Hawberk, vi-o ainda trabalhando na armadura, mas não me detive. Segui a Bleecker Street até a Wooster, circundei as imediações da Câmara Letal, atravessei o Washington Park e fui direto aos meus aposentos no hotel Benedick. Ali, almocei sem pressa e li o *Herald* e o *Meteor*. Então, enfim, fui ao cofre de aço em meu quarto e ajustei a combinação da tranca temporal. Os três minutos e quarenta e cinco segundos que preciso esperar até que o cofre se abra valem, para mim, seu peso em ouro. Do instante em que ativo a trava até o momento que seguro o puxador e abro a porta de aço maciço, vivo um êxtase de antecipação. Esses minutos têm o sabor de momentos despendidos no Paraíso. Eu sei o que vou encontrar quando o cronômetro da tranca chega ao fim; aquilo que o pesado cofre mantém em segurança para mim e só para mim. O primoroso prazer da espera se intensifica e quase me avassala quando a porta se abre e eu retiro de seu leito de veludo um diadema refulgente de diamantes, feito do mais puro ouro. Faço isso todos os dias; entretanto, o júbilo da espera, assim como tocar novamente na joia, parece apenas se elevar conforme o tempo passa. Trata-se de um ornato digno de um Rei entre reis, de um Imperador entre imperadores. O Rei de Amarelo talvez desfizesse da joia, mas ela será usada por seu leal súdito.

Eu segurei a peça até que o alarme do cofre se tornasse estridente demais. Então, gentil e orgulhosamente, depositei o diadema no devido lugar, trancando novamente a porta de aço. Voltei a passos lentos ao meu estúdio, que tem vista para a Washington Square, e inclinei-me no peitoril da janela. O sol da tarde invadia o cômodo e uma leve brisa agitava os galhos dos olmos e bordos no parque, soprando em meio aos botões de flores e à folhagem aveludada. Uma revoada de pombos circundou a torre da Memorial Church, por vezes pousando no telhado purpúreo ou espiralando na direção da fonte que jazia diante do arco de mármore. Os jardineiros se ocupavam dos botões de flores em redor da fonte, e da terra fresca e recém-virada subia um aroma doce e pungente.

Um cortador de grama, puxado por um encorpado cavalo branco, retinia através do gramado verdejante. Carrinhos d'água borrifavam o asfalto. E crianças brincavam sob o sol primaveril ao redor da estátua de Peter Stuyvesant, instalada em 1897 para substituir a monstruosidade que supostamente representava Garibaldi. Jovens amas conduziam vistosos carrinhos de bebês, demonstrando um imprudente descaso pelos ocupantes de faces pálidas, o que poderia ser explicado, quem sabe, devido à presença de meia dúzia de soldados bem-apessoados do Regimento dos Dragões, languidamente acomodados nos bancos das imediações. Em meio às árvores, o Arco de Washington reluzia feito prata sob a luz do sol e, mais além, na extremidade oriental da praça, erguiam-se os quartéis de pedra cinzenta dos Dragões, e os estábulos da artilharia esboçavam uma vívida movimentação.

Fitei a Câmara Letal na esquina longínqua da praça. Meia dúzia de curiosos ainda perambulava em torno da cerca dourada de ferro fundido, mas o interior da área se encontrava deserto. Vi as fontes reluzentes e borbulhantes; os pardais já haviam encontrado esse novo recanto de banho e as poças estavam repletas daquelas coisinhas emplumadas. Dois ou três pavões-brancos vagavam em meio ao relvado e um pombo de cor monótona pousava no braço de uma das *Moiras*, tão imóvel que parecia parte da escultura.

Distraído, dei as costas para partir, mas uma ligeira comoção entre o grupo de curiosos no entorno do portão atraiu minha atenção. Um jovem havia cruzado a cerca e avançava a passos nervosos pela trilha de cascalho que levava às portas de bronze da Câmara Letal. Ele se deteve por um momento diante das *Moiras*, fitando aqueles três rostos enigmáticos. O pombo alçou voo de seu poleiro estatuário, circulou em torno e rumou para o leste. O jovem levou as mãos ao rosto e, em um gesto indefinível, subiu os degraus de mármore e as portas de bronze se fecharam às suas costas. Meia hora depois, os curiosos se dispersaram e o pombo assustado retornou ao seu lugar.

Coloquei o chapéu e fui ao parque para uma breve caminhada antes do jantar.

Quando atravessava a alameda central, um grupo de oficiais passou por mim, e um deles me chamou: "Olá, Hildred." Descobri se tratar de meu primo, Louis, que retornara para apertar minha mão e que agora se postava diante de mim, sorridente, dando batidinhas nas esporas de suas botas com a chibata de equitação.

"Acabei de voltar de Westchester", ele disse. "Passei uns dias bucólicos no campo. Leite e coalhadas, sabe. E leiteiras usando chapéu de sol, dessas que costumam dizer 'balela' e 'não acho, não' quando a gente diz que são bonitas. Não vejo a hora de fazer uma refeição decente no Delmonico. Mas quais são as novidades?"

"Nenhuma", comentei em tom cordial. "Eu assisti à chegada do seu regimento esta manhã."

"É mesmo? Eu não o vi. Onde você estava?"

"À janela do sr. Wilde."

"Mas que diabos", ele disse impaciente. "Aquele homem é completamente louco! Eu não entendo por que você..."

Ele notou o quão incomodado fiquei diante daquela exasperação e suplicou por meu perdão:

"Olha, meu velho", começou, "não tenho a intenção de ofender alguém que você preza, mas juro que não entendo o que diabos você acha que tem em comum com o sr. Wilde. Sendo delicado, posso dizer que ele não vem de uma boa linhagem. Além disso, trata-se de um homem horrivelmente deformado que tem a mente de um criminoso insano. Você mesmo sabe que ele já esteve internado em um sanatório."

"Assim como eu", interrompi-o.

Louis fitou-me um tanto confuso e sobressaltado, mas logo recobrou a compostura e deu-me um tapa cordial no ombro. "Você foi totalmente curado", recomeçou, mas eu tornei a interrompê-lo.

"Talvez você queira dizer que admitiu-se que eu jamais fui insano."

"Claro... Claro, foi isso que eu quis dizer." Ele sorriu.

Aquele sorriso me desgostou, pois sabia que era forçado. No entanto, assenti com uma expressão contente e perguntei para onde ele ia. Louis procurava por seus irmãos em armas, que a essa altura já deviam ter alcançado a Broadway.

"Tínhamos a intenção de experimentar um coquetel Brunswick, mas, para ser sincero, eu queria mesmo era uma desculpa para visitar Hawberk. Então vamos, você vai ser a minha desculpa."

Encontramos o velho Hawberk diante da loja, farejando o ar, bem-vestido em um terno novo e da moda.

"Acabei decidindo levar Constance para um passeio antes do jantar", ele disse depois da impetuosa rajada de perguntas disparada por Louis. "Pensamos em passear pela margem do rio Hudson."

Naquele momento, Constance apareceu, empalidecendo. Mas logo corou quando Louis pegou sua pequena mão enluvada, curvando-se diante dela. Tentei partir, alegando um compromisso no subúrbio, mas Louis e Constance não me deram atenção. Estava claro que esperavam que eu fizesse companhia a Hawberk. No fim das contas, considerei que seria bom manter meus olhos em meu primo. Quando eles pegaram uma diligência em Spring Street, eu os segui e sentei-me ao lado do armeiro.

A bela extensão de parques e largos de granito que se abria para os portos ao longo do rio Hudson, construídas entre 1910 e 1917, havia se tornado o mais popular passeio público da metrópole. Eles se estendiam desde a 190th Street, oferecendo uma vista panorâmica do rio e, na outra margem, uma bela visão da costa de New Jersey e das montanhas. Cafés e restaurantes se insinuavam em meio às árvores e, duas vezes por semana, bandas militares tocavam nos coretos ao longo do passeio.

Sentamo-nos sob o sol em um banco diante da estátua equestre do general Sheridan. Constance inclinou o guarda-sol para proteger os olhos. Então Louis e ela se engajaram em uma conversa sussurrada impossível de se ouvir. Apoiado em sua bengala de punho de marfim, o velho Hawberk, sorrindo despreocupado, acendeu um charuto e me ofereceu outro, que educadamente recusei. O sol pendia baixo, logo acima das matas de Staten Island, e o reflexo das velas dos navios no porto, aquecidas por ele, tingia a baía em tons dourados.

Brigues, escunas, iates e balsas desajeitadas com conveses enxameados de gente, escunas de enfileirados transporte de carga marrons, azuis e brancos, vapores pomposos e bem cuidados, vapores *déclassés*, sem rota certa, desses que negociam conforme a oportunidade, embarcações comerciais costeiras, dragas, escórias de fundo chato e rebocadores inoportunos bufavam e assoviavam, laboriando por toda a baía — tais eram as embarcações que, até aonde a vista alcançava, agitavam as águas cintilantes ao fim da tarde. Em calmoso contraste ao fragor dos barcos e vapores, uma silente frota de navios de guerra jazia inerte na entrada da enseada.

O riso alegre de Constance despertou-me de meus devaneios.

"O que está olhando?", ela indagou.

"Nada. Apenas a frota." Sorri.

Louis então nos explicou de que tipo e a que propósito serviam aquelas embarcações, indicando-as conforme as posições em torno do velho forte Red, em Governor's Island.

"Aquela coisinha ali, em formato de charuto, é um torpedeiro", ele começou. "E tem mais quatro próximos uns dos outros. O *Tarpon*, o *Falcon*, o *Sea Fox* e o *Octopus*. As canhoeiras logo além são a *Princeton*, a *Champlain*, a *Still Water* e a *Erie*. Em paralelo a elas estão os cruzadores *Faragut* e *Los Angeles* e, logo depois, os encouraçados *California*, *Dakota* e o *Washington*, que é a capitânia. Aqueles dois pedaços atarracados de metal, ancorados lá em Castle William, são os encouraçados monitores de torre dupla *Terrible* e *Magnificent*. Atrás deles, o navio-aríete *Osceola*."

Constance fitou-o, com uma profunda expressão de aprovação adornando seus belos olhos. "Quanta coisa você sabe, quer dizer, para um soldado", ela disse, e todos rimos em uníssono.

Em seguida, Louis se levantou, deu-nos um aceno de cabeça e ofereceu o braço a Constance. Os dois se afastaram em passos lânguidos, acompanhando a mureta rente ao rio. Hawberk observou-os por um momento, então se virou para mim.

"O sr. Wilde estava certo", ele disse. "Eu encontrei as tassetas e o coxote esquerdo que faltavam à Brasonada do Príncipe em um velho e abarrotado sótão em Pell Street."

"Número 998?", indaguei, sorrindo.

"Sim."

"O sr. Wilde é um homem deveras inteligente", comentei.

"Quero dar a ele o crédito por essa importante descoberta", continuou. "Ele merece reconhecimento pelo achado e pretendo que todos saibam disso."

"Ele não lhe agradecerá", assegurei de maneira áspera. "Não comente sobre isso, por favor."

"O senhor tem ideia do valor daquelas peças?", ele disse.

"Não. Uns 50 dólares, talvez?"

"A estimativa é de 500 dólares, mas o proprietário da Brasonada do Príncipe ofereceu 2 mil a quem completasse a armadura. O sr. Wilde tem direito a essa recompensa."

"Ele não quer esse dinheiro. Ele o recusa!", afirmei, agora irritado. "O que o senhor sabe sobre o sr. Wilde? Ele não precisa de dinheiro. Ele é rico, ou será rico, mais rico do que qualquer homem sobre a face da terra, exceto por mim mesmo. Por que deveríamos dar importância ao dinheiro quando, quero dizer, por que nos importaríamos, ele e eu, quando, quando..."

"Quando o quê?", Hawberk demandou espantado.

"O senhor verá", repliquei, recompondo-me.

Ele estreitou os olhos para mim, da mesma maneira que o dr. Archer costumava fazer. Então eu soube que ele me considerava mentalmente instável. Talvez fosse fortuito de sua parte que ele não tivesse usado a palavra "lunático" naquele momento.

"Não", respondi ao seu pensamento não verbalizado, "eu não estou fraco da cabeça. Minha mente é tão lúcida quanto a do sr. Wilde. Não tenho de explicar o meu trunfo de antemão, embora se trate de um investimento que renderá mais do que simples ouro, prata ou pedras preciosas. Trata-se de algo que garantirá o contentamento e a prosperidade de um continente! Sim, de um hemisfério!"

"Ah", Hawberk disse.

"Por fim", continuei, agora calmo, "garantirá a felicidade do mundo inteiro."

"E, por consequência, a felicidade e a prosperidade tanto sua quanto do sr. Wilde?"

"Exatamente." Eu sorri, querendo porém esganá-lo por ter usado aquele tom.

Ele fitou-me em silêncio por um tempo e então disse brandamente: "Sr. Castaigne, por que não deixa os livros e estudos de lado e faz uma viagem pelas montanhas? O senhor costumava gostar de pescar. Poderia ir a Rangely e tentar a sorte com as trutas".

"Não me interesso mais pela pesca", respondi sem uma sombra de aborrecimento na voz.

"O senhor costumava apreciar tantas coisas", ele continuou, "praticar esportes, velejar, caçar e montar a cavalo."

"Eu não tenho mais vontade de cavalgar desde a minha queda", murmurei.

"Ah, claro, a queda", ele repetiu, desviando o olhar.

Aquela asneira já tinha rendido o suficiente, então retomei o tópico do sr. Wilde. Mas outra vez ele me analisava de maneira bastante ofensiva.

"Sobre o sr. Wilde", repetiu. "Sabe o que ele fez esta tarde? Desceu as escadas e fixou um anúncio na porta do corredor, logo ao lado da minha. O anúncio dizia:

SR. WILDE.
REPARADOR DE REPUTAÇÕES.
TERCEIRA CAMPAINHA.

"O senhor por acaso sabe o que seria um Reparador de Reputações?"
"É claro", comentei, reprimindo a raiva interior.
"Ah", disse ele apenas.
Louis e Constance voltaram vagarosos pelo passeio e fizeram uma parada para questionar-nos se gostaríamos de nos juntar a eles. Hawberk fitou o relógio. Naquele instante, uma nuvem de fumaça projetou-se das casamatas da fortificação Castle William e o estrondo do canhão rimbombou ao pôr do sol, agitando a água e ecoando nas montanhas do outro lado da enseada. A bandeira foi arriada, clarins soaram nos amplos tombadilhos dos encouraçados e as primeiras luzes elétricas cintilaram na costa de New Jersey.
Acompanhado por Hawberk, tomei o rumo da cidade e ouvi Constance sussurrar alguma coisa para Louis, algo que não fui capaz de entender.
"Minha querida", Louis murmurou em resposta.
Hawberk e eu seguíamos à frente e, quando cruzávamos a praça, ouvi outra vez o murmúrio "minha querida" e em seguida "minha Constance". Foi quando soube que se avizinhava o derradeiro momento de tratar de questões importantes com meu primo Louis.

III

Em uma manhã, no início de maio, eu me encontrava diante do cofre de aço em meu quarto, experimentando o diadema de ouro cravejado de joias. Virei-me na direção do espelho, os diamantes refulgindo feito fogo e o ouro batido ardia como um halo em redor de minha cabeça. Eu recordava do agonizante clamor de Camilla e do eco daquelas tétricas palavras pelas sombrias vielas de Carcosa. Refiro-me aos últimos versos do primeiro ato da peça, e eu não ousava pensar no que se seguia — não, não ousava, nem mesmo banhado pela luz de um sol primaveril, em meus próprios aposentos, cercado por objetos familiares e tranquilizado pela conhecida agitação vinda da rua e pelas vozes dos criados logo ali, no corredor. Pois aqueles versos venenosos haviam lentamente contaminado meu coração, tal como o suor da morte sendo absorvido pelo lençol. Tomado por tremores, retirei o diadema da cabeça e enxuguei a fronte, mas pensava em Hastur e em minha ambição mais que legítima. Ponderei sobre o estado do sr. Wilde quando eu o deixara pela última vez; seu rosto arranhado e ensanguentado devido às garras daquela felina diabólica; e pensei no que ele dissera. Ah, o que ele dissera. O alarme do cofre começou a zunir de maneira aguda, pois meu tempo tinha se esgotado. No entanto, não dei atenção. Recoloquei o diadema cintilante na cabeça e virei-me desafiadoramente para o espelho. Por um longo tempo, permaneci absorto nas metamorfoses de meu próprio olhar. O espelho refletia um rosto exatamente como o meu, porém mais pálido e tão esguio que mal o reconhecia. E por todo aquele momento eu repetia entre dentes cerrados: "O dia chegou! O dia chegou!". E o alarme do cofre zunia e protestava e os diamantes cintilavam e chispavam sobre minha fronte.

Ouvi a porta se abrir, mas não dei atenção. Reagi apenas quando vi duas faces refletidas no espelho; quando outro rosto surgiu sobre o meu ombro e um par de olhos encontrou os meus. Num átimo, virei-me e apanhei a adaga que jazia sobre minha penteadeira. Meu primo recuou pálido e exaltado:

"Hildred! Pelo amor de Deus!"

Então baixei a faca. Ele continuou:

"Sou eu, Louis. Você não sabe quem eu sou?".

Permaneci em silêncio. Eu não teria dito nada nem se minha vida dependesse disso. Ele se aproximou e tirou a adaga de minha mão.

"O que é isso?", ele indagou em tom brando. "Você está passando mal?"

"Não", respondi, mas duvido que ele tenha me escutado.

"Bem, vamos lá, camarada", ele disse inquieto, "tire essa coroa de latão e venha para o estúdio. Por acaso você vai a um baile de máscaras? Para que toda essa indumentária?"

Fiquei satisfeito por ele ter pensado que a coroa era feita de latão, mas isso não fez com que meu apreço por ele aumentasse. Sabendo que era melhor agradá-lo, deixei que ele a pegasse de minha mão. Ele lançou o magnífico diadema ao ar e, pegando-o de volta, volveu-se para mim, sorrindo.

"Essa coisa já seria cara se custasse uns 50 centavos", ele disse. "Para que você quer isso?"

Não repliquei, apenas tomei o diadema de suas mãos, depositei-o no cofre e selei a porta de aço maciço. O alarme infernal calou-se de imediato. Ele fitou-me curiosamente, embora não parecesse ter notado o repentino cessar do aviso sonoro. Todavia, fez um comentário sobre o cofre, tratando-o como nada mais do que uma lata de biscoitos. Temendo que pudesse verificar a combinação, levei-o ao meu estúdio. Louis jogou-se no sofá, tentando acertar moscas com sua onipresente chibata de equitação. Ele trajava um uniforme completo, contando com a casaca que ostentava a patente e a barretina vistosa. Notei que suas botas estavam sujas de barro.

"Por onde você andou?" Eu quis saber.

"Cavalgando por riachos lamacentos em New Jersey", respondeu. "Não tive tempo de trocar de roupa, pois estava com pressa de visitá-lo. Você não tem nada para beber? Estou morto de cansaço, passei as últimas 24 horas numa sela."

Dei a ele uma dose de conhaque de minhas provisões medicinais, que ele bebeu em um esgar.

"Mas que coisa horrível", ele comentou. "Vou lhe dar o endereço de um lugar onde eles vendem conhaque que, bem, é conhaque."

"Essa bebida atende às minhas necessidades", eu disse um tanto indiferente. "Costumo usá-la para massagear meu peito."

Ele encarou o copo e deu mais um gole.

"Veja bem, camarada", ele começou. "Eu gostaria de lhe fazer uma sugestão. Já faz quatro anos que você se trancou aqui em cima que nem uma coruja. Você nunca sai, nunca se exercita, nunca faz nada que não seja devorar esses livros diante da lareira." Ele examinou brevemente os títulos nas prateleiras. "Napoleão, Napoleão, Napoleão!", continuou. "Meu Deus, será que você não tem nada que não seja Napoleão?"

"Eu gostaria que eles fossem encadernados em ouro", eu disse. "Entretanto, eu de fato tenho outro livro, *O Rei de Amarelo*." Encarei-o fixamente. "Você já o leu?"

"Eu? Não, graças a Deus. Não quero ficar louco!"

Notei que ele se arrependeu de ter dito aquilo no mesmo instante. Existe apenas uma palavra que desprezo mais do que "lunático": o termo "louco". Ainda assim, contive-me. Então perguntei por que ele considerava *O Rei de Amarelo* um livro perigoso.

"Ah, não sei", ele disse em tom exacerbado. "Eu só me lembro de toda a comoção que o livro causou e das acusações dos pregadores e da imprensa. Acho que o autor se deu um tiro depois de criar essa monstruosidade, não é?"

"Pelo que sei, ele está vivo", respondi.

"É, provavelmente", ele murmurou.

"Trata-se de um livro que oferece grandes verdades", acrescentei.

"Pois é", ele continuou, "mas são 'verdades' que afogam os homens em angústia e que arruínam suas vidas. Não dou a mínima se essa coisa é, como dizem, a essência suprema da arte. Foi um crime escrever esse livro e eu, pelo menos, jamais vou folhear suas páginas."

"Foi isso que veio me dizer?", indaguei.

"Não", ele admitiu, "eu vim lhe dizer que vou me casar."

Acreditei, por um breve momento, que meu coração tivesse parado de bater. Mas permaneci imóvel, encarando-o.

"Sim", ele disse com um sorriso contente, "vou me casar com a garota mais adorável sobre a face da terra."

"Constance Hawberk", respondi por instinto.

"Como você sabe?" Ele estava surpreso. "Eu mesmo não tinha conhecimento de minha afeição por ela até aquele dia de abril, quando passeamos até o porto antes do jantar."

"Quando vai ser a cerimônia?"

"Era para ser em setembro, mas faz mais ou menos uma hora que recebemos um despacho ordenando que nosso regimento vá para Presidio, em São Francisco. Vamos partir amanhã ao meio-dia. Amanhã", ele repetiu. "Mas pense, Hildred, amanhã eu vou ser o sujeito mais feliz deste belo mundo, pois Constance vai comigo."

Parabenizei-o e ofereci um aperto de mão, que ele retribuiu sacudindo-a como o tolo de boa índole que era — ou que fingia ser.

"Vou receber o comando de um esquadrão como presente de casamento", ele continuou matraqueando. "A patente de capitão e a sra. Castaigne, hein, Hildred?"

Então ele me contou onde aconteceria a cerimônia e quem seria convidado, me fazendo prometer que seria seu padrinho. Cerrei os dentes e ouvi aquela tagarelice infantil sem demonstrar o que sentia.

Mas eu estava chegando ao limite de minha paciência. Por isso, quando ele se ergueu num pulo, tilintando as esporas e dizendo que tinha de ir, não o detive.

"Gostaria de pedir-lhe um favor", disse calmamente.

"Pode pedir, já considere feito." Ele soltou uma risada.

"Quero que me encontre para uma conversa breve esta noite."

"É claro, quando quiser", disse ele um pouco intrigado. "Onde?"

"Em qualquer lugar. No parque."

"Que horas, Hildred?"

"À meia-noite."

"Mas que...", ele começou, mas se recompôs e assentiu, sorrindo.

Eu o observei descer apressado as escadas, o sabre tilintando, marcando seus passos, e o vi pegar a Bleecker Street. Assim soube que ele estava indo visitar Constance.

Esperei uns bons dez minutos até que sumisse de vista e então o segui, levando comigo o diadema adornado e o manto de seda bordado com o Sigilo Amarelo. Alcancei a rua e adentrei o corredor onde havia sido fixada a plaqueta que dizia:

SR. WILDE.
REPARADOR DE REPUTAÇÕES.
TERCEIRA CAMPAINHA.

Vi o velho Hawberk zanzando pela loja e achei ter ouvido a voz de Constance na sala, mas evitei-os e subi apressado pelas escadas depredadas que levavam aos aposentos do sr. Wilde. Bati e entrei sem cerimônia. Encontrei-o deitado no chão, gemendo de dor, com o rosto ensanguentado e as roupas em farrapos. Manchas de sangue no tapete lacerado evidenciavam um conflito recente.

"Aquela maldita gata", ele disse, engolindo os lamentos. Então fitou-me com aqueles olhos claros. "Ela me atacou enquanto dormia. Um dia ela ainda vai me matar."

Aquilo era demais. Fui à cozinha, peguei uma machadinha na despensa e passei a caçar aquela besta demoníaca, determinado a dar um jeito nela ali mesmo. Porém, minha busca se provou inútil e, depois de um tempo, desisti. Ao retornar à sala, encontrei o sr. Wilde empoleirado em sua cadeira de espaldar alto diante da mesa, com o rosto lavado e vestindo novas roupas. O homem passara colódio nos sulcos sanguinolentos que as garras da gata haviam lanhado em seu rosto e um pedaço de tecido ocultava-lhe o ferimento no pescoço. Eu lhe afirmei que mataria a gata assim que cruzasse com ela, mas ele apenas assentiu e fitou o livro-razão aberto diante de si, se pondo a ler nomes e mais nomes de todos que tinham vindo procurá-lo para tratar de questões relativas às suas reputações. As somas que havia acumulado eram surpreendentes.

"De vez em quando, eu cobro o que me devem", ele explicou.

"Um dia desses, alguém vai mandar assassiná-lo", insisti.

"O senhor acha mesmo?" Ele passou a mão pelas orelhas mutiladas.

Era inútil argumentar com o sr. Wilde. Busquei então na prateleira o manuscrito intitulado *A Dinastia Imperial da América*; seria a última vez que eu colocaria as mãos naquele documento no estúdio do sr. Wilde. Eu o li integralmente, trêmulo e arrebatado de satisfação. Quando terminei, o sr. Wilde pegou os escritos e, virando-se para o corredor escuro que conectava o estúdio ao quarto, exclamou: "Vance". E só então notei o homem que se encolhia ali, velado pelas sombras. Não consegui compreender como eu não o percebera durante a busca pela gata.

"Vance, se aproxime", o sr. Wilde gritou.

A figura empertigou-se e arrastou-se na nossa direção. Jamais hei de esquecer o rosto que, tingido pela luz que vertia da janela, encarou o meu.

"Vance, este é o sr. Castaigne", apresentou o sr. Wilde.

Antes que ele terminasse de falar, o homem lançou-se ao chão diante da mesa e disse em um clamor sôfrego: "Ah, meu Deus! Meu Deus! Me ajude! Me perdoe! Ah, sr. Castaigne, afaste esse homem de mim. Não pode ser, o senhor não pode ter essa intenção! O senhor é diferente. Salve! Me salve! Estou em frangalhos! Estava internado num sanatório e agora, quando as coisas estavam começando a se ajeitar, porque eu tinha esquecido o Rei, o Rei de Amarelo, e agora eu vou enlouquecer de novo, vou enlouquecer."

O sr. Wilde saltou sobre ele e o esganou com a mão direita, fazendo a voz do sujeito decair a um murmúrio sufocado. Vance sucumbiu, esparramando-se ao chão, e o sr. Wilde voltou a empoleirar-se em sua cadeira de espaldar alto. Esfregando as orelhas mutiladas com o toco da mão deformada, ele virou-se para mim e pediu que eu lhe entregasse o livro-razão. Busquei o livro na prateleira e o entreguei. O homem realizou uma breve busca naquelas páginas registradas em bela caligrafia e, depois de encontrar o que procurava, pigarreou de maneira complacente e apontou o nome de Vance.

"Vance", ele leu em voz alta. "Osgood Oswald Vance." Ao ouvir o próprio nome, o homem no chão ergueu a cabeça e fitou o sr. Wilde em uma expressão transtornada. Ele tinha os olhos injetados e os lábios intumescidos. "Procurou-me em vinte e oito de abril", continuou o sr. Wilde. "Ocupação: caixa no Seaforth National Bank. Cumpriu pena por falsificação em Sing Sing, de onde foi transferido a um sanatório para criminosos insanos. Foi perdoado pelo governador de Nova York e liberado do sanatório em dezenove de janeiro de 1918. Reputação lesada em Sheepshead Bay. Há boatos de que seu estilo de vida não condiz com sua renda. Reputação a ser reparada de imediato. Adiantamento: 1,5 mil dólares. Nota: desviou uma quantia estimada em 30 mil dólares desde março de 1919; família proeminente; garantiu o cargo atual através da influência do tio; o pai é presidente do Seaforth National Bank."

Fitei o homem caído.

"Levante-se, Vance", o sr. Wilde disse em tom gentil. Vance ergueu-se como se estivesse hipnotizado. "A partir de agora, ele seguirá nossas instruções", observou.

E então o sr. Wilde se pôs a ler a história completa de *A Dinastia Imperial da América*. Depois, em um sussurro tranquilo, discorreu sobre as importantes questões que Vance deveria tratar, enquanto o homem permaneceu como que aturdido. Os olhos tão inexpressivos, tão vazios, que imaginei que tivesse se tornado *semi-idiota*, algo que salientei ao sr. Wilde, mas este replicou que aquilo, de qualquer forma, não tinha importância. Pacientemente, explicamos a Vance a tarefa que ele devia desempenhar e, depois de um tempo, ele pareceu compreender. O sr. Wilde explicou-lhe o significado do manuscrito, subsidiado pelos diversos volumes sobre heráldica que ele utilizara em suas pesquisas. Ele mencionou a fundação da dinastia em Carcosa, os lagos que conectavam Hastur, Aldebaran e as misteriosas Híades. Ele contou sobre Cassilda e Camilla e especulou sobre as brumosas profundezas de Demhe e do lago de Hali.

"Os andrajos adornados do Rei de Amarelo hão de ocultar Yhtill para todo o sempre", ele murmurou, embora eu acredite que Vance não o tivesse ouvido.

Então, gradualmente, o sr. Wilde conduziu o homem pelas ramificações da família imperial; de Naotalba e do Fantasma da Verdade até Uoht e Thale, chegando a Aldones; então, deixando o manuscrito e as notas de lado, ele deu início à maravilhosa história do Último Rei. Ouvi a narrativa fascinado e emocionado. Ele ergueu a cabeça, os longos braços estendidos em um magnífico gesto de orgulho e poder, os olhos ardendo profundamente, brilhando como duas esmeraldas. Pasmo, Vance escutou tudo. Quanto a mim, quando enfim o sr. Wilde terminou e, apontando em minha direção, bradou que eu era "o primo do Rei", minha mente foi inundada de êxtase.

Em um esforço sobre-humano, controlei meus ânimos e expliquei a Vance por que eu era o único digno do trono e o motivo pelo qual meu primo deveria ser exilado ou morto. Fiz com que ele entendesse que Louis jamais deveria se casar, mesmo depois de renunciar a todos os direitos herdados, e muito menos com a filha do marquês de Avonshire, o que adicionaria a Inglaterra na querela. Mostrei-lhe a lista de milhares de nomes preparada pelo sr. Wilde. Cada um deles havia recebido o Sigilo Amarelo, que nenhum ser vivente ousaria negligenciar. A cidade, o estado, a ilha inteira; todos estavam prontos para se erguer em assombro diante da Máscara Pálida.

O momento havia chegado, o povo conheceria o filho de Hastur e o mundo inteiro se curvaria perante as estrelas escuras que pendiam dos céus de Carcosa.

Vance apoiou-se na mesa, a cabeça afundada entre as mãos. O sr. Wilde traçou um esboço a lápis na margem do *Herald* do dia anterior; tratava-se de uma planta dos aposentos de Hawberk. Então ele registrou a ordem, aplicou o selo e, trêmulo, eu assinei minha primeira execução sob o epíteto de Hildred, o Rei.

O sr. Wilde se arrastou da cadeira, destrancou o armário e tirou uma caixa alongada da prateleira de baixo. Ele a trouxe para a mesa e a abriu. Uma adaga nova em folha jazia no interior do estojo, embrulhada em papel de seda. Peguei a arma e a entreguei a Vance, juntamente com a ordem de execução e a planta dos aposentos de Hawberk. Em seguida, o sr. Wilde disse a Vance que ele podia ir, e o homem partiu, cambaleando como um desses párias de rua.

Sentei-me e, por certo tempo, contemplei a luz do sol desvanecendo por atrás do campanário da Judson Memorial Church. Por fim, tomei em mãos o manuscrito e as notas, coloquei meu chapéu e rumei para a porta.

O sr. Wilde observava-me em silêncio. Assim que ganhei o corredor, virei-me e o fitei. Seus pequenos olhos ainda estavam fixos em mim e, ao longo do corredor, as sombras se assomavam na luz moribunda. Então fechei a porta e desci às ruas já tingidas pela escuridão.

Eu não havia feito nenhuma refeição além do café da manhã, mas não tinha fome. Uma criatura miserável e esfomeada, que fitava entorpecida a Câmara Letal do outro lado da rua, notou-me e se aproximou no intuito de me contar uma história de desgraça. Dei dinheiro ao homem, não sei por quê, então ele se foi sem sequer me agradecer. Uma hora depois, outro pária me abordou e choramingou sua história. Eu tinha um pedaço de papel no bolso em que se encontrava esboçado o Sigilo Amarelo. Entreguei o papel a ele, que o fitou de maneira idiótica por um instante e então, lançando-me uma olhadela incerta, dobrou-o com o que me pareceu um cuidado exagerado e o guardou no bolso do paletó.

As luzes elétricas cintilavam em meio às árvores e a lua nova brilhava nos céus acima da Câmara Letal. Era cansativo esperar na praça. Eu vaguei do Arco de Mármore até os estábulos da artilharia e então retornei à fonte. A fragrância das flores e da gramínea me perturbava. O chafariz da fonte brincava sob o luar e o som musical da água gotejante lembrou-me o tilintar da cota de malha na oficina de Hawberk. Porém, isso estava longe de ser de fato interessante. Além do mais, o tedioso reflexo da lua na água não me ofereceu qualquer sensação de prazer requintado, como quando feixes de sol brincavam sobre o aço polido de um peitoral repousado no joelho do armeiro. Observei morcegos circulando acima das plantas aquáticas da fonte, mas seu voo ágil e espasmódico atiçou meus nervos, então me afastei dali outra vez, vagando a esmo por entre as árvores do parque.

Os estábulos da artilharia estavam imersos na penumbra, mas as janelas dos oficiais, nos quartéis de cavalaria, refulgiam em luz. Havia um movimento constante de soldados fardados na entrada à retaguarda, carregando palha, arreios e cestos abarrotados de utensílios de estanho.

Por duas vezes as sentinelas montadas se revezaram no posto diante dos portões enquanto eu perambulava para cima e para baixo pela calçada da praça. Fitei o relógio. Estava quase na hora. As luzes das casernas se apagaram uma a uma e o portão gradeado foi fechado. De quando em quando, um oficial passava diante da portinhola, deixando um rastro de som produzido pela parafernália do uniforme e pelo tilintar das esporas em meio ao ar noturno. A praça tornara-se demasiado silente. Um vagabundo desabrigado andava pelas imediações, mas um guarda do parque trajado em um capote cinzento o expulsou. A Wooster Street estava deserta. O único ruído a romper a quietude era o trotar do corcel da sentinela e o roçar de seu sabre contra a sela. Nos quartéis, ainda havia luz nos alojamentos dos oficiais e alguns soldados passavam, vez que outra, diante das janelas. Bateu meia-noite no relógio do novo pináculo da Igreja de S. Francisco Xavier e, durante a última e melancólica badalada, uma figura passou diante da portinhola ao lado do portão levadiço, cumprimentou a sentinela, atravessou a rua e ganhou a praça, tomando o rumo do hotel Benedick.

"Louis", chamei.

Ele deu meia-volta e, estalando as esporas, veio em minha direção.

"É você, Hildred?"

"Sim. Você foi pontual."

Nos cumprimentamos com um aperto de mãos e seguimos na direção da Câmara Letal.

Louis tagarelava a respeito do casamento, da graciosidade de Constance e suas perspectivas e planos, indicando-me as dragonas de capitão em seus ombros e o arabesco triplo, bordado em dourado, nas mangas e no quepe da farda. Acredito ter dado ouvidos tanto à música de suas esporas e sabre quanto à sua falação infantil; por fim, nos encontrávamos sob os olmos onde a praça encontra a Fourth Street, no lado oposto à Câmara Letal. Ele riu e perguntou-me qual era o assunto que eu desejava tratar. Conduzi-o a um banco sob um poste elétrico e sentei-me ao lado dele. Ele me fitava de forma curiosa, com a mesma expressão de escrutínio que eu tanto temia e odiava no rosto dos médicos. Seu olhar me insultava, mas ele não percebia. Então, cuidadosamente, ocultei o que sentia.

"Bem, velho camarada", ele começou, "o que posso fazer por você?"

Tirei do bolso as notas e o manuscrito de *A Dinastia Imperial da América* e, fitando-o, disse:

"Vou contar tudo, mas quero sua palavra de honra, quero que prometa que lerá este manuscrito do início ao fim sem qualquer interrogativa. Prometa-me que lerá estas notas e que, depois disso, ouvirá o que eu tenho a dizer."

"Sé é assim que deseja, eu prometo", disse ele em tom simpático. "Agora me dê esse papel, Hildred."

Ele começou a ler o manuscrito, arqueando as sobrancelhas com um ar intrigado e um tanto cínico que me fez estremecer devido à raiva reprimida. Conforme lia, suas sobrancelhas se contraíram e seus lábios pareceram formar a palavra "bobagem".

Louis parecia um tanto entediado. No entanto, talvez por consideração para comigo, continuou lendo, tentando interessar-se, e o intento logo deixou de ser um esforço. Ele se empertigou quando, naquelas páginas abarrotadas de texto, se deparou com o próprio nome. Ao encontrar o meu, ele baixou o manuscrito e, por um breve momento, estreitou os olhos para mim. Porém, manteve a sua promessa e continuou lendo, e eu deixei que a pergunta quase formada morresse em seus lábios sem oferecer qualquer resposta. Depois de terminar a leitura e notar a assinatura do sr. Wilde, ele dobrou o papel com cuidado e o devolveu a mim. Entreguei-lhe as notas e ele se acomodou no banco, ajustando o quepe em um gesto infantil, um gesto do qual eu bem me lembrava de nossa época de escola. Eu perscrutava seu rosto conforme ele lia e, quando terminou, peguei as notas e guardei-as no bolso, junto do manuscrito. Em seguida, desenrolei um pergaminho marcado com o Sigilo Amarelo. Ele percebeu o símbolo, mas não pareceu reconhecê-lo, então lhe indiquei o emblema de maneira um tanto brusca.

"Bom", ele disse. "Eu vi, mas o que é isso?"

"Este é o Sigilo Amarelo", repliquei irritado.

"Ah, claro, mas o que significa?", Louis disse naquele mesmo tom condescendente que o dr. Archer costumava usar comigo, e que provavelmente teria usado de novo se eu não tivesse lidado com a questão.

Contive minha fúria e lhe respondi da maneira mais firme que fui capaz: "Veja bem, você me deu sua palavra".

"Estou ouvindo, camarada", ele replicou em tom brando.

Então lhe disse calmamente:

"De alguma forma, o dr. Archer tomou conhecimento do segredo da Sucessão Imperial e tentou destituir-me do que é meu por direito, alegando que, devido à queda do cavalo há quatro anos, tornei-me mentalmente incapaz. Ele se atreveu a querer me manter cativo em sua própria casa, esperando me levar à loucura ou me envenenar. Jamais me esqueci desse fato. Prestei uma visita a ele noite passada, uma visita de consequências definitivas."

Louis empalideceu, mas não moveu um músculo. Finalizei em tom triunfante: "Ainda existem três pessoas que necessitam ser interpeladas em meu nome e em nome do sr. Wilde. Esses indivíduos são meu primo Louis, o sr. Hawberk e sua filha, Constance".

Num sobressalto, Louis pôs-se de pé e jogou no chão o papel marcado com o Sigilo Amarelo.

"Ah, mas não preciso disso para dizer o que devo dizer", bradei com uma risada triunfante. "Você deve abdicar da coroa em meu nome, entendeu? Em *meu* nome."

Louis fitou-me com uma expressão de assombro. Mas logo se recompôs e disse compassível: "Mas claro, eu abdico da... do que mesmo que eu preciso abdicar?".

"Da coroa", respondi enraivado.

"Claro", ele continuou. "Eu abdico da coroa. Agora vamos, meu caro, vou acompanhá-lo a seus aposentos."

"Não venha tentar nenhum dos seus truques de médico comigo", vociferei, trêmulo de fúria. "Não aja como se achasse que sou louco."

"Mas que bobagem", ele rebateu. "Vamos, Hildred, está ficando tarde."

"Não", gritei, "você precisa me escutar. Não deve se casar, eu o proíbo. Está entendendo? Eu o proíbo! Você deve renunciar à coroa e, como recompensa, eu lhe concederei o exílio. Mas se recusar, terá de morrer."

Ele tentou acalmar meus ânimos, mas enfim eu havia despertado. Sacando minha adaga, interpus-me em seu caminho.

Eu disse a ele que o dr. Archer seria encontrado na adega, tendo a garganta cortada. Eu ri na cara dele quando pensei em Vance e em sua adaga e na ordem que eu havia assinado.

"Ah, agora você é o Rei", clamei, "mas eu serei o Rei. Quem é você para me impedir de governar um Império que abarca toda a terra? Eu nasci primo de um rei, mas eu serei Rei!"

Louis estava pálido e imóvel diante de mim.

De repente, um homem veio correndo pela Fourth Street, passou pelo portão que resguardava o lugar do Templo Letal, singrou o caminho até as portas de bronze sem diminuir o passo e, deixando escapar um grito ensandecido, imergiu na câmara da morte. Eu ri até que meus olhos lacrimejassem, pois reconhecera Vance, e agora eu sabia que Hawberk e sua filha não estavam mais em meu caminho.

"Agora vá", bradei para Louis, "você deixou de ser uma ameaça. Você jamais se casará com Constance, e caso se una a outra pessoa em seu exílio, hei de prestar-lhe a mesma visita que fiz ao meu médico na noite passada. O sr. Wilde vai tratar com você amanhã."

Dei as costas e arremeti pela Quinta Avenida. Em um rugido de terror, Louis deixou cair o cinto e o sabre e seguiu-me feito o vento. Ouvi-o se aproximar de mim quando virei a esquina de Bleecker Street, então irrompi no corredor que se abria sob a placa da oficina de Hawberk.

"Pare ou eu atiro", ele clamou.

Mas assim que ele notou que eu avancei escada acima, deixando a oficina para trás, desviou a atenção de mim. Eu o ouvi berrando e castigando a porta, como se fosse possível acordar os mortos.

A porta do sr. Wilde jazia aberta. Entrei aos brados:

"Está feito, está feito! Que todas as nações contemplem o seu Rei!".

Como não fui capaz de encontrar o sr. Wilde, rumei para o armário e retirei o magnífico diadema do estojo. Vesti o manto de seda bordado com o Sigilo Amarelo e coloquei a coroa na cabeça. Por fim, eu era Rei. Rei por direito, pelo legado de Hastur. Rei porque eu conhecia o mistério das Híades e porque minha mente sondara as profundezas do lago de Hali. Eu era Rei! Os primeiros traços cinzentos do amanhecer prenunciariam uma tempestade que abalaria dois hemisférios.

Lá estava eu, cada nervo em meu corpo tensionado ao limite, exausto devido ao júbilo e ao esplendor que me dominava os pensamentos, sem notar que, no vestíbulo escuro, um homem gemia.

Peguei no candelabro e apressei-me na direção da porta. A gata passou por mim como que possuída e a vela se apagou. Todavia, minha adaga singrou a escuridão com mais avidez que aquela criatura. Ouvi a gata guinchar e soube, então, que minha lâmina a havia encontrado. Por um momento, a ouvi debater-se em meio às trevas, então o furor da criatura se arrefeceu. Acendi um lampião e o ergui à altura do rosto. O sr. Wilde jazia ao chão, a garganta aberta. Em um primeiro momento, achei que estivesse morto, mas depois de um instante notei que uma chama verdejante chispava em seus olhos fundos. Sua mão mutilada estremeceu e um espasmo arreganhou-lhe a boca de orelha a orelha. Por uma fração de segundo, o terror e o desespero que me afligiam deram lugar à esperança. Quando me ajoelhei diante dele, no entanto, seus olhos giraram nas órbitas e ele se foi. Permaneci estático, assolado pela ira e pelo desespero, contemplando meu reinado, meu império, cada uma de minhas esperanças e ambições e minha própria vida que jazia ali com meu falecido mestre.

Então *eles* vieram e me atacaram pelas costas, me dominaram e me amarraram de tal forma que minhas veias se tornaram salientes como cordas e minha voz falhou, afogada nos paroxismos de meus brados frenéticos. Ainda assim, resisti, sangrando, enfurecido, e confrontei-os com mais e mais oficiais de polícia sentindo meus dentes afiados. Então, quando eu não era mais capaz de me mover, eles se aproximaram. Vi o velho Hawberk. Atrás dele, o rosto estarrecido de meu primo Louis e, ao longe, na dobra do corredor, uma mulher. Era Constance, ocupada em um pranto discreto.

"Ah, agora eu entendo!", guinchei. "Você tomou o trono e o império. Maldito! Maldito seja você que foi ungido com a coroa do Rei de Amarelo!"

Nota do editor:
O sr. Hildred Castaigne faleceu ontem em um sanatório para criminosos insanos.

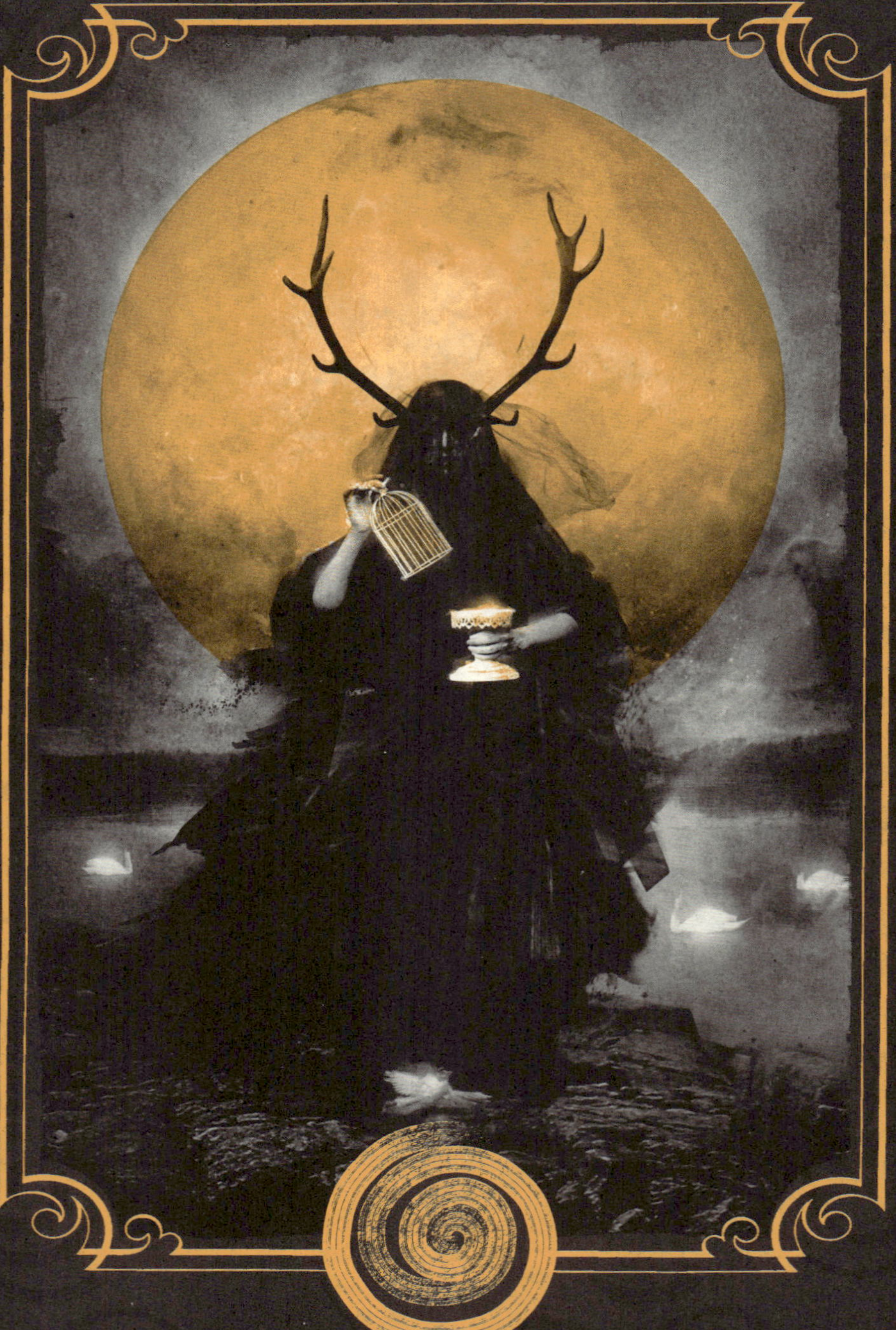

TOMO II

"A MÁSCARA"

No segundo conto do volume, conhecemos Alec, o narrador, o casal Boris Yvain e Geneviève e Jack Scott. Enquanto moradores do Quartier Latin, todos têm grandes ambições artísticas, embora sejam frágeis em lidar com o sucesso delas. Alec e Scott são pintores enquanto Boris é escultor e Geneviève, ao que tudo indica, a musa de todos eles. É uma história que reinventa — de forma invertida — o mito de Galateia e do artista que se apaixona por sua pintura. A trama fantástica transforma a metáfora — a metamorfose da vida e da musa em obra de arte — em realidade. Nela, Boris descobriu uma estranha poção que transmuta tudo o que nela é mergulhado em mármore. A trama discretamente aponta para elementos da história anterior. Assim, pouco a pouco, Chambers vai tecendo seu intrincado mosaico narrativo, demonstrando o quanto a fama e a loucura da obra de cor amarela transcendem tempo, espaço e mentalidades, quando não sensibilidades. Prontos para um inquietante vislumbre dos reinos perdidos de Carcosa?

A MÁSCARA

CAMILLA: O senhor deveria tirar a máscara.
O ESTRANHO: Deveria?
CASSILDA: De fato, chegou a hora. Todos já abdicamos de nossas fantasias, exceto o senhor.
O ESTRANHO: Não estou usando máscara.
CAMILLA (aterrorizada, à parte para Cassilda): Não está usando máscara? Não está?
O Rei de Amarelo, Ato I, Cena II.

I

Ainda que não entendesse nada de química, eu o ouvia fascinado. Ele selecionou um lírio que Geneviève colhera naquela manhã, em Notre Dame, e deixou-o cair no recipiente côncavo. Num átimo, o líquido perdeu a característica cristalina. Por um segundo, a planta foi envolvida por uma espuma leitosa, que logo desapareceu, deixando o fluido opalescente. As mais variadas matizes do laranja e do carmim brincaram pela superfície. Então o que parecia ser um feixe de pura luz do sol irrompeu do fundo do vasilhame, onde o lírio repousava. Nesse instante, ele mergulhou a mão no recipiente e pegou a flor. "Não tem perigo", explicou, "se escolhermos o momento certo. O feixe dourado é o sinal."

Ele estendeu o lírio na minha direção e eu o peguei. A flor tinha sido transformada em pedra, no mármore mais puro.

"Viu só", disse ele. "Não tem qualquer falha. Que escultor poderia reproduzir esta peça?"

O mármore era branco feito neve, mas, nas profundezas do artefato, os veios do lírio tinham sido tingidos por um pálido azul e um débil rubor insinuava-se pelo coração da peça.

"Não pergunte a razão desse efeito." Sorriu ao notar meu assombro. "Não faço ideia de por que os veios e o cerne ficam matizados. Ontem, tentei com um dos peixinhos dourados de Geneviève. Ali está."

O pequeno animal parecia esculpido em mármore. No entanto, se o segurássemos contra a luz, veríamos que a pedra apresentava lindos veios em um azul delicado e, do interior, vinha uma luminosidade rósea como aquela típica de uma opala. Fitei o vasilhame, que novamente parecia repleto do mais puro cristal.

"Mas e se eu tocasse no líquido agora?", inquiri.

"Não sei", respondeu, "mas é melhor não tentar."

"Tem uma coisa que me deixou curioso", comentei. "De onde é que vem aquele feixe de luz do sol?"

"Parece mesmo luz solar", ele considerou. "Mas não sei. Sempre aparece quando mergulho algo vivo na solução. Quem sabe?" Ele fez uma pausa, sorrindo. "Talvez seja a centelha vital da criatura indo embora, retornando para o lugar de onde veio."

Notei seu tom de chacota e ameacei-o com um tento de pintura. Ele apenas riu e mudou de assunto.

"Fique para o almoço. Geneviève vai chegar sem demora."

"Eu a vi indo à missa esta manhã", comentei, "e ela parecia tão doce e vívida quanto aquele lírio, antes de você destruí-lo."

"Você acha que eu o destruí?", Boris inquiriu em um tom sério.

"Destruiu-o ou preservou-o, vai saber?"

Nós nos sentamos no canto do estúdio, próximos da composição estatuária em andamento intitulada *Moiras*. Ele reclinou-se no sofá, brincando com o cinzel e analisando seu próprio trabalho.

"A propósito, terminei aquele velho estudo sobre Ariadne e acho que a peça vai fazer parte da exposição no *Salon*. Foi a única coisa que terminei este ano, e depois do sucesso que a *Madona* me proporcionou, sinto vergonha de enviar a eles algo como aquilo."

A *Madona* era uma primorosa escultura de mármore para a qual Geneviève havia posado. No ano anterior, a peça fora a sensação da exposição do *Salon*. Fitei a Ariadne; era uma obra magnífica em questão de técnica, mas eu concordava com Boris: o mundo esperava dele algo melhor. No entanto, seria impossível finalizar a tempo para a exposição aquele esplêndido e terrível grupo ainda parcialmente sepultado em mármore que jazia atrás de mim. As *Moiras* teriam de esperar.

Tínhamos orgulho de Boris Yvain. Havíamos reclamado nacionalidade americana e ele fizera o mesmo, subsidiado pelo fato de ter nascido nos Estados Unidos, ainda que seu pai fosse francês e sua mãe, russa. Todo mundo nas artes o chamava de Boris, mas, em meio a esses, só havia dois a quem ele tratava com a mesma familiaridade: Jack Scott e eu.

Talvez o meu amor por Geneviève tivesse alguma coisa a ver com a afeição que ele sentia por mim. Não que esse amor já tivesse sido, em algum momento, reconhecido e correspondido. Mas depois que as coisas se resolveram e que ela me dissera, com olhos inundados em lágrimas, que era Boris quem amava, eu fora até a casa dele e dera-lhe os parabéns. A cordialidade perfeita daquele encontro jamais produziu qualquer ilusão nele ou em mim, mas sempre acreditei que a conversa oferecera grande conforto ao menos para um de nós. Não acho que ele e Geneviève já tivessem tocado no assunto, mas Boris sabia.

Geneviève era adorável. Em seu rosto, via-se a pureza de uma Madona, algo que poderia muito bem ter sido inspirado na própria *Sanctus* da Missa de Gounod. Entretanto, eu me via sempre contente quando ela mudava aqueles ares para o que chamávamos de "ímpetos primaveris". Ela se mostrava mutável como um dia de primavera. Pela manhã, era séria, digna e gentil; à tarde, era risonha e caprichosa; à noite, tornava-se o que menos esperávamos. Eu a preferia nesses ânimos a quando a via naquela tranquilidade de Madona que agitava as profundezas do meu coração. Sonhava com Geneviève quando ele voltou a falar:

"Alec, o que você acha da minha descoberta?"

"É maravilhosa."

"Não pretendo usá-la para nada, sabe? Para nada além da satisfação de minha própria curiosidade, tanto quanto eu puder satisfazê-la. E o segredo da fórmula vai morrer comigo."

"Seria um golpe bruto na arte da escultura, não é mesmo? Nós, pintores, perdemos muito por causa da fotografia."

Boris assentiu, brincando com o cinzel.

"Essa perversa descoberta poderia corromper o mundo da arte. Então não, nunca vou dividir esse segredo com ninguém", ele disse pausadamente.

Seria difícil encontrar alguém menos versado do que eu nesse tipo de fenômeno. Claro, eu já tinha ouvido falar de fontes minerais tão saturadas de sílica que, quando folhas e ramos entravam em contato com tais substâncias, transformavam-se em pedra depois de determinado período. Eu compreendia vagamente o processo de como a sílica substituía a matéria vegetal, átomo por átomo, resultando em uma réplica em pedra do objeto em questão. Confesso que isso, em particular, nunca me despertou grande interesse. Quanto a fósseis assim originados, eu sentia aversão. Boris, ao que parecia, tomado por curiosidade em vez de repugnância, investigara a questão e acidentalmente se deparara com uma solução que, ao incidir contra o objeto imerso com uma ferocidade sem precedentes, realizava um processo de anos em questão de segundos. Isso era tudo o que eu conseguia compreender da história que ele recém compartilhara comigo. Ele continuou depois de um longo silêncio:

"Fico quase aterrorizado quando penso no que descobri. Cientistas enlouqueceriam diante disso. E foi tão simples, digo, a descoberta em si. Quando penso sobre a fórmula e sobre o novo elemento condensado a partir de graduações metálicas."

"Que novo elemento?"

"Ah, ainda não pensei num nome, e acho que nunca vou dar nome a ele. Já existem metais preciosos suficientes no mundo pelos quais se cortam tantas gargantas."

Aquilo atiçou minha curiosidade. "Você descobriu como criar ouro?"

"Não, descobri algo ainda melhor. Mas veja só, Alec", ele riu e continuou. "Você e eu temos tudo de que precisamos. Ah! Você já parece um pouco sinistro e ambicioso." Eu também ri, afirmando que tinha sido consumido pela febre do ouro e que era melhor que falássemos de outra coisa. Por isso, quando em seguida Geneviève chegou, tínhamos dado as costas àquela estranha alquimia.

Geneviève trajava-se inteiramente em um cinza-prateado. Ela ofereceu a bochecha a Boris e a luz incendiou-lhe os cálidos cachinhos do cabelo louro. Então notou-me e retribuiu meus cumprimentos. Ela nunca deixara de me soprar um beijo das pontinhas dos dedos pálidos e eu prontamente sublinhei essa negligência. Ela sorriu e ofereceu-me a mão, que baixou quase um momento antes que tocasse a minha. Então ela disse, fitando Boris:

"Você precisa convidar Alec para almoçar conosco." Isso também era novidade. Era ela própria quem sempre me convidava. Ao menos, até aquele dia.

"Já convidei", Boris disse apenas.

"Espero que você tenha aceitado." Ela virou-se para mim, esboçando um sorriso charmoso e comum. Eu bem que podia não passar de alguém que ela conhecera há dois dias.

"*J'avais bien l'honneur, madame.*" Fiz uma breve mesura. No entanto, recusando-se a adotar nosso usual tom de brincadeira, ela sussurrou um cordial lugar-comum e desapareceu.

Boris e eu trocamos um olhar.

"Acho que é melhor eu ir para casa, você não acha?", disse a ele.

"Quem dera eu soubesse", ele admitiu com franqueza.

Enquanto discutíamos se era conveniente que eu partisse, Geneviève reapareceu, agora sem chapéu. Estava inspiradoramente linda, mas também corada demais e os olhos cintilavam em demasia. Ela veio direto para mim e tomou-me pelo braço.

"O almoço está servido. Fui rude com você, Alec? Achei que estivesse com dor de cabeça, mas me enganei. Venha cá, Boris", e ela passou o outro braço pelo dele, tomando-o também. "Alec sabe que, exceto por você, não há mais ninguém no mundo por quem eu sinta tamanha afeição, então se de vez em quando ele se sentir esnobado, isso não lhe fará mal nenhum."

"*À la bonheur!*", bradei. "Quem disse que não há tempestades no mês de Abril?"

"Vocês estão prontos?", Boris declamou. "*Tão* prontos?"

Corremos de braços dados até a sala de jantar, escandalizando os serviçais. Não era como se conseguíssemos evitar. Afinal, Geneviève tinha dezoito anos, Boris, vinte e três, e eu quase vinte e um.

II

Nessa época, eu trabalhava em algumas peças para a decoração do *boudoir* de Geneviève, o que me fazia passar longas temporadas no pequeno hotel pitoresco na Rue Sainte-Cécile. Naqueles dias, Boris e eu laborávamos intensamente, mas ao bel-prazer, sem muita regularidade, então nós três, contando com Jack Scott, passávamos um bom tempo juntos.

Numa tarde tranquila, eu vagava pela casa, perscrutando-a curioso, examinando cantos estranhos, deparando-me com doces e charutos estocados nos lugares mais peculiares. Por fim, estaquei em uma sala de banho onde Boris, todo enlameado de argila, lavava as mãos.

O cômodo era feito de mármore róseo, com exceção do piso, tesselado em rosa e cinza. No centro do salão jazia uma elegante banheira, construída abaixo do nível do chão. Uma escada levava ao fundo e colunas trabalhadas sustentavam um teto dotado de afrescos. Um licencioso Cupido de mármore parecia ter acabado de pousar num pedestal nos fundos da sala. Boris e eu havíamos trabalhado em todo o interior. Ele, usando o avental de lona, limpava traços de argila e cera de modelagem de suas belas mãos, flertando por sobre o ombro com o Cupido.

"Estou vendo você", ele insistiu. "Não se faça de bobo assim, olhando para o outro lado. Você sabe muito bem quem foi que te fez, seu tratantezinho!"

Sempre fora tarefa minha interpretar os humores do Cupido nessas conversas. Na minha vez de falar, respondi de um jeito que fez Boris se enganchar no meu braço e me arrastar na direção da banheira, declarando que ia me jogar na água. Nesse momento, ele soltou-me e empalideceu. "Meu Deus", ele disse, "esqueci que a banheira está cheia da solução."

Estremeci de leve, advertindo-o com uma ponta de cinismo que ele deveria lembrar melhor onde estocava sua preciosa descoberta.

"Em nome de Deus, entre tantos lugares disponíveis, por que você mantém uma lagoa dessa coisa pavorosa logo aqui?", indaguei.

"Queria tentar com algo maior", disse ele.

"Comigo, por acaso?"

"Ah, isso é sério demais para fazermos piada, mas quero sim analisar sua ação num organismo complexo. Eu tenho um grande coelho branco." Ele seguiu-me para o estúdio.

Jack Scott, um tanto errante e usando uma casaca suja de tinta, chegou e se apropriou de todas as guloseimas orientais que foi capaz de encontrar, pilhando a cigarreira e, enfim, Boris e ele desapareceram, indo visitar a Galeria Luxembourg, pois, pelo visto, uma nova escultura em bronze de Rodin e uma paisagem de Monet andavam atraindo toda a atenção artística da França. Retornei ao estúdio e voltei a trabalhar. Eu me dedicava a uma tela renascentista que Boris desejava que eu pintasse para o *boudoir* de Geneviève, mas o menininho impaciente que, a contragosto, posava para a obra, não pôde ser subornado por mimo nenhum. Ele não se aquietou por um instante sequer e, cinco minutos depois, eu já tinha um punhado de esboços diferentes dele.

"Você está posando ou dançando, meu amigo?", indaguei a ele.

"O que o *monsieur* quiser", disse ele num sorriso angelical.

É claro que eu o dispensei pelo dia, e é claro que eu lhe paguei sem descontar nada, pois é assim que arruinamos nossos modelos.

Depois que o diabinho partiu, dei algumas pinceladas negligentes na tela, mas eu me encontrava tão sem disposição que levei o restante da tarde para desfazer o estrago que fizera. Então, por fim, raspei minha paleta, meti os pincéis num vasilhame de sabão preto e vaguei à sala de fumo. Tenho certeza de que, exceto pelos aposentos de Geneviève, nenhum outro cômodo da casa era tão livre do aroma do tabaco. Havia ali a mais estranha e caótica coleção de objetos aleatórios, adornada por tapeçarias puídas. Uma antiga espineta de tons suaves e em bom estado perto da janela; havia suportes repletos de armas, algumas velhas e sem graça, outras reluzentes e modernas; peças ornamentais de armaduras indianas e turcas sobre o consolo da lareira; duas ou três pinturas de bom gosto; um porta-cachimbos. Era aqui que costumávamos vir quando desejávamos desfrutar de novas sensações ao fumar. Achava improvável que existisse qualquer tipo de cachimbo cujo exemplar não pudesse ser encontrado naquele móvel. Uma vez que selecionássemos um tipo, nós imediatamente o levávamos para algum outro lugar e o fumávamos, isto porque aquele cômodo era, num todo, mais sombrio e menos convidativo do que qualquer parte da casa. Naquela tarde, entretanto, o crepúsculo conferia à sala uma atmosfera acolhedora. As tapeçarias e peles ao chão pareciam suaves, macias e lânguidas. Com o vasto sofá repleto de almofadas, escolhi um cachimbo e me acomodei para uma nada comum fumada. Eu escolhera um que possuía uma longa haste flexível e acendê-lo foi como mergulhar num sonho. Depois de um tempo, a chama do cachimbo se apagou, mas não movi um músculo. Segui sonhando e logo peguei no sono.

Despertei ao som da música mais triste que já ouvira. O cômodo se mostrava demasiado escuro e eu não tinha ideia de que horas eram. Um feixe de luar prateava as bordas da antiga espineta e a madeira polida parecia exalar a melodia assim como o perfume que paira sobre o sândalo. Alguém se pôs em pé na escuridão e veio na minha direção, pranteando em sussurros. Fui tolo o bastante para chamar o nome dela: "Geneviève".

Ao som de minha voz, ela foi-se ao chão. Tive tempo de amaldiçoar a mim mesmo enquanto acendia um lampião e tentava erguê-la. Ela encolheu-se, deixando escapar um murmúrio de dor. Estava quieta demais, mas perguntou por Boris. Levei-a ao divã e saí à procura dele, mas não o encontrei em casa e os serviçais já tinham se retirado. Perplexo e ansioso, apressei-me a voltar para Geneviève. Ela jazia onde eu a deixara e estava bastante pálida.

"Não consigo encontrar Boris nem criado nenhum", eu disse.

"Eu sei", ela comentou vagamente. "Boris foi ao interior com o sr. Scott. Não me lembrava disso quando pedi que você o procurasse há pouco."

"Mas, nesse caso, ele não tem como voltar antes de amanhã à tarde e, bem, você está machucada? Eu a assustei? Por isso você desmaiou? Fui um tolo, mas é que eu me encontrava semiacordado."

"Boris achou que você tivesse ido para casa antes do jantar. Você poderia nos perdoar por termos deixado-o aqui sozinho por todo esse tempo?"

"Tirei um longo cochilo." Eu sorri. "E meu sono foi tão profundo que não tive certeza se estava dormindo ou acordado quando vi alguém vindo na minha direção. Então chamei seu nome. Você estava tocando a velha espineta? Deve ter sido uma melodia suave."

Eu contaria mil e uma mentiras piores do que essa só para ver a expressão de alívio no rosto dela. Ela deu um sorriso adorável e disse de modo habitual: "Alec, eu tropecei naquela pele de lobo e acho que torci o tornozelo. Por favor, chame Marie para mim e então vá para casa".

Fiz o que ela me pediu e deixei-a assim que a criada chegou.

III

Quando os visitei, na tarde seguinte, encontrei Boris zanzando inquieto pelo estúdio.

"Geneviève está dormindo", me disse. "A torção não significa nada, mas por que será que ela está com uma febre tão alta? O médico não soube explicar ou não quis tentar", murmurou.

"Ela está com febre?"

"Sim, está, além de ter delirado um pouco no alto da noite. E, que coisa, a bela e alegre Geneviève, que não tem qualquer preocupação no mundo, não para de dizer que seu coração está partido e que quer morrer."

Meu próprio coração estacou.

Boris apoiou-se contra a porta do estúdio, com o rosto abaixado e as mãos nos bolsos. Seus olhos, antes amáveis e penetrantes, agora estavam turvos e uma nova linha de preocupação surgiu "sobre a bela linha da boca que sustentava o sorriso". A criada tinha ordens de chamá-lo assim que Geneviève abrisse os olhos. Nós esperamos e esperamos, e Boris, cada vez mais inquieto, vagou a esmo pelo estúdio, brincando com cera de modelagem e argila. De repente, apressou-se na direção da sala ao lado. "Venha ver minha banheira rósea repleta de morte!"

"Mas seria mesmo morte?", instiguei a conversa, tentando animá-lo.

"Acho que não estamos preparados para chamar isso de vida", comentou, retirando do aquário um solitário e exasperado peixinho dourado. "Vamos enviar este aqui atrás do outro, para onde quer que seja seu destino."

Havia uma agitação febril em sua voz. Eu o segui até a banheira cristalina de beirais rosados e uma enfadonha letargia, como que proveniente de alguma moléstia, recaiu sobre meu corpo e mente. Em seguida, ele deixou a criatura cair na substância. Durante a queda, o peixe contorceu-se e as escamas cintilaram num fulgor quente e alaranjado. Assim que atingiu o líquido, o animal enrijeceu-se e submergiu pesadamente. Aquela espuma leitosa surgiu e esplêndidos matizes difundiram-se pela superfície. Logo, um feixe da mais límpida e genuína luz irrompeu do que pareciam ser profundezas infinitas. Boris mergulhou a mão na banheira e retirou dela uma peça de mármore das mais requintadas: rósea, adornada por veios anis e dotada de um brilho opalescente.

"Brincadeira infantil", ele sussurrou, fitando-me entediado e curioso, como se eu pudesse acrescentar alguma coisa. Então Jack Scott deu o ar da graça, entrando no "jogo", como ele dizia, num fervor notável. Mas nada seria o bastante a não ser tentar de uma vez o experimento no coelho branco. Eu apreciava que Boris tivesse uma distração de suas preocupações, no entanto, odiaria ver a vida se esvair de uma criatura viva tão cálida. Por isso, me neguei a estar presente. Retirei aleatoriamente um livro da estante e sentei-me no estúdio para lê-lo. Ai de mim, pois eu pegara *O Rei de Amarelo*. Depois de breves momentos, que mais pareceram eras, trêmulo e irrequieto, afastei aquela coisa de mim. Boris e Jack surgiram em seguida, trazendo consigo o coelho de mármore. Nesse instante, a sineta soou no andar de cima e alguém chamou do quarto da enferma. Boris sumiu feito relâmpago e, um minuto depois, chamou: "Jack, vá já buscar o médico e traga-o com você. Alec, venha aqui".

Estaquei sob a moldura da porta. Uma criada assustada deixou o quarto às pressas para buscar algum remédio. Geneviève sentava-se na cama, empertigada, com as bochechas carmins e os olhos chamejantes. Ela balbuciava com insistência, recusando-se quando Boris tentava gentilmente fazê-la se deitar. Ele me chamou para que eu o ajudasse. Ao meu primeiro toque, ela deu um suspiro, afundou na cama e fechou os olhos. Então, veja só, nós ainda nos encontrávamos curvados sobre ela quando, abrindo os olhos, encarou Boris e — pobre garota de mente febril! — revelou seu segredo. Nossas três vidas tomaram novos rumos no mesmo instante. O elo que por tanto tempo havia nos unido rompeu-se para sempre, mas um novo vínculo foi forjado em seu lugar, pois ela disse meu nome. Atormentado pela febre, o coração de Geneviève afluiu em um mar de mágoas ocultas e eu, atônito e assombrado, virei o rosto para o outro lado, pois minha face ardia feito carvão em brasa e o sangue subia-me às têmporas, inundando-me de urgências que entorpeciam os pensamentos. Incapaz de mover um músculo ou de dizer qualquer coisa, escutei suas sentenças febris arrebatado pela angústia da mágoa e da vergonha. Não podia fazer com que ela se calasse e não conseguia olhar para Boris. Então senti um braço envolver-me e Boris volveu o rosto pálido para mim:

"Alec, não é culpa sua, não lamente se é a você que ela ama." Mas ele não pôde terminar.

O médico irrompeu quarto adentro.

"Ah, a febre!", ele disse.

Eu agarrei Jack Scott e o apressei para a rua, dizendo: "Boris prefere ficar sozinho".

Atravessamos a rua e fomos para os nossos aposentos. Naquela noite, notando que eu também adoeceria, Jack foi buscar o médico. A última coisa de que me lembro com clareza foi ouvi-lo dizer: "Por Deus, doutor, o que ele tem para estar com o rosto assim?". Então pensei em *O Rei de Amarelo* e na Máscara Pálida.

Eu me encontrava demasiado doente por ter suportado dois anos de angústia, dois anos desde aquela fatídica manhã de maio, quando Geneviève sussurrara: "Eu te amo, mas acho que amo Boris mais". O peso daquelas palavras finalmente me atingia, e eu jamais imaginara que aquilo pudesse ser mais do que seria capaz de suportar. Eu havia enganado a mim mesmo devido a uma superficial tranquilidade. Mas, noite após noite, uma guerra rugia dentro de mim e eu, durante aquele tempo, deitado sozinho em meu quarto, amaldiçoava-me por meus pensamentos insurgentes, pensamentos desleais a Boris e indignos de Geneviève. Mas a manhã sempre me oferecia alívio, então eu retornava para ela e para meu querido amigo, com meu coração purgado pelas tempestades da madrugada.

Jamais, na presença deles, permiti que minha angústia transparecesse, fosse em verbo, feito ou pensamento.

A máscara do autoengano tinha deixado de ser uma máscara, havia se tornado parte de quem eu era. A noite a retirava e expunha a verdade sufocada, embora ninguém mais a contemplasse a não ser eu mesmo. E ao raiar do dia a máscara voltava a assentar-se sobre o meu rosto. Esses pensamentos troavam pela mente tormentosa durante minha enfermidade, e estavam irremediavelmente atrelados a visões de criaturas pálidas, pesadas como pedra, rastejando pelo fundo da banheira de Boris e à cabeça da pele de lobo, salivando e arreganhando as presas para Geneviève, que jazia sorrindo ao lado dela. Também pensei no Rei de Amarelo, envolto nas cores fantasmáticas de seu manto, e a respeito do amargo brado de Cassilda: "Não venha a nós, ó Rei, não venha a nós!". Mesmo febril, lutei para afastar aquelas imagens de mim, mas vi o lago de Hali, raso, inexpressivo, sem nem sequer uma onda ou brisa a perturbá-lo. Eu vi as torres de Carcosa além da lua. Aldebaran, as Híades, Alar e Hastur pairavam pelas fendas nas nuvens que, perante sua passagem, tremulavam e farfalhavam feito os andrajos do Rei de Amarelo. Em meio a tudo isso, persistia um único pensamento salutar. Jamais tive dúvidas, não importava o que se passasse em minha mente atormentada, que minha principal razão de existir era atender a alguma necessidade de Boris e Geneviève. Nunca ficou claro o que essa obrigação seria ou mesmo sua natureza. Por vezes, achei que fosse alguma proteção ou amparo durante uma grande crise. Fosse o que fosse, o peso desse dever recaía apenas sobre mim, e eu nunca estaria tão doente ou fraco que não conseguisse responder a ele com toda a minha alma. Havia constantemente multidões de rostos ao meu redor, a maioria de estranhos. Uns poucos eu reconheci. Entre eles, Boris. Em um momento posterior, disseram-me que isso não podia ter ocorrido, mas tenho certeza de que, pelo menos uma vez, ele debruçou-se sobre mim. Foi apenas um toque. E um débil eco de sua voz. Então as nuvens recaíram sobre meus sentidos e eu o perdi. Mas sei que ele *estivera* lá e que debruçara-se sobre mim, pelo menos *uma* vez.

Por fim, dada manhã, acordei para contemplar feixes de sol jorrando sobre minha cama. Jack Scott lia ao meu lado. Eu não tinha forças o bastante para falar em voz alta nem para pensar, muito menos para recordar. Mas, quando nossos olhos se encontraram, fui capaz de sorrir fracamente. Ele se pôs em pé num pulo e perguntou se eu queria alguma coisa. Consegui sussurrar: "Sim, Boris". Jack se aproximou da cabeceira da cama e inclinou-se para ajustar meu travesseiro. Não vi seu rosto, mas senti seu coração em suas palavras.

"Alec, você precisa esperar, está fraco demais para ver Boris."

Aguardei recuperar minhas forças e, em poucos dias, já podia receber as visitas que quisesse. Nesse meio-tempo, pensei e rememorei. A partir do momento em que o passado voltou a ter coerência para mim, não tive dúvidas a respeito de qual atitude tomar. Tenho certeza de que, em meu lugar, Boris teria tomado a mesma decisão. Quanto ao que me cabia, eu sabia que ele compreenderia. Não pedi para ver mais ninguém. Não questionei por que não recebi qualquer mensagem deles nem por que, no decurso da semana que jazi enfermo, esperando e me recuperando, sequer ouvi menção a seus nomes. Aflito em razão de minhas buscas pela atitude mais sensata, envolvido em uma tênue mas ferrenha luta contra o desespero, só pude aceitar a reticência de Jack, supondo que ele tinha receio de falar neles para que eu não insistisse impulsivamente em vê-los. No tempo que passei enfermo, questionei-me incontáveis vezes sobre como as coisas seriam quando a vida recomeçasse para nós três. Decidi que retomaríamos nossa relação exatamente como era antes de Geneviève adoecer. Boris e eu olharíamos nos olhos um do outro e não haveria nem rancor nem baixeza nem desconfiança. Eu estaria ao lado deles mais uma vez, por um breve momento, na querida intimidade de sua casa. Então, sem dar motivos ou explicações, eu desapareceria da vida deles para sempre. Boris saberia a razão; quanto à Geneviève, bem, meu único conforto era que ela jamais iria saber. Pareceu-me, conforme tirava minhas conclusões, que eu encontrara o significado daquele sentido de obrigação que permeara todos os meus delírios febris, e também sua única resolução. Então, quando me vi preparado o bastante, puxei Jack para perto e disse:

"Jack, quero ver Boris agora e quero dar as mais amáveis saudações a Geneviève."

Quando por fim ele me fez entender que ambos estavam mortos, fui avassalado por uma fúria intensa, que aniquilou as parcas forças reunidas em minha convalescença. Amaldiçoei a mim mesmo, e meu arrebatamento foi tamanho que sofri um novo episódio nervoso, do qual me recuperei algumas semanas depois, sendo agora um jovem de vinte e um anos que acreditava que seus anos de juventude tinham irremediavelmente se acabado. Depois que eu parecia ter sofrido tudo o que tinha para sofrer, Jack me entregou uma carta e as chaves da casa de Boris. Agarrei aqueles objetos sem hesitação e pedi que me contasse tudo. Foi cruel de minha parte pedir-lhe aquilo, mas não havia opção. Cansado, ele apoiou o queixo na mão delicada, preparando-se para reabrir uma ferida que jamais se fecharia por completo. Ele começou bastante cauteloso:

"Alec, a menos que você saiba de alguma coisa que não sei, você também não vai conseguir encontrar uma explicação para o que aconteceu. Suspeito de que você preferiria não ter de ouvir esses detalhes, mas precisa saber. Caso contrário, eu o pouparia. Deus sabe que eu queria ser poupado de ter de lhe contar essas coisas. Então vou ser breve.

"Naquele dia, deixei você aos cuidados do médico e voltei para a casa de Boris. Eu o encontrei trabalhando nas *Moiras*. Ele disse que Geneviève dormia sob efeito de remédios e que ela estivera bastante fora de si. Então continuou trabalhando e não falou mais comigo. E eu o observei. Depois de um tempo, notei que a terceira figura do conjunto, a que tinha o rosto erguido, observando o mundo, apresentava o rosto dele. Não como você já o conheceu, e sim como ele se parecia naquele momento e como se pareceu até o fim de seus dias. Gostaria de encontrar uma explicação para isso, mas jamais conseguirei.

"Bem, ele trabalhava e eu o observava em silêncio e assim seguimos até perto da meia-noite. De repente, ouvi a porta se abrir e se fechar de forma ríspida, seguido de um ligeiro ruído na sala ao lado. Boris correu para a porta e eu o segui, mas era tarde demais. Ela jazia no fundo da banheira, as mãos sobre os seios. Diante da cena, Boris fustigou o próprio coração com um tiro."

Jack fez uma pausa; gotas de suor se acumulavam sob os olhos e suas bochechas delgadas pareciam distorcidas. "Eu carreguei Boris aos aposentos dele. Então retornei, esvaziei a banheira daquela substância infernal e liguei a água a toda pressão, livrando o mármore de qualquer resquício daquela coisa. Quando enfim ousei descer ao fundo, vi-me diante dela, pálida feito neve. Assim que eu decidira qual era a melhor atitude a tomar, fui ao laboratório, despejei o fluido do vasilhame na pia e depois fiz o mesmo com cada jarro e garrafa que encontrei. Havia achas na lareira, então acendi o fogo, arrombei o armário de Boris e queimei cada pedaço de papel, notário e carta que encontrei ali. Peguei um malho no estúdio e esmaguei todas as garrafas vazias dentro do balde de carvão. Em seguida, carreguei-as ao porão e joguei-as no leito ardente da fornalha. Repeti a jornada por seis vezes e, enfim, não havia qualquer vestígio que pudesse auxiliar na recriação da fórmula que Boris descobrira. Depois de tudo isso, ousei chamar o médico. Era um bom homem e, juntos, nos empenhamos para que a verdade não viesse a público. Sem ele, eu jamais teria conseguido. Nós pagamos os criados e os enviamos para as propriedades do interior, onde o velho Rosier os manterão entretidos com as histórias das viagens de Boris e Geneviève por terras distantes, de onde por anos não retornarão. Sepultamos Boris no pequeno cemitério de Sèvres. O médico é uma boa criatura e sabe ser piedoso com um homem incapaz de suportar mais dor. Ele emitiu um atestado de óbito que alegava problema de coração e não me fez nenhuma pergunta." Então, desapoiando o queixo da mão, ele continuou: "Abra a carta, Alec. Diz respeito a nós dois".

Estraçalhei o envelope. Tratava-se do testamento de Boris, datado de um ano atrás. Ele deixava tudo para Geneviève e, caso ela falecesse sem deixar herdeiros, eu ficaria com a casa na Rue Sainte-Cécile e Jack Scott cuidaria das propriedades no interior. No evento de nossas mortes, as propriedades seriam revertidas para a família de sua mãe, na Rússia, exceto pelas esculturas em mármore de autoria de Boris. Essas ele deixou unicamente para mim.

O documento tornou-se nada mais do que um borrão. Jack se levantou e foi à janela. Mas logo voltou a sentar-se. Temia ouvir o que ele tinha a dizer, mas ele voltou a falar com a mesma simplicidade e delicadeza:

"Geneviève está diante da *Madona*, na sala dos mármores. A *Madona* se curva ternamente sobre ela e Geneviève sorri diante de seu rosto, um rosto que jamais teria existido se não fosse por ela." A voz dele definhou, mas ele pegou na minha mão e terminou: "Tenha coragem, Alec".

Na manhã seguinte, ele partiu para o interior no intuito de cumprir o que lhe fora incumbido.

IV

Naquela mesma noite, peguei as chaves e fui até a casa que conhecia tão bem. Tudo estava em ordem, mas o silêncio era terrível. Por duas vezes me encontrei ante a porta da sala dos mármores, mas não tive forças para entrar: estava além das minhas capacidades. Fui à sala de fumo e me sentei diante do teclado da espineta. Um lenço rendado repousava sobre as teclas. Desviei o olhar, quase sem ar. Estava claro que não era capaz de permanecer ali. Por isso, tranquei todas as portas e janelas, os três portões frontais e o dos fundos, e parti. Na manhã subsequente, Alcide fez minha mala e, deixando-o encarregado do meu apartamento, peguei o Expresso do Oriente para Constantinopla. No decorrer de dois anos, vaguei pelo Oriente. Em princípio, as cartas que troquei com Jack não mencionavam Boris e Geneviève, mas, pouco a pouco, os nomes deles se insinuaram em nossas missivas. Eu me recordo de uma passagem numa das cartas de Jack:

Aquilo que você me disse, sobre ver Boris curvar-se sobre sua cama enquanto você jazia enfermo, sobre sentir o toque dele em seu rosto e ouvir a voz dele, bem, é claro que isso me intriga. Isso que você descreve deve ter ocorrido uma quinzena depois da morte dele. Eu digo a mim mesmo que você estava sonhando, que era parte dos delírios da febre, mas essa explicação não me satisfaz nem satisfaria você.

Quase no fim do segundo ano de viagem, quando me encontrava na Índia, recebi uma carta de Jack, mas se tratava de uma missiva tão distinta de tudo o que sabia a respeito dele que resolvi retornar imediatamente a Paris. Ele escrevera:

> Estou bem e tenho vendido todas as minhas pinturas à moda desses artistas que não precisam de dinheiro. Não tenho nenhuma preocupação, mas estou mais inquieto do que se tivesse. Não consigo me livrar de uma estranha angústia a seu respeito. Não se trata de apreensão, e sim de uma expectativa ansiosa por algo que, meu Deus, nem sei o que é. Só posso dizer que se trata de uma sensação que drena minhas forças. Durante a noite, sempre sonho com você e com Boris. Nunca consigo me lembrar do que sonhei, mas quando acordo pela manhã meu coração está acelerado. Durante o dia, essa agitação se intensifica até que, à noite, caio no sono apenas para reviver a mesma experiência. Estou exausto, mas determinado a dar um fim nessa mórbida condição. Preciso vê-lo. Devo ir a Bombaim ou você virá a Paris?

Enviei a ele um telegrama, dizendo que aguardasse minha chegada no próximo vapor.

Quando nos encontramos, achei que ele não parecia ter mudado quase nada. Quanto a mim, ele insistiu que eu dava a impressão de excelente saúde. Era tão bom ouvir a voz dele outra vez e, sentados, conversamos sobre o que a vida ainda reservava para nós, sentindo como era aprazível estarmos vivos sob o clima fulgente da primavera.

Ficamos juntos em Paris por uma semana. Depois passei uma semana com ele no interior. No entanto, antes de tudo, fomos ao cemitério de Sèvres, onde Boris fora sepultado.

"Você acha que deveríamos colocar as *Moiras* diante da tumba dele?", Jack disse.

"A *Madona* é a única que deveria vigiar o túmulo de Boris", falei.

O mal-estar de Jack não desapareceu mesmo após meu retorno. Os sonhos, dos quais ele não era capaz de reter um só detalhe, persistiam. Ele dizia que, às vezes, aquela expectativa ansiosa era sufocante.

"Viu só, não lhe faço bem", afirmei. "Tente mudar de ares sem mim."

Então ele partiu sozinho numa viagem pelas Ilhas do Canal e eu voltei a Paris. Ainda não havia posto os pés na casa de Boris, agora minha, desde que retornara, mas sabia que se tratava de algo inevitável. Jack tinha mantido o lugar em ordem. Havia alguns criados, o que me fez entregar meu apartamento no hotel e me mudar para lá. Em vez da agitação que temi que se acometesse sobre mim, fui capaz de pintar tranquilamente naquela casa. Passei por todos os cômodos — todos, exceto um. Não era capaz de entrar na sala dos mármores, onde Geneviève repousava. Entretanto, dia após dia crescia em mim o desejo de vislumbrar o rosto dela, de me ajoelhar ao seu lado.

Em uma manhã de primavera, eu divagava na sala de fumo exatamente como fizera dois anos antes. Então fitei por instinto as fulvas tapeçarias orientais em busca da pele de lobo. Distingui as orelhas pontudas e a cabeçorra cruel e aplainada, lembrando-me do sonho em que Geneviève se acomodava ao lado dela. Os elmos ainda se encontravam dispostos diante das tapeçarias puídas e, entre eles, o velho morrião espanhol que certa vez Geneniève usara enquanto nos divertíamos com aquelas antigas peças de armadura. Tornei o olhar a espineta; cada uma das teclas amareladas parecia contar um segredo sobre seu toque afetuoso. Levantei-me e rumei, impelido pela força de minha paixão, em direção à sala dos mármores. A pesada porta abriu-se sob meu toque. Feixes de luz derramavam-se pela janela, tingindo as asas do Cupido de dourado e pairando feito um halo sobre a *Madona*. Seu rosto amável se curvava em compaixão sobre uma forma marmórea tão primorosa, tão pura, que me ajoelhei e fiz o sinal da cruz. Geneviève jazia à sombra da *Madona*, e eu distingui os veios anis ao longo dos braços pálidos e, sob as mãos entrelaçadas, as dobras do vestido apresentam um matiz róseo, como se produzido pela luz de uma chama débil em seu seio.

Curvei-me diante dela, o coração despedaçado. Pousei os lábios no tecido de mármore de suas saias e depois retornei à casa silente.

Uma criada me entregou uma carta e sentei-me no aconchegante jardim de inverno para lê-la. Quando estava prestes a romper o selo, notei que a garota ainda estava por ali. Perguntei se desejava algo.

Ela balbuciou alguma coisa sobre um coelho branco que havia sido encontrado na casa, querendo saber o que fazer a respeito. Eu disse-lhe que o soltasse no jardim aos fundos da casa e então abri o envelope. Era uma carta de Jack, uma mensagem tão incoerente que achei que ele tivesse perdido a razão. A missiva em si não dizia nada, exceto por uma série de súplicas para que eu não deixasse a casa até que ele retornasse. Ele não podia me dizer o porquê, mas se tratava de algo em relação aos sonhos. Foi o que escrevera. Disse ainda que não sabia como explicar, mas tinha certeza de que eu não deveria deixar a casa na Rue Sainte-Cécile.

Assim que terminei a leitura e ergui o rosto, vi a mesma serviçal, imóvel sob a moldura da porta, segurando um vasilhame de vidro que continha dois peixinhos dourados. "Ponha-os de volta no aquário e me diga por que me interrompeu", disse eu.

Murmurando descontente, ela derramou a água e os peixes no aquário aos fundos do jardim de inverno, se virou e disse que não gostaria mais de trabalhar para mim. Ela afirmava que alguém andava pregando peças nela com o claro objetivo de causar-lhe problemas; o coelho de mármore fora roubado, mas outro coelho, esse vivo, tinha sido deixado em seu lugar. Quanto aos dois belos peixes de mármore, haviam desaparecido e ela acabara de encontrar aquelas criaturinhas vivas e simplórias debatendo-se pelo piso da sala de jantar. Eu a tranquilizei e a dispensei, dizendo que investigaria a questão pessoalmente.

Fui para o estúdio. Não havia nada incomum por ali, apenas minhas telas e alguns bustos de gesso. Exceto pelo lírio de mármore. Eu o vi sobre a mesa, do outro lado da sala. Avancei enfurecido na sua direção, mas a flor que tomei em mãos era fresca e frágil e inundava o ar de perfume.

Então, num átimo, compreendi. Disparei pelo corredor a caminho da sala dos mármores. Abri as portas impetuosamente. A luz do sol derramou-se sobre meu rosto e, através da claridade, vi que a *Madona* sorria em glória celeste, enquanto Geneviève erguia a face corada de seu leito de mármore e abria seus olhos adormecidos.

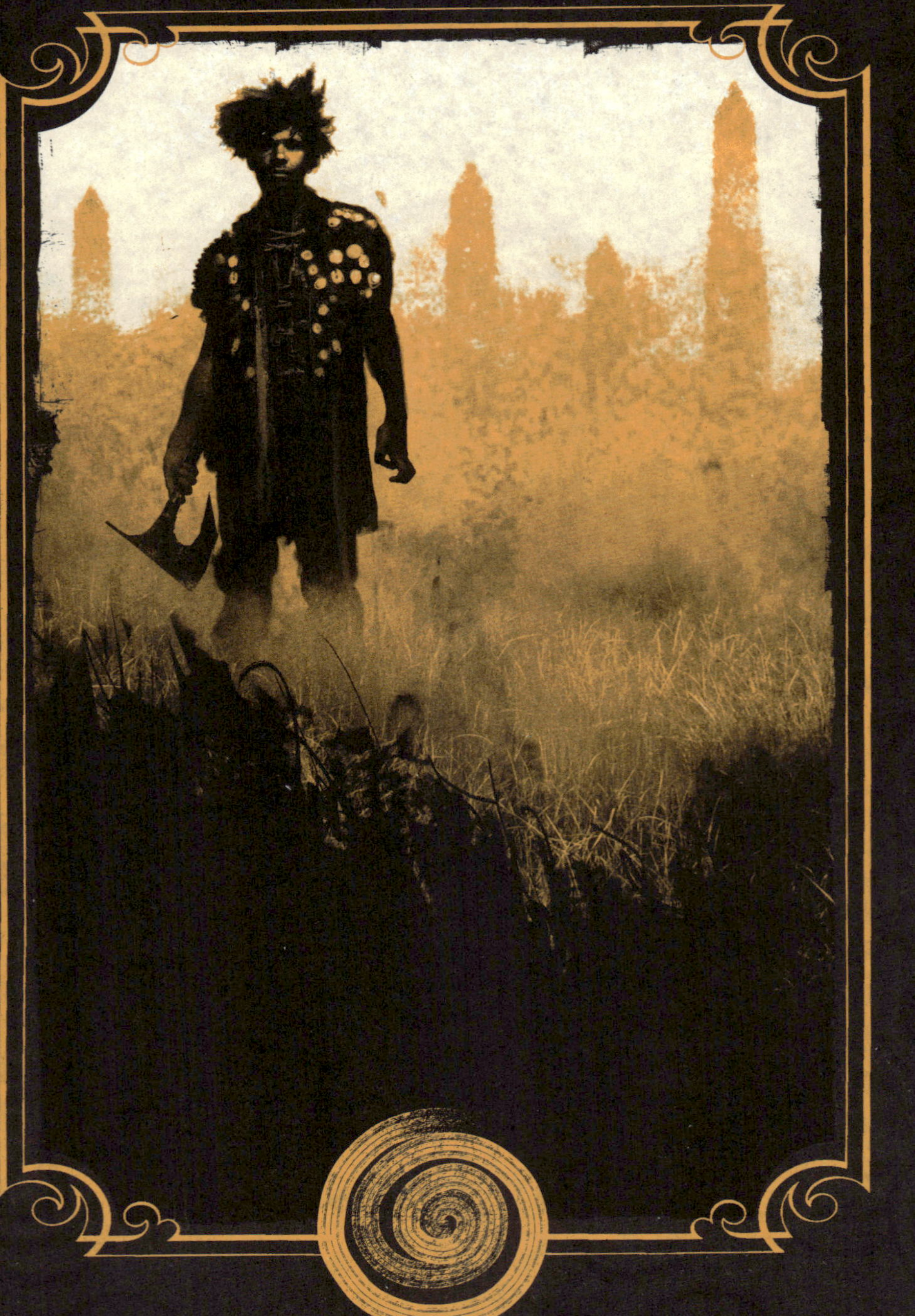

TOMO III

"NA TRAVESSA DO DRAGÃO"

No terceiro conto de *O Rei de Amarelo*, intitulado "Na Travessa do Dragão", o narrador inominado faz os leitores darem um mergulho atmosférico na música e na arquitetura religiosa de uma antiga igreja, mergulho esse seguido de uma assustadora aparição. A trama apresenta o narrador assistindo a uma missa na Igreja de São Barnabé quando começa a ficar irritado com as "liberdades" e "experimentações" musicais do organista. Este tem uma expressão tenebrosa e deixa a igreja sendo seguido pelo próprio narrador. Nesta história, mergulhamos no vórtice de uma perseguição perpassada de reflexões sobre fé, arte religiosa e insanidade. Temos aqui um enredo de perseguição urbana, no qual a vertigem da cidade vai ao encontro da angústia crescente do protagonista, tudo revestido da atmosfera, dos temas e dos elementos comuns a um pesadelo. O que estaria no final dessa terrífica fuga?

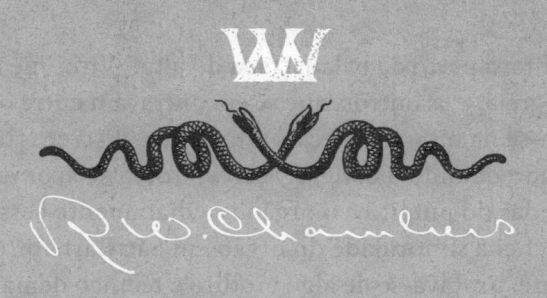

NA TRAVESSA DO DRAGÃO

Tu, que o coração queima por aqueles a queimar
No Inferno, onde a fome do fogo tu hás de saciar;
Por quanto hás de suplicar para Deus se apiedar
Quem é Ele para aprender e tu para ensinar?*

Na igreja de São Barnabé, as Vésperas chegavam ao fim. O clero deixou o altar e os menininhos do coro seguiram em fila pelo presbitério e se acomodaram no cadeiral. Um sacristão de indumentária garbosa atravessou a nave sul, fazendo o báculo ressoar no pavimento de pedra, marcando seus passos. Logo atrás dele vinha o eloquente padre, um bom homem, o monsenhor C.

---

* Nota do tradutor: Versos citados por Edward Fitzgerald no prefácio da segunda edição de *Rubáiyát of Omar Khayyám* (1859). Fitzgerald organizou e traduziu a obra, referindo ao autor, poeta, matemático, filósofo e astrônomo persa Omar Khayyám, conhecido como "O poeta-astrônomo da Pérsia". No entanto, Khayyám foi conhecido em vida pelas pesquisas científicas e até hoje se questiona a autoria dos poemas atribuída a ele — uma incógnita bem ao gosto dos românticos e decadentistas de, por vezes, ficcionalizar a própria autoria, borrando os limites entre a vida e a arte. Segundo Fitzgerald, os versos citados são vistos em uma "Admoestação", que faz as vezes de prefácio de uma coletânea de poemas do autor encontrada em Calcutá.

Eu me sentava perto da balaustrada do altar. Virei-me na direção da ala oeste da igreja, e os outros, que se encontravam entre o altar e o púlpito, viraram-se na mesma direção. Ouviu-se o discreto ruído dos mantos farfalhando quando a congregação voltou a se acomodar. O padre subiu as escadas do púlpito e o órgão imediatamente cessou.

Sempre achei a sonoridade do órgão em São Barnabé extremamente interessante. Tratava-se de algo erudito e técnico demais para o meu parco conhecimento, ainda que distinguisse a expressão de uma maestria vívida, e talvez um tanto fria. Além disso, apresentava um gosto caracteristicamente francês: a sensibilidade reinava incontestável, controlada, digna e reticente.

No dia de hoje, porém, o primeiro acorde infligiu-me uma mudança negativa, e um tanto sinistra. Durante as Vésperas, o órgão ofereceu o principal acompanhamento ao belo coro; mas de quando em quando, de maneira um tanto aleatória, as notas produzidas por uma mão pesada retumbavam pela igreja e perturbavam a paz serena daquelas vozes límpidas. Não era só um som brusco ou dissonante, e nem algo que indicasse falta de habilidade. Como se repetiu diversas vezes, fiquei pensando no que meus livros de arquitetura diziam sobre o antigo costume de consagrar o coro assim que fosse construído. Era comum que a nave, por outro lado, sendo terminada meio século mais tarde, não recebesse qualquer bênção. Eu me perguntei se esse era o caso de São Barnabé e ainda se alguma coisa que não tivesse origem cristã houvesse se insinuado por ali e se instalado na galeria oeste. Também já tinha lido sobre coisas do tipo, mas não em livros de arquitetura.

Então me lembrei de que a igreja não tinha muito mais do que cem anos e sorri diante da incoerente associação de superstições medievais a esse alegre exemplo do estilo rococó do século XVIII.

Mas agora as Vésperas tinham se findado e esperava-se ouvir alguns acordes serenos, mais adequados ao momento de reflexão que precedia o sermão. Em vez disso, aquela dissonância incontrolável irrompeu da outra extremidade da igreja assim que o clero se retirou.

Eu sou de um tempo mais antigo e simples, pertenço a uma geração que não aprecia sutilezas psicológicas na arte. Sempre me recusei a reconhecer na música qualquer coisa que não fossem melodia e harmonia, mas era como se, em meio àquele labirinto de acordes emitidos pelo instrumento, houvesse algo ou alguém sendo caçado. Os pedais o perseguiam para cima e para baixo, ao passo que as teclas retiniam em aprovação. Pobre diabo! Quem quer que fosse, não parecia haver muita esperança de escapar.

Minha irritação tornou-se então raiva. Quem estava fazendo aquilo? Quem ousava tocar algo assim durante o serviço ao divino? Fitei as pessoas ao meu redor. Ninguém parecia sequer incomodado. Os rostos plácidos das freiras ajoelhadas adiante, ainda mirando o altar, não tinham perdido nem um traço daquela abstração devota que exibiam sob a sombra pálida da túnica branca. A senhora elegante ao meu lado olhava expectante para monsenhor C. Considerando sua expressão, a música que o órgão tocava bem que podia ser uma Ave-Maria.

Enfim, o padre fez o sinal da cruz e ordenou silêncio. Contente, virei-me na direção dele. Até então, não havia encontrado o sossego que esperava ao entrar em São Barnabé naquela tarde.

Eu estava exausto devido a três noites de sofrimento físico e aflições psicológicas. A última havia sido a pior. Foi por causa dela que eu trouxera um corpo esgotado e uma mente entorpecida, ainda que perceptivamente sensível, para ser curado em minha igreja favorita. E tudo isso por haver lido *O Rei de Amarelo*.

"O sol se ergue e eles se reúnem e se deitam em seus covis", clamava o monsenhor C., proferindo o sermão em tom sereno, fitando a congregação de forma sóbria.

Meu olhar volveu-se, embora não soubesse a razão, para a extremidade oeste da igreja. O organista saiu de trás do instrumento, percorreu a galeria e foi embora. Eu o vi desaparecer por uma pequena porta que se abria para um lance de degraus que, por sua vez, desembocava direto na rua. Era um sujeito esguio e seu rosto era tão pálido quanto sua casaca era preta. *Já vai tarde*, pensei, *e leva consigo essa música perversa. Espero que seu assistente toque o solo final.*

Sentindo-me aliviado — e era profundo e sereno meu sentimento de alívio —, voltei a contemplar o rosto brando no púlpito e me acomodei para escutar. O momento de serenidade pelo qual eu tanto ansiara enfim havia chegado.

"Meus filhos", disse o padre, "existe uma verdade que a alma humana tem imensa dificuldade de aprender: a de que não há nada a temer. A alma jamais é capaz de compreender que nada pode realmente causar-lhe mal."

É uma doutrina curiosa para um padre católico, ponderei. *Vamos ver como ele vai conciliar isso com os pais da igreja.*

"Não existe nada que possa verdadeiramente causar mal à alma", continuou, num tom ainda mais sereno e acolhedor, "pois..." Mas não consegui ouvir o resto.

Sem saber por quê, desviei minha atenção para a extremidade oeste da igreja. O mesmo homem saiu de trás do órgão e passou pela galeria *exatamente como fizera antes*. Mas ainda não tinha decorrido tempo suficiente para que ele retornasse, e, mesmo que tivesse, eu o teria visto. Senti um leve calafrio e um aperto no peito. Ainda assim, suas idas e vindas não me diziam respeito. Eu o fitei outra vez, não conseguindo desviar o olhar daquela silhueta sombria e de face pálida. Quando ele alcançou o ponto exatamente oposto ao meu, virou-se e, através da congregação, fitou-me com uma expressão de ódio, de um ódio intenso e fatal. Nunca tinha visto algo como aquele olhar e, por Deus, que eu nunca mais visse! Então o organista desapareceu pela mesma porta por onde eu o vira deixar a igreja menos de um minuto antes.

Empertiguei-me e tentei organizar os pensamentos. Sentia-me como uma criança que, quando se machuca de verdade, segura o fôlego antes de irromper em lágrimas.

Descobrir de forma repentina que eu era o objeto de tanto ódio provou-se demasiado doloroso, mesmo sendo o homem um completo desconhecido. Por que ele me odiava? Logo eu, alguém que ele nunca vira antes? Naquele momento, todas as outras sensações convergiram num golpe certeiro: a percepção de que até mesmo o medo estava subordinado à dor. O que, no instante em questão, não fui capaz de duvidar. Porém, no minuto seguinte, passei a racionalizar a situação e a noção do absurdo daquilo tudo me ofereceu alento.

Como disse, São Barnabé é uma igreja moderna, uma construção pequena e bem iluminada em que se vê todo o interior em pouco mais do que uma olhadela. A galeria do órgão recebe uma forte e límpida luz provida por uma fileira de janelas pontiagudas no clerestório sem vitrais.

Por estar na linha central da igreja, o púlpito fazia com que, sempre que eu me virava em sua direção, minha atenção fosse de imediato atraída para qualquer movimento que ocorresse na ala oeste. Assim, não foi surpresa nenhuma que eu tivesse visto o organista passar. Devia apenas ter calculado mal o intervalo entre a primeira e a segunda vez que o vira cruzar a galeria. Na última, ele viera por outra porta lateral. Quanto ao olhar que tanto me perturbara, aquilo não passara de impressão. Não passava mesmo de um tolo nervoso.

Olhei ao redor. Aquele era um lugar suscetível a servir de covil para horrores sobrenaturais! Já o monsenhor C. apresentava uma expressão sincera e sensata, postura serena e gestos simples e graciosos. Não seria tudo aquilo um tanto contraditório em relação à noção de um mistério terrível? Fitei o espaço logo acima dele e quase dei uma risada. A dama de cabelos esvoaçantes que apoiava um dos cantos do dossel do púlpito mais parecia uma toalha de mesa com franjas de damasco açoitada por um vento forte, mas se um basilisco tentasse pousar na tribuna do órgão, ela ia apontar seu clarim de ouro para a criatura e soprá-la da existência. Sorri sozinho diante dessa fantasia, que no momento me pareceu bastante divertida. Então me endireitei, zombando de mim mesmo e de tudo o mais: desde a velha harpia do lado de fora da cerca de ferro fundido, que tinha me feito pagar 10 centavos por meu assento antes de me deixar entrar, *ela é mais parecida com um basilisco do que aquele organista de aparência anêmica*. Meu Deus, até mesmo o monsenhor C. foi alvo de meu escárnio. Minha devoção se esvaíra por completo. Eu nunca tinha feito algo assim em toda a minha vida, e agora sentia o desejo de zombar.

Quanto ao sermão, não ouvi nem mais uma única palavra, porque tinha aquela cantiga na cabeça, ocupando-me com os pensamentos mais fantásticos e infames:

>As saias de São Paulo se arriaram por inteiro,
>depois que pregou seus seis sermões quaresmeiros,
>os sermões que eram só bajulação de mutreteiro.

Era inútil continuar assistindo à missa. Eu precisava pegar um ar e me livrar daquele estado de espírito odioso. Tinha consciência da indelicadeza daquele ato. Ainda assim, levantei-me e deixei a igreja.

Desci as escadas da entrada. Um sol primaveril reluzia sobre a Rue St. Honoré. Numa esquina, havia uma barraquinha de flores abarrotada de narcisos amarelos, violetas pálidas da Riviera, violetas púrpuras da Rússia e jacintos romanos em meio a uma nuvem dourada de mimosas. A rua estava tomada por pessoas em busca de divertimentos dominicais. Girei minha bengala e ri como os passantes. Alguém passou por mim e, mesmo sem se virar, seu perfil lívido retinha a mesma malignidade fatal que tinha visto em seus olhos. Enquanto pude, eu o observei e, mesmo de costas, ele exalava o mesmo sentido de ameaça. Cada passo que o afastava de mim também parecia conduzi-lo em algum tipo de incumbência relacionada à minha ruína.

Eu avançava letárgico atrás dele, meus pés quase se recusando a me obedecer. Então surgiu em mim uma sensação de responsabilidade por algo há muito esquecido. De repente, era como se eu merecesse a punição que ele prometia, que remetia a algo que acontecera em um passado longínquo — a um passado deveras distante. Era uma coisa que estivera dormente por todos esses anos, mas que sempre havia estado lá e que sem demora despertaria para me confrontar. Mas eu tentaria fugir. Então, de pernas bambas, segui em frente da melhor maneira que pude. Peguei a Rue de Rivoli, cruzei a Place de la Concorde e cheguei ao Quai. Ergui meus olhos enfermos ao sol, que cintilava através do límpido fluxo que a fonte jorrava sobre as costas descobertas de deuses de bronze, sobre o Arco longínquo erigido em ametista roxa, sobre as inumeráveis paisagens compostas por caules cinzentos e copas desnudas em débil florescência. Então eu o vi outra vez, vindo por entre uma das aleias de nogueiras do Cours la Reine.

Afastei-me da margem do rio e me lancei às cegas pela Champs-Élysées, tomando a direção do Arco. O sol poente lançava feixes luminosos pelo relvado verdejante da rotatória. Ali, sob o refulgir do entardecer, o vi sentado num banco, cercado por crianças e jovens mães. Então ele não parecia mais do que um passeante dominical que nem os demais, que nem eu mesmo. Eu quase disse algo e, por todo aquele momento, contemplei o ódio maligno em seu rosto, mesmo que não estivesse olhando para mim. Cruzei por ele, dissimulado, e em passadas sôfregas tomei a direção da avenida. Tinha consciência de que, a cada encontro, ele se aproximava da realização de seu propósito e de selar meu destino. Ainda assim, eu tentava me salvar.

Os últimos raios de sol se derramavam sobre o grande Arco. Passei sob a construção e dei de cara com o homem. Eu o tinha deixado para trás na Champs-Élysées, ainda assim, ele vinha em meio a um grupo que voltava do Bois de Boulogne. Aquela figura esguia, que parecia uma haste de ferro envolvida na casaca preta e folgada, passou tão perto que chegou a roçar em mim. Ele não demonstrou qualquer sinal de pressa ou fadiga nem nenhum sentimento humano. Todo o seu ser expressava apenas uma coisa: a vontade e o poder de impor o mal sobre mim.

Angustiado, observei-o se afastar pela larga e tumultuosa avenida, que estava toda reluzente devido ao vai e vem das diligências, aos adereços dos corcéis e aos elmos da Guarda Republicana.

Logo já o tinha perdido de vista. Então dei as costas e fugi. Cruzei o parque e fui o mais longe que pude. Não tenho certeza de onde fui parar, mas depois do que me pareceu um longo tempo e que a noite caíra eu me vi sentado a uma mesa diante de um pequeno café. Quando vaguei de volta ao Bois, já fazia algumas horas que vira o homem pela última vez. Um esgotamento físico e uma aflição mental haviam me despojado de toda a capacidade de pensar ou sentir. Estava tão, tão cansado! Eu ansiava por me esconder em minha própria toca. Decidi então ir para casa, embora tivesse me desviado muito do caminho.

Eu vivia na Travessa do Dragão, uma passagem estreita que ligava a Rue de Rennes a Rue du Dragon.

Tratava-se de um *impasse*, transitável apenas a pé. Acima da entrada, na Rue de Rennes, havia uma sacada sustentada por um dragão de ferro. No interior da travessa, casas altas e antigas se erguiam em ambos os lados, estreitando a passagem e culminando nas vias de acesso às ruas em questão. Os imensos portões, que durante o dia se abriam sob as profundas arcadas de pedra, eram fechados depois da meia-noite. Assim, era preciso tocar a campainha das portas laterais para que se pudesse entrar. O desnível do pavimento produzia poças desagradáveis. Escadarias íngremes quedavam em portas que se abriam para a travessa. O térreo era abarrotado de lojas de artigos de segunda mão e de ferreiros. O lugar ressoava o dia inteiro devido ao tilintar dos martelos e ao clangor do malho no aço.

Embora o andar inferior fosse desagradável, via-se contentamento, conforto e trabalho duro e honesto logo acima.

A cinco andares do térreo, havia ateliês de arquitetos e pintores e refúgios de estudantes de meia-idade que, como eu, desejavam viver sozinhos. Quando vim morar aqui, era jovem, e não estava sozinho.

Tive de caminhar boa distância antes de encontrar um meio de transporte. Por fim, quando estava quase chegando ao Arco do Triunfo outra vez, um cabriolé desocupado surgiu e eu o tomei.

Levava-se mais de meia hora para ir do Arco até a Rue de Rennes, ainda mais quando se pegava uma condução puxada por um cavalo exausto, que tinha passado o dia à mercê dos domingueiros.

Houvera tempo para que eu topasse inúmeras vezes com meu inimigo antes que passasse sob as asas do Dragão, mas não o vi sequer uma vez. Então me sentia quase seguro.

Um singelo grupo de crianças brincava diante do vasto portão. Nosso *concierge*, acompanhado da esposa e de seu poodle preto, caminhava entre elas, mantendo a ordem. Alguns casais valsavam pela calçada. Retribuí seus cumprimentos e apressei-me porta adentro.

Todos os habitantes da travessa se reuniam em pequenos grupos ao longo da rua. O lugar estava deserto. A única iluminação vinha de meia dúzia de lampiões, nos quais a chama ardia débil.

Meus aposentos ficavam na mansarda de uma casa, perto do centro da travessa, sendo acessível por uma escadaria que dava quase na rua, com apenas uma passagem intermediária. Cruzei a moldura da porta, as velhas e convidativas escadas ruidosas se erguiam diante de mim, guiando-me ao sossego e à segurança. Olhei por cima do ombro e lá estava *ele*, a dez passos de onde me encontrava. O homem devia ter adentrado a travessa logo depois de mim.

Seus passos até mim não eram nem devagar nem rápidos demais, mas constantes e decididos. E, pela primeira vez desde que nossos olhares haviam se encontrado na igreja, voltávamos a olhar nos olhos um do outro. E eu soube que o momento tinha chegado.

Refiz meus passos, desci à travessa e o encarei. Pretendia escapar pela entrada da Rue du Dragon, mas seus olhos me diziam que eu jamais escaparia.

Eras pareceram se passar enquanto seguíamos nessa caçada, eu recuando e ele avançando, com a travessa tomada pelo mais puro silêncio. Por fim, senti a sombra da arcada e o passo seguinte me lançou embaixo dela. Ali eu tinha planejado dar meia-volta e disparar pela rua. Mas aquela sombra não pertencia a uma arcada: era a de uma cripta. As imensas portas da Rue du Dragon estavam fechadas. Soube disso quando as trevas me envolveram e, naquele instante, li a expressão em seu rosto. E como sua face cintilava na escuridão, aproximando-se de forma voraz da minha! As profundezas da cripta, as estrondosas portas trancadas, as frias trancas de ferro, tudo trabalhava em prol de seus desígnios. A promessa de ameaça sugerida pela imagem do homem havia se cumprido, condensando-se e descendo sobre mim, nascida de sombras insondáveis. E seus olhos infernais projetavam aquilo que me açoitaria. Desesperançado, apoiei as costas contra a parede em uma postura desafiadora.

*

Ouviu-se o ruído dos bancos sendo arrastados no pavimento de pedra e do farfalhar dos mantos quando a congregação se ergueu. Eu era capaz de escutar o som do báculo do sacristão na galeria sul, precedendo o monsenhor C. à sacristia.

As freiras ajoelhadas se levantaram, emergindo de sua reflexão devota, prestaram sua reverência e se foram. A senhora elegante ao meu lado também se levantou, expressando um comedimento gracioso. Ao partir, fitou-me brevemente em desaprovação.

Atordoado — ou assim me pareceu, ainda que eu estivesse atento a cada detalhe ao meu redor —, permaneci sentado em meio à multidão que calmamente deixava a igreja. Então me ergui e tomei o rumo da porta.

Eu havia dormido durante o sermão. Quero dizer, tinha mesmo dormido? Ergui o olhar e o vi caminhando ao longo da galeria, na direção do órgão. Eu o vi apenas de perfil, o seu braço fino e curvado, envolto na casaca preta, lembrava um daqueles instrumentos demoníacos e obscuros que jazem nas abandonadas câmaras de tortura dos castelos medievais.

Tinha escapado dele, embora seus olhos houvessem dito que eu não seria capaz. Mas será que eu tinha *mesmo* escapado? Aquilo que lhe concedia poder sobre mim retornou do limbo em que esperava mantê-lo. Pois agora eu o conhecia. A morte e a medonha morada das almas perdidas, para onde minha fraqueza há muito o enviara, o haviam transmutado, ocultando-o aos olhos dos outros, mas não aos meus. Eu o reconhecera quase de imediato. Jamais duvidara do propósito que ele viera cumprir. Agora sabia que, enquanto meu corpo se assentava em segurança naquela pequena e alegre igreja, ele estivera caçando minha alma na Travessa do Dragão.

Arrastei-me para a porta. O órgão retumbou atrás de mim feito um clarim. Uma claridade ofuscante encheu a igreja e eu não conseguia discernir o altar. As pessoas desapareceram. As arcadas e o teto abobadado se esvaíram. Levei meu olhar perscrutador na direção do fulgor insondável e vi as estrelas escuras pendendo do firmamento, com os ventos úmidos do lago de Hali enregelando meu rosto.

E então, ao longe, para além de léguas de brumosas ondas agitadas, eu vi a lua em meio ao véu das gotículas que brotavam das vagas; e além, as torres de Carcosa se erguiam.

A morte e a medonha morada das almas perdidas, para onde minha fraqueza há muito o enviara, o haviam transmutado, ocultando-o aos olhos dos outros, mas não aos meus. E agora eu ouvia a *voz dele* se erguendo, se expandindo, trovejando através da luz flamejante. Foi quando caí e aquele esplendor se intensificou e se derramou sobre mim como ondas feitas de flama. Então despenquei no abismo e ouvi o Rei de Amarelo sussurrando para minha alma: "É mesmo uma coisa terrível cair nas mãos do Deus vivo".

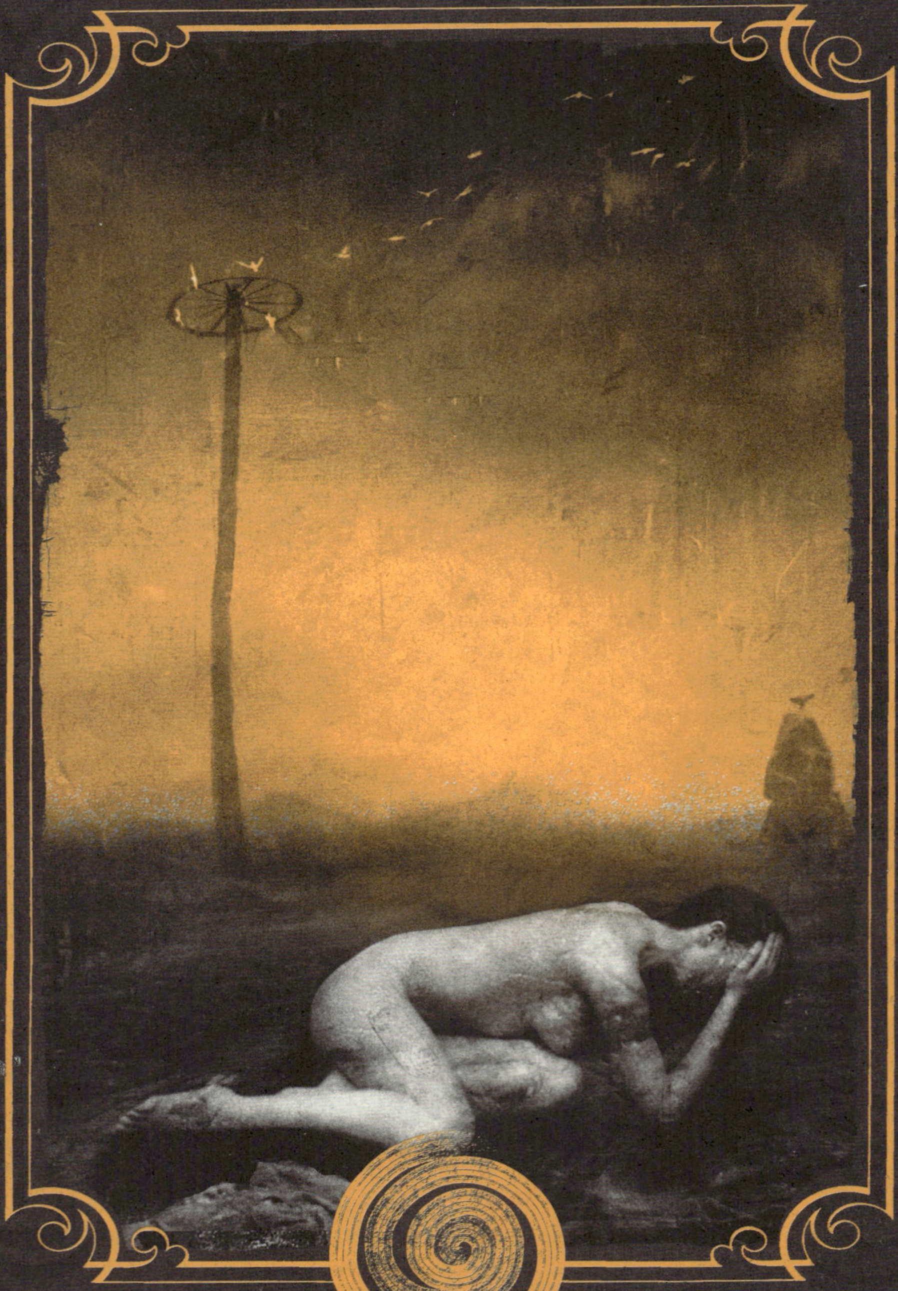

TOMO IV

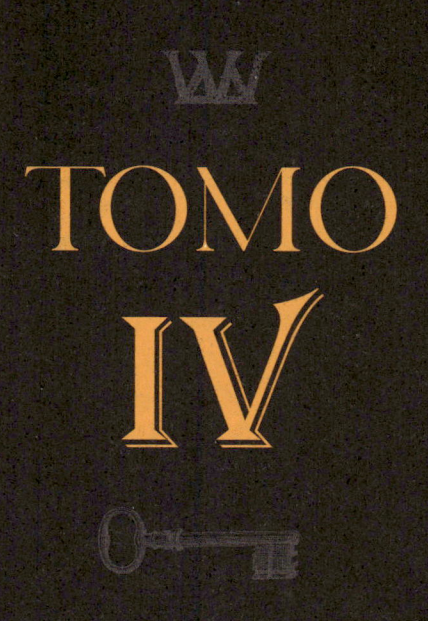

"O SIGILO AMARELO"

Na quarta história do volume, somos apresentados ao pintor Scott e à sua modelo, a bela Tessie. Os dois têm uma relação de amizade e cumplicidade, com Scott fazendo gracejos sobre o espírito livre de Tessie, ficando dúbia um possível envolvimento amoroso entre os dois. O pintor recebe dela um broche com o "sigilo" do título. Essa joia conecta a imaginação e as visões dos dois enamorados, com ambos vendo um estranho e pálido homem que guia uma carruagem funerária. O conto mantém relações com os anteriores, referindo tanto à segunda história — Scott seria o mesmo pintor apresentado lá? — quanto à primeira — deixando a narrativa de Castaigne num espaço ambíguo entre a realidade futura e o devaneio presente de um leitor que, após imergir em *O Rei de Amarelo*, criou um futuro em sua imaginação delirante. Aqui, o conflito da história é afetivo e romântico, com pequenas sugestões eróticas e alusões ao paraíso perdido do Éden e à inocência conspurcada pelo desejo, com ambos os personagens imersos na leitura perturbadora da peça maldita.

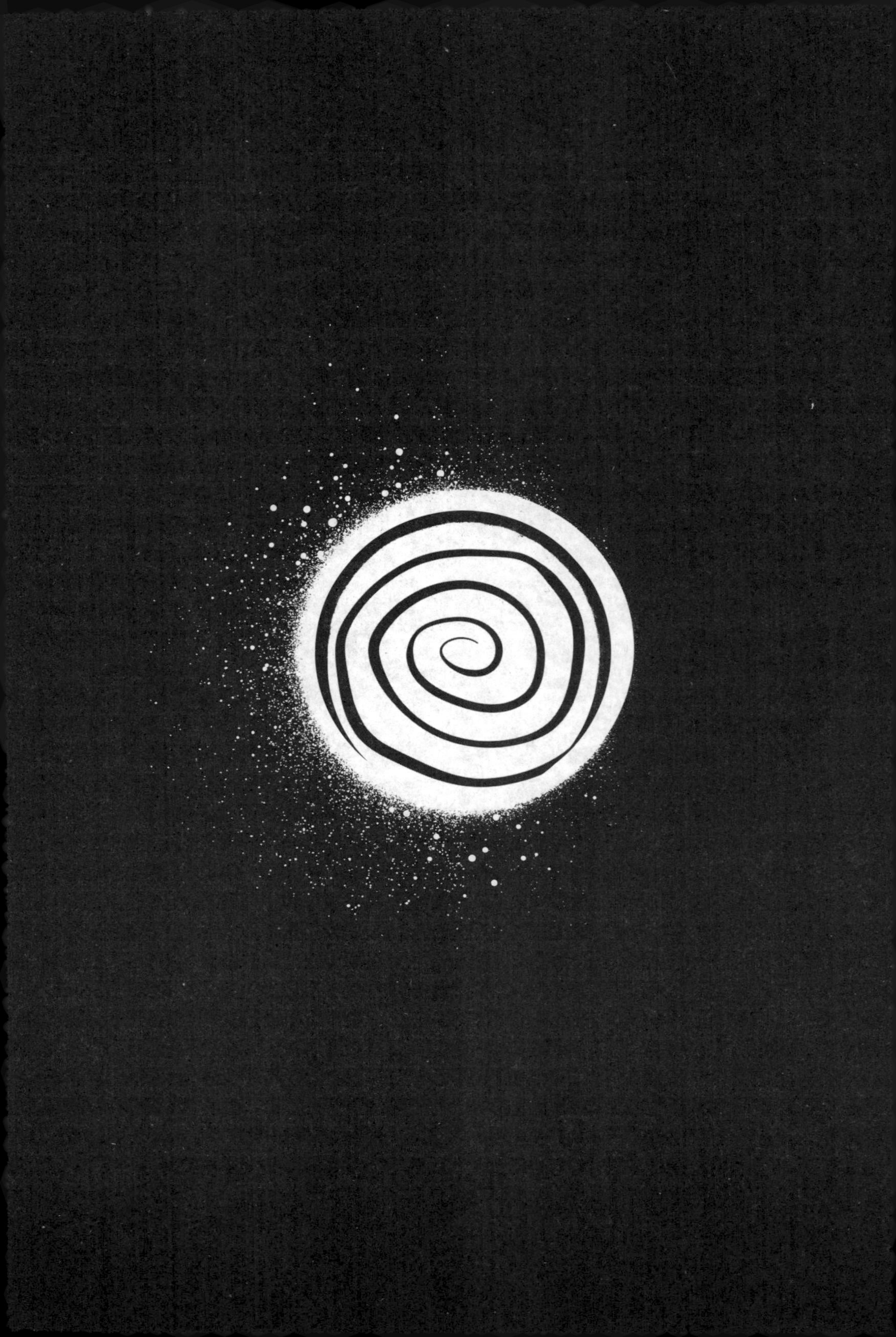

O SIGILO AMARELO

*Deixe a rubra aurora presumir
aquilo que nos cabe cumprir
quando a luz do astro anil definhar
e quando tudo isso se acabar*
Bliss Carman

I

Existem tantas coisas impossíveis de explicar. Por que certos acordes me remetem aos matizes castanho-dourados da folhagem do outono? Por que a Missa de Santa Cecília induz meus pensamentos a vagar por grutas resplandecentes recobertas de veios irregulares de prata virgem? O que será que havia no fragor tumultuoso da Broadway às seis da tarde que me fez ter um vislumbre da floresta Brécilien* em toda a sua quietude,

---

* Nota do tradutor: Brécilien, por vezes mencionada como Brocéliande ou Brécheliant, é uma lendária floresta encantada que, durante a Idade Média, tinha a fama de ser um lugar de magia e mistério. O lugar aparece em diversos textos medievais, principalmente nas lendas arturianas, relacionada a personagens como Merlin, Morgana e a Dama do Lago, assim como a alguns dos Cavaleiros da Távola Redonda. Apesar do caráter místico-lendário da floresta e de sua localização ser desconhecida, ela é comumente associada à floresta Paimpont, na Bretanha, uma região da França.

quando os ramos de primavera filtravam a luz do sol e Sylvia se inclinava, um tanto curiosa, um tanto afetuosa, sobre um lagartinho verde, sussurando: "E pensar que ele também é um filho de Deus".

Da primeira vez que vi o vigia, ele estava de costas. Eu o fitei sem interesse enquanto ele entrava na igreja. Não despendi mais atenção a ele do que a qualquer outro homem que perambulava pela Washington Square naquela manhã. Quando fechei a janela e voltei ao estúdio, já o tinha esquecido. Como o calor do dia estava agradável, abri a janela outra vez à tardinha e me apoiei no peitoril para pegar um ar. Havia um homem parado no cemitério da igreja, e meu interesse foi o mesmo que o daquela manhã. Fitei a praça, onde a fonte jorrava, tendo a mente repleta de vagas impressões de árvores, pavimentos asfaltados e grupos inquietos de babás e turistas. Foi então que decidi voltar ao meu cavalete. Ao dar as costas, meu olhar apático registrou naquela miríade de imagens a figura do homem que vira no cemitério da igreja. Agora o rosto dele estava voltado na minha direção e, num movimento totalmente involuntário, curvei-me para ver melhor. Naquele instante, ele encontrou meu olhar. Imediatamente pensei num verme necrófago. Havia algo nele que me causava repulsa, mas não sabia dizer o que era. Ainda assim, a impressão de um pálido e carnoso verme tumular foi tão intensa e nauseante que deve ter transparecido em meu rosto, pois ele desviou a face untuosa num movimento que me fez pensar numa larva se remexendo numa castanha.

Voltei ao cavalete e orientei a modelo para que retomasse a pose. Depois de trabalhar por algum tempo, convenci-me de que estava arruinando, com considerável rapidez, tudo o que já havia feito. Peguei a espátula e raspei a tinta da tela. Os tons de pele se mostravam amarelados e enfermos. Não conseguia compreender como havia pintado nuances tão insalubres num estudo que antes cintilara de matizes salutares.

Olhei para Tessie. Não havia nada de diferente nela e o claro rubor da saúde tingia-lhe o pescoço e as bochechas. Franzi o cenho.

"Foi por causa de alguma coisa que fiz?", ela disse.

"Não, eu fiz uma confusão nesse braço. Juro por minha vida que não sei como fui capaz de pintar uma porcaria dessas."

"Eu posei direito?", insistiu ela.

"Mas é claro, perfeitamente."

"Então não é minha culpa?"
"A culpa é só minha."
"Sinto muito", falou ela.

Comentei que podia descansar enquanto aplicava um pano com solvente na parte da tela infestada por aquela praga. Ela foi fumar um cigarro e dar uma olhada nas ilustrações da *Courrier Français*.

Não sabia dizer se tinha alguma coisa errada com o solvente ou se era um defeito na tela, pois quanto mais eu esfregava, mais aquela gangrena parecia se alastrar. Sofri tentando remover aquela coisa, mas a moléstia parecia se espalhar por cada parte da tela diante de mim. Alarmado, lutei para contê-la, mas agora a cor do peito havia mudado e a figura inteira parecia absorver aquela infecção como uma esponja absorve a água. Trabalhei vigorosamente com a espátula, aplicando solvente, esfregando, raspando, e o tempo todo eu imaginava a *séance* que eu faria diante de Duval, que tinha me vendido a tela. Logo notei que o problema não era a tela nem as tintas que Edward provera. *Deve ser o solvente*, pensei irritado, *ou então a luz da tarde que turvou e distorceu minha visão a ponto de eu não conseguir enxergar direito.*

Chamei Tessie, a modelo. Ela se aproximou e se apoiou em minha cadeira, soprando anéis de fumaça.

"Mas o que foi que você fez?", exclamou ela.

"Nada", rosnei, "deve ter sido esse solvente."

"E que cor horrível que ficou", ela continuou. "Você acha que a minha pele tem essa textura de queijo?"

"Não, não acho", respondi embravecido. "Por acaso já me viu pintar assim antes?"

"Claro que não!"

"Então!"

"Deve ser o solvente, sei lá", ela admitiu.

Ela se enrolou num robe japonês e foi para a janela. Raspei e esfreguei aquela coisa até cansar. Por fim, peguei meus pincéis e transpassei a tela, soltando impropérios violentos, dos quais Tessie ouviu apenas o tom. Ainda assim, ela prontamente exclamou: "Ah, isso mesmo! Xingue, se comporte feito um bobo, estrague seus pincéis. Já fazia três semanas que você vinha trabalhando nisso, e agora veja só! Qual a serventia de rasgar a tela? Que criaturinhas peculiares são os artistas!".

Senti a típica vergonha que me acometia depois de um acesso de raiva desse tipo. Decidi então virar a tela arruinada para a parede. Tessie me ajudou a limpar os pincéis, depois saiu dançando e foi se vestir. De trás do biombo, ela agraciou-me com alguns conselhos relativos à perda parcial ou total da paciência. Então, talvez concluindo que eu já devia ter sido suficientemente torturado, saiu de trás da treliça para pedir que eu abotoasse o corpete na altura do ombro, onde ela não alcançava.

"As coisas começaram a dar errado depois que você voltou da janela falando daquele homem de aparência repugnante que viu no pátio da igreja", ela afirmou.

"Claro, ele provavelmente amaldiçoou a pintura", eu disse, bocejando. Olhei meu relógio.

"Já passou das seis, eu sei", disse ela, ajustando o chapéu diante do espelho.

"Pois é, eu não tinha a intenção de tomar tanto do seu tempo", respondi.

Apoiei-me no peitoril da janela, mas recuei em aversão. O homem do rosto pastoso estava lá embaixo, no cemitério da igreja. Tessie notou minha expressão de contrariedade e se debruçou na janela.

"É daquele homem que você não gosta?"

Assenti.

"Não consigo ver o rosto dele, mas parece mesmo amaciado e rechonchudo." Ela virou-se e olhou para mim. "De alguma forma, ele me lembra de um sonho, um sonho horrível que tive uma vez. Ou melhor...", ela divagou, encarando seus belos sapatos, "será mesmo que foi um sonho?"

"Como é que eu vou saber?" Sorri.

Tessie retribuiu o sorriso.

"Você estava no sonho", disse ela. "Então talvez saiba alguma coisa a respeito dele."

"Tessie! Ah, Tessie", protestei, "não ouse me bajular dizendo que sonhou comigo."

"Mas eu sonhei", ela insistiu. "Será que eu deveria te contar?"

"Vá em frente", comentei, acendendo um cigarro.

Tessie apoiou-se de costas no peitoril da janela e começou a falar num tom bem sério:

"Foi no inverno passado, numa noite qualquer. Eu estava na cama, pensando em nada em particular. Tinha posado para você o dia todo e estava exausta, mas dormir me parecia impossível. Ouvi os sinos na cidade tocando dez, onze, meia-noite. Devo ter caído no sono perto dessa hora, porque não me lembro de ouvir os sinos depois disso. Tive a impressão de que eu mal tinha fechado os olhos quando sonhei que alguma coisa me impelia a ir até a janela. Eu me levantei, abri a janela e me inclinei para fora. A 25th Street estava deserta, pelo menos até onde eu conseguia ver. Senti medo. Tudo lá fora parecia tão... tão escuro e inquietante. De repente, distingui o som das rodas de uma carruagem ao longe, aí me pareceu que era por isso que eu devia estar esperando. Ela se aproximou lentamente, então enfim fui capaz de ver a condução avançando pela rua. A carruagem se aproximou mais e mais e, ao passar sob minha janela, notei que era um carro fúnebre. Estremeci de pavor. O cocheiro virou o rosto e olhou direto para mim. Quando acordei, me vi diante da janela aberta, tremendo de frio, mas o cocheiro e aquele carro fúnebre todo adornado de plumas escuras tinham desaparecido. Tive esse sonho outra vez em março passado e, como da primeira vez, acordei diante da janela. Tive o mesmo sonho ontem à noite. Estava chovendo, você lembra? Quando acordei, parada na frente da janela daquele jeito, minha camisola estava encharcada."

"Mas onde estou nesse sonho?", indaguei.

"Você... você estava no caixão. Só que não estava morto."

"No caixão?"

"Sim."

"Como você soube? Você me viu?"

"Não, eu só sabia que você estava lá."

"Você por acaso comeu queijo quente ou salada de lagosta?", comentei, dando uma risada, mas a garota me interrompeu com uma exclamação de medo, encolhendo-se na moldura da janela. "Mas o que foi?"

"Aquele homem. O homem lá embaixo, no cemitério da igreja. Era ele quem conduzia o carro fúnebre."

"Bobagem", disse eu, mas os olhos de Tessie estavam arregalados de terror. Fui à janela e olhei para fora. O homem havia sumido. "Ora, Tessie, não seja boba. Você posou por tempo demais, deve estar cansada."

"Você acha que eu conseguiria esquecer aquele rosto?", ela sussurrou. "Por três vezes vi o carro fúnebre passar sob a minha janela e, em cada uma delas, o cocheiro erguia o rosto e olhava para mim. Ah, era tão pálido e, hum, flácido? Parecia o rosto de um morto, o rosto de alguém morto há muito tempo."

Convenci a garota a se sentar e a beber uma taça de Marsala. Sentei-me ao lado dela e tentei lhe fazer algumas recomendações:

"Veja só, Tessie, passe uma semana ou duas no campo e você vai parar de sonhar com carros fúnebres. Você posa o dia todo e, ao anoitecer, seus nervos estão exaustos. Não é saudável manter esse ritmo. Além disso, em vez de descansar depois que o trabalho do dia acaba, você corre para piqueniques em Sulzer's Park ou vai ao Eldorado ou a Coney Island. Então, na manhã seguinte, você chega aqui acabada. Não era um carro fúnebre de verdade, só um sonho ruim causado por alguma indigestão."

Ela deu-me um sorriso pálido.

"Mas e o homem no pátio da igreja?"

"Ah, ele não passa de uma criatura ordinária e adoentada."

"Eu juro, sr. Scott, que o rosto do homem no cemitério da igreja é o mesmo do cocheiro do carro fúnebre. Tenho tanta certeza disso quanto de que me chamo Tessie Reardon."

"Que mal há nisso? É um trabalho honesto como qualquer outro."

"Então agora você acha que eu vi *mesmo* um carro fúnebre?"

"Se realmente viu, não seria improvável que aquele homem o conduzisse. Não há nada demais nisso", disse cordialmente.

Tessie se levantou, desdobrou um lenço perfumado, retirou um tabletinho de goma de mascar de um nó na bainha e o pôs na boca. Então calçou as luvas e, oferecendo-me a mão, me deu um franco "Boa noite, sr. Scott" e foi-se embora.

II

Na manhã seguinte, Thomas, o carregador do hotel, trouxe-me o *Herald* e contou-me algumas novidades. A igreja ao lado havia sido vendida. Dei graças aos céus. Não que tivesse, sendo eu católico, qualquer tipo de aversão pela congregação vizinha. O caso era que meus nervos estavam em frangalhos por causa do pregador espetaculoso da paróquia. Tudo o que ele dizia ecoava pela nave da igreja e me atingia como se estivesse em meus próprios aposentos. Além disso, ele alongava os erres com uma tenacidade nasal que me revolvia as entranhas. Também havia um demônio em forma humana, um organista que executava uma interpretação peculiar de alguns dos antigos hinos. Eu queria esganar uma criatura daquelas, que tocava a doxologia arranjada em escalas menores, um tipo de coisa que só se ouvia nos arranjos estudantis para quarteto. Acredito que o padre fosse um homem bom, mas quando ele mugia "e o Senhorrrr disse a Moisés: o Senhorrr é um homem de guerra! Senhorrr é o Seu nome! Minha ira há de queimar e Eu os matarei de espada em puuunho!", eu me perguntava quantos séculos ele precisaria passar no purgatório para se redimir de tal pecado.

"Quem comprou a propriedade?", indaguei a Thomas.

"Ninguém que eu conheço, senhor, mas tão dizendo que o grã-fino dono do Hamilton tava dando uma olhada. De repente, ele tá construindo mais estúdios de aluguel."

Eu fui à janela. O homem de rosto enfermo se encontrava próximo ao portão da igreja. Tive um mero vislumbre dele, e aquela mesma repugnância avassaladora tomou conta de mim.

"A propósito, Thomas, quem é aquele sujeito ali no cemitério?"

Thomas deu uma fungada. "Aquele bicho ali, senhor? É o vigia noturno da igreja, senhor. Ele me dá nos nervos porque fica ali a noite inteira sentado nos degraus, olhando pra gente com aquela cara amarrada. Eu dei um soco naquela cara, senhor. Quer dizer, desculpa, senhor."

"Continue, Thomas."

"Numa noite, eu 'tava indo pra casa com o Harry, o outro inglês, e eu vi ele sentado ali nos degraus. A gente 'tava com a Molly e a Jen, senhor, as duas copeiras, e ele ficou olhando pra gente com aquela cara amarrada, daí eu me irritei e disse: 'Tá olhando o que, ô lesma gorda?'. Desculpa, senhor, mas foi o que disse, senhor, mas aí ele não disse nada e eu falei: 'salta pra fora que eu dou um soco nessa sua cara de pudim'. Daí abri o portão e entrei, e ele continuava sem dizer nada, só olhando com aquela cara fechada. Daí eu dei um murro bem dado nele, mas, credo, a cara dele era gelada e mole e encostar nela me deixou enjoado."

"O que ele fez depois disso?", perguntei curioso.

"Ele? Nada."

"E você, Thomas?"

Constrangido, o jovem sorriu um tanto desconfortável.

"Sr. Scott, eu não sou um covarde, senhor, mas não tenho a mínima ideia de por que eu corri. Eu servi no Quinto Regimento de Lanceiros, senhor, fui corneteiro em Tel-el-Kebir e inclusive levei um tiro."

"Você não está dizendo que fugiu dele, está?"

"Sim, senhor. Eu fugi."

"Por quê?"

"Isso eu também queria saber, senhor. Eu agarrei a Molly pelo braço e corri. E o resto do pessoal ficou assustado que nem eu."

"Mas o que foi que os assustou?"

Por um instante, ele se recusou a responder. Mas, ainda mais curioso sobre o homem repulsivo lá embaixo, insisti no assunto. Os três anos que Thomas já havia passado nos Estados Unidos não tinham apenas alterado seu dialeto londrino, como tinham também conferido a ele o medo norte-americano do ridículo.

"O senhor não vai acreditar em mim, sr. Scott."

"Claro que vou."

"O senhor vai rir de mim."

"Bobagem."

Ele hesitou. "Bom, senhor, juro por Deus que quando bati nele, ele agarrou meus punhos, senhor, e quando torci seu punho molenga pra me soltar, um dos dedos dele se soltou na palma da minha mão."

A absoluta expressão de asco e horror no rosto de Thomas deve ter se equiparado à minha própria, pois ele acrescentou:

"Foi horrível e agora quando o vejo, passo longe. Ele me deixa enjoado."

Assim que Thomas partiu, fui novamente à janela. O homem se encontrava perto da cerca de ferro fundido da igreja e tinha as duas mãos no portão. Retornei apressado ao cavalete, enojado e aterrorizado, pois notei que lhe faltava o anelar da mão direita.

Tessie chegou às nove horas, deu-me um alegre "Bom dia, sr. Scott" e desapareceu atrás do biombo. Assim que reapareceu e tomou seu lugar, assumindo uma pose, comecei uma nova tela, algo que a alegrou. Ela permaneceu silente enquanto eu compunha o esboço, mas assim que larguei o carvão e peguei o fixador ela desandou a falar:

"Ah, me diverti tanto ontem à noite. Nós fomos ao Tony Pastor."

"Quem é esse 'nós'?", indaguei.

"Ah, eu, Maggie, a modelo do sr. Whyte, e Pinkie McCormick. Nós a chamamos de Pinkie porque ela tem aquele tipo de cabelo ruivo lindo que vocês artistas tanto amam. E Lizzie Burke."

Eu borrifei a tela com uma boa quantidade de fixador e então disse: "Bem, continue".

"Nós vimos Kelly e Baby Barnes, a dançarina de cancã, e tudo o mais. E eu paquerei um sujeito."

"Tessie, por acaso você me traiu?"

Ela riu, negando com um aceno de cabeça.

"Ele é irmão da Lizzie Burke e se chama Ed. E é um perfeito cavalheiro."

Eu me senti obrigado a oferecer a ela alguns conselhos parentais a respeito de flertes, os quais ela recebeu com um sorriso reluzente.

"Ah, eu sei lidar com um estranho flertando comigo", ela disse, examinando sua goma de mascar, "mas Ed é diferente. Lizzie é minha melhor amiga."

Então ela contou que Ed tinha voltado de Lowell, Massachusetts, onde trabalhara numa fábrica de meias, e encontrado Lizzie crescida. E que rapaz gracioso ele era, continuou ela. Ele não ligava de esbanjar 50 centavos em sorvete e ostras para celebrar sua contratação como escriturário do departamento de artigos de lã da Macy's. Comecei a pintar antes que ela terminasse de falar. Então, Tessie retomou a pose, sorrindo e tagarelando. Perto do meio-dia, já tinha um estudo razoável e bem esboçado, que a jovem quis conferir.

"Está bem melhor", ela disse.

Eu achei o mesmo. Então almoçamos, comigo tomado pela aprazível sensação de que tudo ia bem. Tessie espalhou seu almoço pela mesa de desenho bem diante de mim e nós bebemos vinho da mesma taça e acendemos nossos cigarros do mesmo fósforo. Eu era bastante apegado a ela. Eu a vira se transformar, de uma garota frágil e desajeitada numa mulher esguia e de compleição primorosa. Ela vinha posando para mim havia três anos e, entre todas as minhas modelos, era a minha preferida. Eu teria ficado por demais incomodado se ela tivesse se tornado "esnobe" ou "leviana", como dizem, mas jamais notei qualquer degeneração em seus modos. No fundo do meu coração eu sabia que ela estava bem. Nunca discutíamos nada relativo à moral, e eu não tinha intenção de começar agora, em parte porque não tinha moral nenhuma e também porque sabia que ela faria o que quisesses, indiferente de minha opinião. Ainda assim, tinha esperanças de que ela ficasse longe de complicações, pois a queria bem. Além do mais, também possuía o desejo egoísta de preservar minha melhor modelo. Eu sabia que aquela paquera, como ela a tinha chamado, não representava nada para garotas como Tessie e que nos Estados Unidos essas coisas não tinham o mesmo significado que tinham em Paris. Entretanto, tendo vivido sem autoenganos, eu estava certo de que um dia alguém levaria Tessie embora, de um jeito ou de outro. Mesmo achando o matrimônio uma bobagem, eu sinceramente esperava que, nesse caso, pudesse haver um padre no fim desse caminho. Eu era católico. Quando assistia à missa, quando unia minha voz aos cânticos, eu sentia que tudo, incluindo eu mesmo, tornava-se mais vívido. E quando me confessava, isso me fazia bem. Um homem que vive tão sozinho como eu, necessita confessar-se a alguém. Além disso, Sylvia era católica, o que já era razão suficiente para mim. Mas falava de Tessie, o que era bem diferente. Ela também era católica e consideravelmente mais devota do que eu. Levando tudo isso em conta, sentia um parco receio por minha bela modelo, ao menos até que ela se apaixonasse de verdade. Porém, quando *isso* acontecesse, sabia que o destino por si mesmo decidiria o seu futuro e, em silêncio, rezava para que ele a mantivesse longe de homens como eu e que não jogasse em seu caminho nada além de sujeitos como Ed Burke e Jimmy McCormick. Abençoada fosse Tessie!

Enquanto isso, a jovem, sentada, soprava anéis de fumaça ao teto e brincava com o gelo do copo, fazendo-o tilintar.

"Sabe que eu também tive um sonho ontem à noite?", comentei.

"Não me diga que foi sobre aquele homem", ela riu.

"Exatamente sobre ele. E muito semelhante aos seus, só que pior."

Dizer isso era imprudente e insensato, mas todos sabem que, no geral, pintores têm pouco tato. "Devo ter pegado no sono perto das dez", continuei. "Algum tempo depois, sonhei que acordava. Ouvi tão claramente as badaladas da meia-noite, o vento nos galhos das árvores e o ruído dos vapores na baía que mesmo agora mal acredito que não estivesse acordado. Ao que parecia, eu estava deitado num caixote de tampo de vidro. Era conduzido pelas ruas e tinha vagos vislumbres das luminárias, e preciso lhe dizer, Tessie, o caixote em que jazia parecia acomodado no interior acolchoado de uma diligência que me carregava aos trambolhões pelo pavimento de pedra. Depois de um tempo, fiquei impaciente, tentei me mover, mas o caixote era estreito demais. Minhas mãos estavam cruzadas sobre o peito e eu não conseguia erguê-las para fazer qualquer coisa. Prestei atenção aos arredores, quis pedir ajuda, mas minha voz havia desaparecido. Eu era capaz de ouvir o trote dos cavalos atrelados à diligência e até mesmo o arfar do cocheiro. Então outro som me chegou aos ouvidos, como se alguém tivesse aberto o caixilho de uma janela. Consegui virar ligeiramente a cabeça e descobri que podia ver não apenas através do tampo de vidro de meu caixote, como também através dos painéis de vidro nas laterais da diligência. Vi casas vazias e silentes sem qualquer luminosidade ou sinal de vida, exceto uma. Nessa, havia uma janela aberta no térreo e uma figura toda em branco jazia fitando a rua. Era você."

Tessie desviara o rosto de mim e apoiara o cotovelo na mesa.

"Vi seu rosto", retomei, "e você me parecia bastante pesarosa. Então seguimos em frente e entramos numa viela escura. Os cavalos logo estacaram. Esperei e esperei e fechei os olhos por medo e impaciência, mas tudo se encontrava tão silente quanto uma tumba. Depois do que me pareceram horas, passei a sentir-me desconfortável. A impressão de que havia alguém próximo de mim me fez abrir os olhos. Daí vi aquele rosto pálido do cocheiro fitando-me através do tampo..."

O pranto de Tessie me interrompeu. Ela estava trêmula feito uma folha ao vento. Dei-me conta do quanto tinha sido idiota e tentei reparar o estrago:

"Tess, o que foi? Só lhe contei isso para demonstrar a influência que a sua história pode exercer sobre os sonhos de outras pessoas. Você não acha que fui mesmo posto num caixão, não é? Por que está tremendo? Você não percebe que seu sonho e minha antipatia irracional pelo inofensivo vigia da igreja não fizeram mais do que pôr minha mente para trabalhar assim que caí no sono?"

Ela acomodou a cabeça entre os braços, chorando como se estivesse de coração partido. Ora, mas que papel de imbecil eu fizera! E estava prestes a me superar. Eu me aproximei e a enlacei num abraço.

"Tessie, querida, me perdoe", disse eu. "Não devia ter te assustado com essas bobagens. Você é uma garota sensível demais, uma católica boa demais para acreditar em sonhos."

Sua mão apertou a minha e ela deitou a cabeça em meu ombro, ainda trêmula. Eu então a acariciei e a confortei.

"Tessie, vamos lá, abra os olhos e sorria."

Os olhos dela se abriram num lento e lânguido movimento, fitando diretamente os meus. Porém, a expressão esboçada neles era tão estranha que me apressei a reconfortá-la.

"É tudo asneira, Tessie. Você não teme que algum mal lhe aconteça por causa disso, não é?"

"Não", disse ela, mas seus lábios rubros estremeceram.

"Então qual é o problema? Você está com medo?"

"Estou, mas não por mim mesma."

"Então é por mim?", inquiri, um tanto risonho.

"Por você", ela sussurrou num tom quase inaudível. "Eu... eu gosto de você."

Em um primeiro momento, ri. Mas quando compreendi o sentido do que ela dizia, me vi paralisado pelo choque da surpresa, como se transformado em pedra. Essa era a cereja do bolo de todas as minhas idiotices. No tempo decorrido entre a resposta dela e o que eu diria a seguir, pensei em mil reações àquela confissão inocente. Eu poderia dar uma risada e deixar passar. Ou poderia me fazer de desentendido e assegurá-la de minha saúde, podendo apenas enfatizar que era impossível que ela me amasse. Entretanto, minha reação foi mais rápida do que meus pensamentos e eu a beijei na boca — sendo agora tarde demais para pensar ou repensar o assunto.

Naquela noite, fiz minha caminhada pelo Washington Park, refletindo sobre os eventos do dia. Eu estava comprometido. Agora não havia como voltar atrás e eu fitava o futuro direto nos olhos. Eu mesmo não era bom ou escrupuloso, mas não tinha intenção de iludir Tessie ou a mim mesmo. A paixão da minha vida jazia numa cova nas florestas luminosas da Bretanha. Mas será que toda a minha paixão tinha sido enterrada com ela? A Esperança clamava "Não!". Por três anos, ouvia a voz da Esperança e, por três anos, esperei que alguém surgisse na minha soleira. Sylvia tinha sido esquecida? "Não!", bradava a Esperança.

Mencionei que não sou alguém bom. Isso é verdade, ainda que não fosse necessariamente o vilão de uma ópera. Eu tinha levado uma vida ociosa e imprudente e aceitado por prazer tudo o que me era oferecido, lamentando e por vezes me arrependendo amargamente das consequências. Exceto pela pintura, apenas numa coisa eu expressava seriedade, algo que permanecia oculto, se não perdido, nas florestas da Bretanha.

    Era tarde demais para me arrepender do que acontecera naquele dia. Qualquer que tivesse sido minha motivação, se fora pena, uma repentina sensibilidade em relação à tristeza ou o instinto mais hostil da vaidade satisfeita, não fazia mais diferença. A menos que desejasse ferir um coração inocente, meu caminho estava demarcado. O ardor, a força e a profunda paixão de um amor que eu jamais suspeitara que existisse, mesmo considerando minha suposta experiência de vida, não me permitiam alternativas se não corresponder ou afastar-me dela. Se era porque eu não tinha coragem de causar sofrimento aos outros ou se era porque eu tinha pouco daquela taciturna aura puritana em mim, não sabia, mas não podia negar minha responsabilidade em relação àquele beijo impensado. De fato, eu nem sequer tivera tempo para isso antes que emergisse uma tormenta do coração dela. Outros, que por hábito cumprem seu dever e encontram uma satisfação sombria em fazer os demais e a si mesmos infelizes, talvez tivessem se oposto a isso. Mas não eu. Eu não ousava. Depois que a tempestade se arrefeceu, eu lhe disse que seria muito melhor se ela amasse Ed Burke e usasse uma aliança de ouro tradicional, mas ela não queria saber disso. Então ponderei que, enquanto estivesse decidida a amar alguém com quem não poderia se casar, era melhor que esse alguém fosse eu. Ao menos, eu seria capaz de tratá-la com uma afeição intelectiva e, assim, quando ela se enfastiasse de sua paixão, não sofreria qualquer consequência. Nisso eu estava decidido, ainda que soubesse o quanto seria difícil. Eu me recordava de como as relações platônicas comumente terminavam e de como me aborrecia sempre que ouvia falar de um caso. Tinha consciência que aquele era um comprometimento grande demais para um homem tão inescrupuloso quanto eu. Eu divagava sobre o futuro, mas em momento algum duvidei que ela estivesse segura comigo. Se a situação não dissesse respeito a Tessie, não teria me incomodado a cerca de escrúpulos, pois não me ocorreu deixá-la ao léu como teria feito com uma mulher da vida. Eu encarava o futuro sem hesitação e via diversos finais prováveis ao caso. Ou ela se cansaria da coisa toda ou se tornaria tão insatisfeita que eu teria de me casar com ela ou abandoná-la. Se nos casássemos, seríamos infelizes. Eu teria uma esposa inadequada para mim e ela, um marido inadequado para qualquer mulher, uma vez que minha vida prévia dificilmente endossaria que eu me casasse. Se eu fosse embora, ela poderia muito bem adoecer, se recuperar e então desposar algum Ed Burke por aí. Ou ela tomaria, de maneira imprudente e deliberada, alguma decisão tola. Por outro lado, se ela se cansasse de mim, ainda teria toda a vida pela frente, provida de belas visões dos Ed Burkes em seu caminho e alianças de casamento e gêmeos e apartamentos no Harlem e sabe Deus o que mais. Eu vagava em meio às árvores do Arco de Washington, quando então concluí que, de qualquer forma, ela descobriria em mim um amigo valioso e que o futuro podia se encarregar de si mesmo. Voltei para casa e vesti minhas roupas de noite, uma vez que o bilhetinho perfumado na cômoda dizia: "Providencie que haja uma diligência na porta lateral às onze". O papel estava assinado "Edith Carmichel, Metropolitan Theatre".

Naquela noite, jantei — ou melhor dizendo, nós jantamos, a srta. Carmichel e eu — no Solari's. A luz da aurora acabava de tingir a cruz da Memorial Church quando, depois de deixar Edith no Brunswick, entrei na Washington Square. Não havia uma única alma no parque. Caminhei sob as árvores e peguei a calçada que levava da estátua de Garibaldi ao Hotel Hamilton. Quando passei diante do cemitério da igreja, notei uma figura sentada nos degraus. Apesar de ser algo incomum para mim, fui acometido por calafrios ao contemplar aquele rosto pálido e flácido. Então apertei o passo. Em seguida, o sujeito disse alguma coisa que podia ter sido direcionada a minha pessoa ou apenas não ter passado de um murmúrio para si mesmo, mas a possibilidade de que uma criatura como aquela tivesse me dirigido a palavra fez com que uma repentina e violenta raiva ardesse dentro de mim. Por um instante, senti o impulso de me aproximar e arrebentar minha bengala contra a cabeça dele, mas segui em frente, entrei no Hamilton e fui para os meus aposentos. Passei um bom tempo me revirando na cama, tentando me livrar do som da voz dele. Mas não consegui. Aquele murmúrio inundava-me a cabeça como a densa e sebenta fumaça que sobe da gordura cozendo num tacho ou como o cheiro fétido da podridão. Quanto mais eu me revirava, mais a voz em minha mente parecia-me distinta. Então passei a compreender o que ele havia sussurrado. Aquelas palavras aproximaram-se lentamente, como se eu as tivesse esquecido, mas agora enfim era como se eu fosse capaz de apreender o seu sentido. Era isto que elas diziam:

"Você encontrou o Sigilo Amarelo?"
"Você encontrou o Sigilo Amarelo?"
"Você encontrou o Sigilo Amarelo?"

Vi-me enfurecido. O que ele queria dizer com aquilo? Então, rogando pragas sobre ele e sobre todos de seu sangue, revirei-me na cama até dormir. Mais tarde, quando acordei, estava pálido e cansado, pois tivera o mesmo sonho da noite anterior, o que perturbou-me bem mais do que estava disposto a admitir.

Eu me vesti e desci ao meu estúdio. Tessie estava sentada à janela, mas, assim que entrei no cômodo, ela se ergueu, veio até mim e pôs os braços ao redor do meu pescoço, dando-me um beijo inocente. Ela parecia tão doce e graciosa que a beijei outra vez antes de me sentar diante do cavalete.

"Que coisa! Onde está o estudo que comecei ontem?", disse eu.

Tessie pareceu ter ouvido a pergunta, mas não respondeu. Passei a caçá-lo em meio a pilhas de telas, dizendo: "Apresse-se, Tessie, apronte-se. Precisamos aproveitar a luz da manhã".

Quando por fim desisti de procurar a tela entre as demais e me virei para continuar procurando pelo cômodo, notei que Tessie estava ao lado do biombo, ainda vestida.

"O que foi? Você está bem?", perguntei-lhe.

"Estou."

"Então se apresse."

"Você quer que eu pose...", ela hesitou, " que nem eu sempre posei?"

Então compreendi. Havia uma nova complicação. Eu tinha perdido, é claro, a melhor modelo de nu que já tinha conhecido. Fitei Tessie. O rosto dela estava vermelho. Mas que desgraça! Tínhamos provado da árvore do conhecimento e o Éden e a inocência inerente haviam se tornado apenas sonhos do passado — quero dizer, ao menos para ela.

Imagino que ela tenha notado a decepção em meu rosto, pois disse: "Eu posso posar para você, se você quiser. O estudo está atrás do biombo, onde eu o coloquei".

"Não", disse eu, "vamos tentar algo novo."

Fui ao guarda-roupa e escolhi um traje mouro belamente adornado por brocatéis cintilantes. Encantada, Tessie retirou-se ao biombo com a vestimenta em mãos. Assim que retornou, me vi atônito. O longo cabelo escuro estava preso acima da fronte por um diadema de turquesas, mas as extremidades derramavam-se e cacheavam-se à altura do cinto fulgente. Os pés estavam envolvidos por sapatilhas bordadas e pontiagudas e a saia, trabalhada com esmero em arabescos prateados, caía-lhe até os tornozelos. O colete, de um anil metálico e bordado em prata, e a curta casaca mourisca trabalhada com turquesas tornaram-na maravilhosa. Ela se aproximou e, sorrindo, ergueu o rosto para mim. Retirei do bolso um crucifixo atrelado a uma corrente de ouro e coloquei a joia nela.

"É para você, Tessie."

"Para mim?", ela hesitou.

"Sim. Agora vamos lá e pose."

Então, num sorriso radiante, ela correu para trás do biombo e rapidamente reapareceu, trazendo uma caixinha com meu nome gravado.

"Eu tinha a intenção de dar-lhe isso antes de voltar para casa, hoje à noite", ela disse, "mas agora não consigo mais esperar."

Abri a caixa. Sobre o forro róseo e algodoado jazia um broche de ônix preto, no qual se via gravado um curioso símbolo ou algarismo dourado. Não era árabe nem chinês nem pertencia, como descobri mais tarde, a qualquer alfabeto humano.

"Era tudo o que eu tinha para dar como recordação", ela disse de um jeito tímido.

Fiquei aborrecido, mas disse que apreciara muito o presente e prometi usá-lo sempre. Ela prendeu-o no meu paletó, sob a lapela.

"Tessie, que loucura da sua parte me comprar uma coisa tão linda."

"Eu não comprei", ela sorriu.

"Então onde o arranjou?"

Ela me contou que havia encontrado o objeto um dia desses, quando voltava do aquário, em Battery, e que tinha posto um anúncio e acompanhado os jornais. No entanto, ela enfim abandonara qualquer esperança de encontrar o dono.

"Isso aconteceu no inverno passado", disse ela, "no mesmo dia em que tive o primeiro sonho horrível com o carro fúnebre."

Recordei o sonho da noite anterior, mas não disse nada. Logo, eu já deslizava o carvão sobre uma nova tela ao passo que Tessie permanecia imóvel em seu posto.

III

O dia seguinte foi um completo desastre. Ao mover uma tela emoldurada de um cavalete para outro, escorreguei no piso encerado e caí pesadamente, batendo as mãos espalmadas contra o chão. Torci os punhos de tal forma que era inútil tentar segurar um pincel. Vi-me forçado a vagar pelo estúdio, vendo desenhos e esboços inacabados, até que o desespero tomou conta de mim. Então me sentei para fumar e estalei os polegares com raiva. A chuva jorrava contra a janela e crepitava no telhado da igreja e o interminável tilintar me dava nos nervos. Tessie costurava sentada à janela. De vez em quando, ela erguia o rosto e olhava para mim, com uma compaixão tão inocente que passei a me envergonhar da irritação que sentia. Então tratei de procurar algo para me ocupar. Já tinha lido todos os livros da biblioteca, mas, como precisava de alguma coisa para fazer, fui às estantes, mexendo nelas usando o cotovelo. Conhecia cada volume pela capa e examinei todos eles, conferindo lentamente a biblioteca e assobiando para melhorar meu humor. Quando dei as costas para ir à sala de jantar, meu olhar recaiu sobre um livro encadernado em pele de cobra, que jazia num canto da prateleira mais alta. Eu não me lembrava dele e, de onde estava, não conseguia distinguir o que diziam as pálidas sentenças na contracapa. Então fui à sala de fumo e chamei Tessie. Ela veio do estúdio e subiu na estante para pegar o livro.

"Que livro é esse?", questionei.

"*O Rei de Amarelo.*"

Fiquei pasmo. Quem o tinha posto ali? Como viera parar nos meus aposentos? Eu decidira havia muito tempo que jamais abriria aquele livro e nada no mundo poderia ter me persuadido a comprá-lo. Temeroso de que a curiosidade me tentasse a abri-lo, nunca tinha sequer olhado para ele nas livrarias. Se um dia tivera qualquer interesse em lê-lo, a terrível tragédia do jovem Castaigne, a quem conheci, impediu-me de desvendar aquelas páginas perversas. Sempre me recusara a ouvir qualquer comentário sobre o livro e, de fato, ninguém jamais se aventurara a discutir a segunda parte em voz alta. Não possuía qualquer noção sobre o que aquelas páginas seriam capazes de revelar. Encarei aquele volume mosqueado e nocivo como encararia uma serpente real.

"Não toque nisso, Tessie", disse eu. "Desça daí."

Claro que minha advertência foi o suficiente para despertar a curiosidade dela e, antes que eu pudesse impedi-la, ela apanhou o livro e saiu dançando pelo estúdio, risonha. Eu a chamei, mas ela me escapou, dando um sorriso insolente às minhas mãos inúteis. Então, a segui um tanto impaciente.

"Tessie", bradei ao entrar na biblioteca. "Escute-me, estou falando sério. Largue esse livro. Não quero que você o leia." Mas encontrei a biblioteca vazia.

Verifiquei as duas salas de estar, os quartos, a lavanderia, a cozinha e, enfim, retornei à biblioteca, dando início a uma busca sistemática. Ela havia se escondido tão bem que levei meia hora para descobri-la agachada, pálida e silente, diante da janela de treliça da despensa do andar de cima. Logo de cara notei que ela fora punida por sua tolice. *O Rei de Amarelo* jazia aos seus pés, o livro estava aberto na segunda parte. Olhei para Tessie e percebi que era tarde demais. Ela havia aberto *O Rei de Amarelo*. Então, a tomei pela mão e a conduzi ao estúdio. Ela parecia atordoada e, quando pedi que se deitasse no sofá, me obedeceu sem dizer nada. Depois de um tempo, ela cerrou os olhos, e sua respiração se tornou constante e profunda. Mas eu não sabia se ela de fato dormia. Permaneci sentado em silêncio ao lado dela por um longo período, e como ela nem se movia nem dizia nada, enfim me coloquei em pé, entrei na despensa abandonada e peguei o livro com a mão menos machucada. Parecia feito de chumbo, mas o levei de volta ao estúdio e, sentado no tapete ao lado do sofá, abri o pesado volume e o li inteiro, do início ao fim.

Quando, esgotado devido à exacerbação de minhas emoções, larguei o volume e apoiei-me, cansado, contra o sofá, Tessie abriu os olhos e se virou para mim...

*

Já vínhamos conversando por certo tempo num ritmo monótono e ocioso antes que eu me desse conta de que discutíamos *O Rei de Amarelo*. Ah, o pecado de escrever aquelas sentenças, sentenças claras feito cristal, límpidas e musicais como o fluir de um regato, que chispavam e reluziam como os peçonhentos diamantes dos Médici! Ah, a perversidade, a desesperançada danação de uma alma capaz de fascinar e embotar uma criatura humana através de tais palavras — palavras compreendidas tanto pelo erudito quanto pelo ignorante, mais preciosas do que joias, mais suaves do que música, mais terríveis do que a morte.

    Continuamos conversando, sem nos dar conta de que as sombras se adensavam. Ela implorou-me que eu jogasse fora o broche de ônix belamente ornado com o que agora sabíamos se tratar do Sigilo Amarelo. Jamais saberei por que me recusei, e mesmo agora, aqui, em meus aposentos, enquanto escrevo esta confissão, adoraria saber *o que* foi que me impediu de arrancar o Sigilo Amarelo do peito e lançá-lo ao fogo. Estou certo de que quis fazer isso. Ainda assim, os apelos de Tessie foram em vão. A noite caiu e as horas se arrastaram, mas ainda sussurrávamos um ao outro a respeito do Rei e da Máscara Pálida. Então o badalar da meia-noite projetou-se dos pináculos enevoados da cidade brumosa. Falamos sobre Hastur e Cassilda enquanto lá fora a névoa se insinuava contra as vidraças pálidas das janelas, como a torrente turva irrompendo pela enseada de Hali.

    A casa se encontrava em silêncio profundo e nenhum som se ouvia nas ruas nebulosas. Tessie acomodava-se em meio às almofadas, seu rosto era um borrão cinzento na escuridão, mas suas mãos estavam entrelaçadas nas minhas. E eu sabia que ela sabia, e que lia meus pensamentos assim como eu lia dos dela, pois havíamos compreendido o mistério das Híades, com o Fantasma da Verdade sendo sepultado entre nós. Então, enquanto respondíamos um ao outro, rápida e silenciosamente, um pensamento replicando outro, as sombras se assomaram na escuridão ao nosso redor e, ao longe, em ruas distantes, ouvimos um ruído que se revelava cada vez mais próximo: o apático estalido das rodas de uma diligência, que se aproximava e se aproximava e agora tinha parado lá fora, diante da porta. Eu me arrastei à janela e vi o carro fúnebre adornado por plumas escuras. O portão inferior se abriu e se fechou e, trêmulo, corri para trancar a porta. Mas sabia que nenhuma tranca ou fechadura seria capaz de impedir aquela criatura de entrar, pois ela vinha em busca do Sigilo Amarelo. Agora o ouvia avançando calmamente pelo corredor, e logo ele estava diante da porta. Foi quando as trancas apodreceram perante o seu toque e ele entrou na sala. Meus olhos ardiam pelo esforço, mas tentei perscrutar a escuridão, pois quando ele adentrara no cômodo eu não o vira. Foi só quando senti que ele me envolvia em seus flácidos e frígidos braços que clamei em terror e debati-me possuído por uma fúria mortal. No entanto, minhas mãos estavam inutilizadas. Ele arrancou o broche de ônix do meu paletó e encarou-me direto nos olhos. Então, ao passo que desfalecia, ouvi o grito suave de Tessie. E ela se foi. Mesmo enquanto perdia a consciência, eu ansiava por segui-la, pois sabia que o Rei de Amarelo tinha aberto o manto andrajoso e havia apenas Deus a quem implorar agora.

Poderia contar mais a você, mas não vejo que bem isso faria ao mundo. Quanto a mim, estou além da esperança ou auxílio humano. Enquanto aqui jazo, escrevendo sem me importar se morrerei ou não antes de terminar, percebo que o médico, que guarda seus pós e frascos, gesticula vagamente ao padre ao meu lado, num gesto que compreendo.

Eles desejarão saber detalhes dessa tragédia — eles, que habitam o mundo lá fora, que escrevem livros e imprimem milhões de jornais. Mas agora devo cessar a escrita. O padre confessor vai selar minhas derradeiras palavras com o selo da santidade assim que seu ofício sagrado tiver chegado ao fim. Eles, do mundo lá fora, podem até enviar seus asseclas a lares arruinados e devastados pela morte, pois os jornais se banqueteiam em sangue e lágrimas. Mas, no meu caso, seus espiões se verão hesitantes diante do ato confessional. Eles sabem que Tessie está morta e que eu estou morrendo. Eles têm conhecimento de que os criados, despertados por um grito infernal, irromperam quarto adentro e encontraram um vivo e dois mortos, mas não têm qualquer noção do que estou prestes a contar. Eles não sabem o que o médico disse ao apontar para o terrível amontoado pútrido ao chão — o cadáver lívido do vigia da igreja: "Não tenho nenhuma hipótese, nenhuma explicação. Esse homem deve estar morto há meses!".

Acho que estou morrendo. Gostaria que o padre...

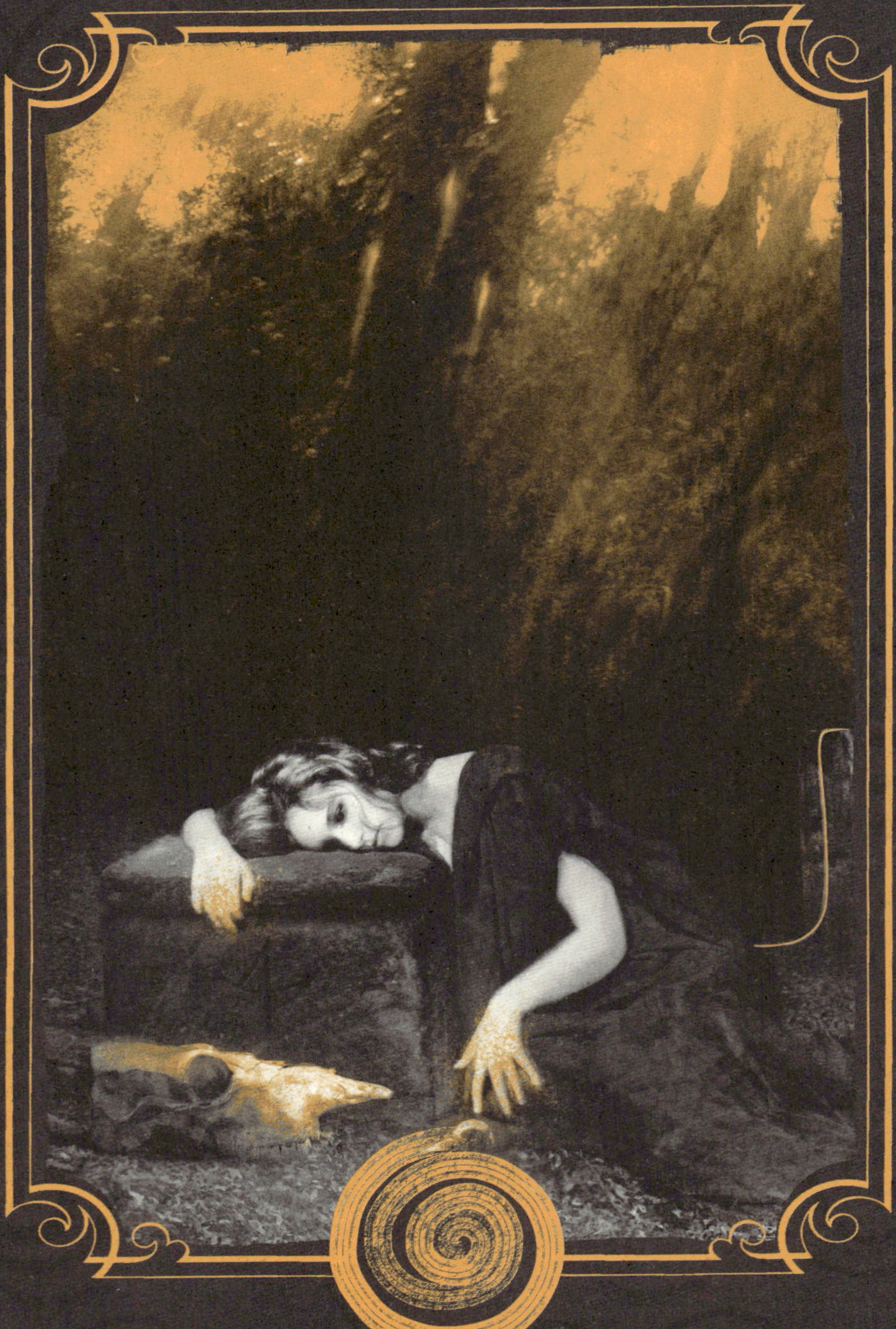

TOMO V

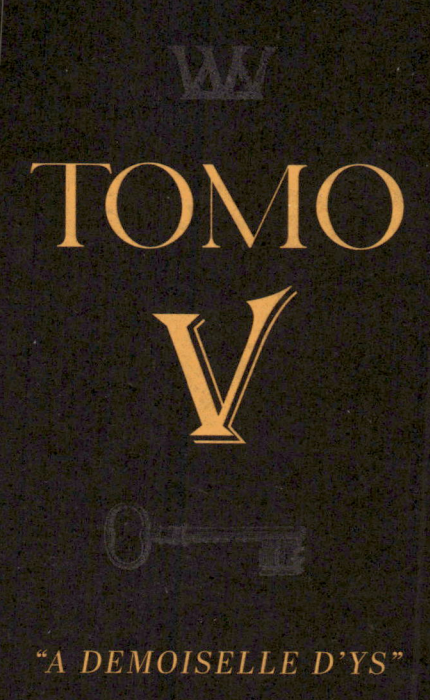

"A DEMOISELLE D'YS"

Fecha o primeiro ciclo de histórias — mesmo que de forma indireta e ambígua —, um conto que abarca um personagem do presente, um jovem aventureiro chamado Philip em viagem a Bretanha, que se perde em um pântano e descobre-se na companhia de Jeanne d'Ys, uma jovem e atraente condessa que vive em um antigo castelo. Aqui o véu da realidade se parte e o narrador vai parar em um mundo medieval, no qual falconeiros garantem a alimentação da população noite após noite. O conto brinca com uma paisagem romântica e gótica, fazendo o leitor questionar se o narrador voltou ao passado ou não, pois são vários os elementos que o desafiam a uma compreensão dessa realidade: roupas, costumes e a língua falada pelos anfitriões. Novamente, o que era estranhamento torna-se atração amorosa e a paixão, quando declarada ou concretizada, conduz o narrador a estranhos eventos. No conto, a menção a Hastur sugere uma relação com o mito da malfadada peça. Quão definitiva é a distância entre o presente e o passado, entre a imaginação e a realidade?

A DEMOISELLE D'YS

Mais je croy que je / Suis descendu on puiz
*Ténébreux onquel disoit / Heraclytus estre Vereté cachée.**
Robert W. Chambers, adaptado de François Rabelais

Há três coisas demasiado assombrosas e sobre a quarta nada sei:
os meios da águia no ar; os meios da serpente na rocha;
os meios duma embarcação em pleno mar;
e os meios de um homem com uma mulher.
Provérbios 30: 18-19

I

O inegável desalento das circunstâncias começava a me afetar. Sentei-me para refletir sobre a situação e, se possível, relembrar algum ponto de referência que me oferecesse auxílio em solucionar o problema. Se ao menos pudesse localizar o oceano outra vez, as coisas se resolveriam, pois sabia ser possível vislumbrar a ilha de Groix das falésias.

Larguei minha arma e, apoiando-me em uma rocha, acendi um cachimbo. Olhei no relógio. Eram quase quatro horas. Eu partira ao romper da aurora e bem que podia ter me afastado mais de Kerselec do que imaginava.

---

* "Confio que, todavia/ Eu desci ao umbroso Abismo / Em que Heráclito dizia / Que a Verdade jaz oculta." Nota do tradutor: Passagem adaptada por Chambers a partir do romance dividido em cinco volumes *Gargântua e Pantagruel*, escrito no século XVI por François Rabelais.

Do limiar do penhasco, que visitara no dia anterior acompanhado de Goulven, eu contemplara as charnecas em meio às quais agora me encontrava perdido. Elas então haviam me parecido plainas feito uma pradaria, estendendo-se ao horizonte. Embora tivesse noção de que a distância pudesse oferecer uma percepção enganosa, não me dei conta de que aquilo que julgara se tratar de ravinas relvadas eram vastos vales tomados por junco e urze; e que o que me parecera seixo disperso pela paisagem eram, de fato, imensas escarpas de granito.

"Um lugar ruim para um forasteiro", o velho Goulven dissera. "É melhor você contratar um guia."

"Não vou me perder", repliquei.

Agora, sentado a fumar, o vento marítimo soprando em meu rosto, eu tinha consciência de que havia me perdido. A charneca se estendia para todos os lados, coberta por urze e junco em florescência e fragas pedregosas. Não havia sequer uma árvore à vista, que dirá uma casa. Depois de determinado tempo, peguei minha arma, tornei as costas ao sol e retomei a caminhada.

Não tinha muita serventia seguir os córregos bravios que, vez ou outra, cruzavam meu caminho, pois eles não desaguavam no oceano, mas seguiam terra adentro e desbocavam em lagunas tomadas de mato nas ravinas da charneca. Eu seguira vários desses regatos, e todos eles me guiaram a charcos ou lagoas silentes, dos quais as narcejas se erguiam, perscrutando-me, para então alçarem voo enlevadas de pavor. Sentia-me fatigado, o peso da arma já havia escoriado meu ombro, apesar de a correia do rifle ter um acolchoamento reforçado. O sol ia cada vez mais baixo, cintilando ao nível do junco amarelado e das lagunas.

Eu seguia adiante, e minha imensa sombra servia-me de guia, parecendo assomar-se a cada passo. O junco roçava contra minhas perneiras e estalava sob meus passos, banhando a terra turva de brotos. O matagal se curvava e ondeava pelo caminho. Coelhos disparavam de entre as samambaias, sumindo pelo mato arbusteiro; e em meio ao brejo relvado ouvia o grasnado letárgico do pato selvagem. Em algum momento, uma raposa cruzou furtiva diante de mim e, quando me agachei para beber de um córrego, uma garça agitou as asas com vigor nos juncos logo adiante. Tornei-me para fitar o sol, que dava a impressão de tanger os limites da planície. Por fim, conclui que era inútil seguir em frente e que eu teria de me conformar em passar ao menos uma noite na charneca. Então me deixei cair ao chão, completamente esgotado. A luz do poente deitava-se morna sobre o meu corpo, mas a brisa marítima aos poucos se adensava. Fui transpassado por um calafrio que subiu das minhas botas molhadas. Ao longe, gaivotas voejavam e adejavam feito pedacinhos de papel branco; um maçarico-real piava de algum charco longínquo. Pouco a pouco, o sol tombava na planície e o zênite incendiava-se devido ao resplendor tardio. Contemplei o céu transmutar-se do dourado pálido ao róseo e então a um fogo que ardia sem chama. Nuvens de mosquitos dançavam acima de mim e lá no alto, em meio à brisa serena, um morcego mergulhou e disparou. Minhas pálpebras agora pesavam. Então, enquanto eu tentava afastar a sonolência, um súbito estalo no matagal me sobressaltou. Ergui o rosto. Um imenso pássaro pairava no ar logo acima de mim. Encarei-o por um momento, incapaz de qualquer movimento. Foi quando alguma coisa saltou por mim e o pássaro alçou voo, descreveu um círculo e mergulhou de cabeça no matagal.

Coloquei-me de pé em um pulo e perscrutei através do juncal. Ouvi o alarido de luta vindo de um amontoado de urze não muito distante, e então tudo se aquietou. Dei um passo à frente, arma em punho, mas ao me aproximar dos arbustos, deixei-a pender outra vez e me vi estático, em silente perplexidade. Uma lebre morta jazia ao chão e, sobre ela, havia um magnífico falcão; uma garra afundada na garganta e outra fincada firmemente no flanco tenro da presa. No entanto, não foi a mera visão do falcão sobre a caça o que me surpreendeu — eu já vira algo do tipo mais de uma vez —, e sim o fato de haver um tipo de trela em torno de ambas as garras do falcão, de onde pendia uma pequena esfera de metal, semelhante a um guizo. O pássaro mirou-me com aqueles ferozes olhos amarelos, se inclinou e estocou o bico curvo na presa. Naquele instante, distingui passos apressados em meio aos arbustos e, em seguida, uma garota irrompeu deles. Sem dar-me sequer uma olhadela, ela caminhou até o falcão, passou a mão enluvada sobre o peito da ave e afastou-o da presa. Em um movimento hábil, ela deslizou um pequeno capuz sobre a cabeça do pássaro e acomodou-o em sua manopla, depois se agachou e pegou a lebre.

Ela passou uma tira de couro pelas patas do animal e prendeu a outra extremidade ao cinto. Por fim, tratou de refazer seus passos através do urzal. Quando passou por mim, fiz uma mesura com o chapéu, e ela correspondeu em uma inclinação quase imperceptível. Eu me encontrava tão assombrado, tão atônito diante da cena que se desvelava diante dos meus olhos que sequer me ocorreu que ali estava minha salvação. Conforme ela se afastava, porém, percebi que, a menos que eu desejasse passar aquela noite na charneca ventosa era melhor que eu me recompusesse sem demora. Ao ouvir minha primeira sentença, ela hesitou. Quando me aproximei, pareceu-me que uma expressão de medo surgiu naqueles lindos olhos. Porém, assim que cordialmente expliquei-lhe minha infortuna situação, a cor voltou-lhe ao rosto e ela fitou-me espantada.

"É impensável que você tenha vindo de Kerselec!", ela repetia.

Sua voz doce não apresentava um simples resquício do sotaque bretão nem de qualquer outro que eu conhecesse. Ainda assim, havia algo nela que eu parecia ter ouvido antes, alguma coisa exótica e indefinível, como a melodia de uma antiga cantiga.

Esclareci que eu era norte-americano, que não estava familiarizado com *Finistère* e que fora caçar ali por mero divertimento.

"Um americano", ela disse naquele mesmo ritmo singular e musical. "Nunca antes vi um americano."

Ela silenciou por um instante e então, fitando-me, continuou: "Ora, você não alcançaria Kerselec nem que caminhasse por toda a noite, mesmo que tivesse um guia".

Ah, mas que ótima notícia.

"Quem sabe eu seja capaz de encontrar a choupana de algum camponês", comentei, "então talvez eu conseguisse um abrigo e algo para comer."

O falcão, pousado no punho dela, agitou-se e meneou a cabeça. A garota afagou as plumas acetinadas da ave e deu-me um olhar de relance.

"Olhe à sua volta", ela disse em tom gentil. "Será que consegue ver onde se acabam essas charnecas? Mire ao norte, sul, leste, oeste. Vê alguma coisa que não seja a charneca e o juncal?"

"Não", admiti.

"A charneca é selvagem e solitária. Adentrá-la é simples, mas, por vezes, aqueles que por aqui se aventuram jamais partem. Não existem choupanas por essas bandas."

"Bem, se você me disser qual a direção para Kerselec, amanhã não hei de levar mais tempo para retornar do que levei para chegar até aqui."

Ela fitou-me outra vez, tinha uma expressão que beirava a pena.

"Ah, mas se aventurar até aqui é coisa fácil e pode ser feito em algumas horas. Partir é outra questão, partir talvez demande séculos."

Fixei meu olhar nela, atônito, mas considerei que não havia compreendido bem o que dissera. Então, antes que tivesse tempo de dizer qualquer coisa, ela sacou um apito do cinto e o soprou.

"Sente-se e descanse", ela me disse. "Você percorreu uma longa distância, está cansado."

Ela ergueu as saias plissadas e, gesticulando para que eu a seguisse, avançou a passos graciosos através do juncal, na direção de uma rocha emoldurada por samambaias.

"Eles logo estarão aqui", ela revelou, então tomou assento em uma das bordas da rocha e indicou que eu me sentasse na outra.

O fulgor do pôr do sol desaparecia dos céus e uma estrela solitária cintilava fracamente entre a névoa rosada. Uma longa e sinuosa formação de patos voava para o sul e pildras piavam dos brejos ao redor.

"São de fato belas as charnecas", ela sussurrou.

"Belas, mas cruéis aos forasteiros", comentei.

"Belas e cruéis", ela repetiu em tom de devaneio. "Belas e cruéis."

"Feito uma mulher", eu disse, sendo um idiota.

"Ah!", ela exclamou quase sem fôlego, e virou-se para mim. Seus olhos escuros encontraram os meus. Achei que ela estivesse irritada ou assustada. "Feito uma mulher", ela repetiu num sussurro. "Que coisa cruel de se dizer!" Depois de uma pausa, como se falasse em voz alta para si mesma, ela disse: "Que cruel da parte dele dizer tal coisa".

Não sei que tipo de desculpas dei para minha fala estúpida, ainda que inofensiva, mas ela pareceu tão incomodada que passei a considerar que dissera algo terrível sem saber, relembrando horrorizado dos ardis e ciladas que a língua francesa reservava aos forasteiros. Ao passo que tentava conceber a sentença terrível que poderia ter enunciado, um som de vozes elevou-se das charnecas e a garota levantou-se.

"Não", ela disse, esboçando um sorriso no rosto pálido, "eu não aceito suas desculpas, *monsieur*, mas hei de provar que está errado e essa será minha desforra. Veja, ali vêm Hastur e Raoul."

Dois homens avultaram-se, acompanhados do crepúsculo. Um trazia uma saca à tiracolo, o outro carregava um arco diante de si, como um criado carrega uma bandeja. O aro estava atrelado por correias aos ombros do sujeito e, na beirada do círculo, assentavam-se três falcões encapuzados que também exibiam guizos. A garota se aproximou do falcoeiro e, através de um hábil movimento do punho, transferiu seu pássaro para o arco, onde a ave prontamente se acomodou entre as outras, que menearam as cabeças cobertas pelo capuz e agitaram as asas, tilintando os guizos. O outro homem deu um passo à frente, fez uma mesura respeitosa, pegou a lebre e depositou-a na saca de caça.

"Estes são meus *piqueurs*", ela disse, volvendo-se para mim em gentil dignidade. "Raoul é um falcoeiro exemplar e um dia hei de torná-lo um *grand veneur*. Hastur é incomparável."

Os dois sujeitos silentes me fizeram uma reverência cortês.

"Não afirmei, *monsieur*, que haveria de provar que estava errado?", ela continuou. "Pois então esta é minha vingança: faça-me a gentileza de aceitar abrigo e alimento de minha própria morada."

Antes que eu pudesse responder, ela tratou com os falcoeiros que, de imediato, saíram singrando a charneca. Ela fez-me um gesto cheio de graça e os seguiu. Não sei se consegui que ela compreendesse o quanto estava grato, mas, em nossa caminhada através do urzal orvalhado, ela parecia satisfeita em me ouvir falar.

"Você não está cansado demais?", ela considerou.

Eu havia esquecido completamente do meu cansaço na presença dela, o que lhe confessei.

"Você não acha que sua galanteria é um tanto antiquada?", ela disse. Eu me vi confuso e envergonhado. Ela então acrescentou em um sussurro: "Ah, mas eu aprecio; eu prefiro as coisas à moda antiga e é adorável ouvi-lo dizer coisas tão belas".

A charneca se encontrava profundamente silenciosa agora, sob um espectral lençol de névoa. As batuíras haviam cessado o canto; os grilos e todas as demais criaturinhas dos campos se mantinham quietas enquanto avançávamos. Ainda assim, tive a impressão de ouvir tais criaturas ao longe, na nossa retaguarda, dando início aos seus sons noturnos. Os dois altos falcoeiros seguiam pelo urzal a uma boa distância a nossa frente e ouvíamos o retinir distante e murmurante dos guizos dos falcões.

Um esplêndido cão de caça repentinamente irrompeu da neblina logo adiante, seguido por outro, e mais outro, até que meia dúzia deles, se não mais, estivesse se agitando e saltando em torno da garota ao meu lado. Ela os aquietou, afagando-os com a mão enluvada, e falou com eles empregando termos exóticos, os quais eu me recordava de ter visto em manuscritos registrados em francês antigo.

Mais adiante, os falcões abancados no arco carregado pelo falcoeiro passaram a bater as asas e a crocitar e, de algum ponto fora de vista, o som de um chifre de caça ecoou pela charneca. Os cães se dispersaram pelo entorno, desaparecendo no crepúsculo. Os falcões se agitaram e piaram no poleiro. A garota, acompanhando o som da corneta, começou a cantarolar. A voz dela soava límpida e suave em meio à brisa noturna:

> *Chasseur, chasseur, chassez encore,*
> *Quittez Rosette et Jeanneton,*
> *Tonton, tonton, tontaine, tonton,*
> *Ou, pour, rabattre, dès l'aurore,*
> *Que les Amours soient de planton,*
> *Tonton, tontaine, tonton.*[*]

Enquanto ouvia o som de sua adorável voz, uma silhueta cinzenta surgiu logo adiante, tornando-se cada vez mais nítida e o chifre de caça soou de maneira agradável por sobre o tumulto de cães e falcões. Uma tocha chamejou aos portões, um feixe de luz despontou de uma porta aberta e atravessamos uma ponte de madeira que estremeceu a cada passada e que rangeu atrás de nós, se elevando, enquanto cruzamos sobre o fosso e adentramos um diminuto pátio de pedra murado. Um homem surgiu por uma soleira, curvou-se em cumprimento e entregou

---

[*] Nota do tradutor: Passagem do poema "La Chasse" (A Caçada), de autoria do poeta e compositor francês Pierre-Jean de Béranger (1780-1857). Nas traduções para diversos idiomas, frequentemente traduz-se "tonton" como "tio", no entanto, Pierre-Jean utilizava-se desses termos mais como recurso fonético/musical do que devido ao significado, algo comum às suas composições. O equivalente ao verso "*Tonton, tonton, tontaine, tonton*" seria algo como "lá, lá, lá, na, na, lá, lá". Aqui, optei por manter o original grafado em itálico: "Caçador, caçador, siga a caçar,/ Deixe que se vão Rosette e Jeanneton;/ *Tonton, tonton, tontaine, tonton.*/ Que os amores sejam vigilantes;/ *Tonton, tontaine, tonton*".

um cálice à garota ao meu lado. Ela o aceitou e deitou os lábios sobre o objeto. Então o abaixou, virou-se para mim e disse em tom sussurrado: "Eu lhe dou boas-vindas".

Nesse instante, um dos falcoeiros aproximou-se, trazendo outro cálice. No entanto, antes de entregá-lo a mim, ofereceu-o à garota, que provou o conteúdo. O falcoeiro gesticulou, no intuito de pegá-lo de volta, mas por um átimo ela hesitou. Então, a jovem mulher deu um passo à frente e ofereceu-me o cálice de suas próprias mãos. Considerei este um ato de notável amabilidade, mas não sabia dizer o que era esperado de mim, por isso, não o levei de imediato aos lábios. A garota corou. Percebi que eu devia agir rápido.

"*Mademoiselle*", vacilei, "um estranho, a quem você resgatara de perigos a ele imperceptíveis, esvazia este cálice em honra a mais amável e gentil anfitriã da França."

"Em nome Dele", ela sussurrou, fazendo o sinal da cruz, ao passo que eu bebia do cálice.

Então cruzamos a soleira. Ela volveu-se para mim em um gesto gracioso e, pegando-me pela mão, conduziu-me pela casa, repetindo: "Você é muito bem-vindo, de fato muito bem-vindo ao Château d'Ys".

II

Despertei na manhã seguinte com a melodia do chifre de caça ecoando ao pé do ouvido. Saltei da cama antiga e fui à janela acortinada. Os diminutos vitrais filtravam a luz do sol. A corneta cessou. Fitei o pátio lá embaixo.

Um homem, que bem podia ser irmão dos dois falcoeiros que conhecera na noite anterior, se encontrava em meio a uma matilha de cães. Um chifre curvo estava atrelado às suas costas e ele trazia nas mãos um relho de ponteiras longas. Os animais ganiam e latiam, saltitando ao redor dele em antecipação. Também ouvi o trotar dos cavalos vindo do pátio murado.

"Montar!", uma voz bradou em bretão. Antecipados pelo estrépito dos cascos dos cavalos, os dois falcoeiros, trazendo os falcões assentados nas manoplas, cavalgaram pátio adentro, entre os cães. Então distingui outra voz, que me incendiou o sangue e o coração:

"Piriou Louis, conduza bem os cães, e não resguarde o relho nem a espora. Quanto a vocês, Raoul e Gaston, garantam que o *epervier* não se prove *niais* e, se julgarem mais acertado, *faites courtoisie à l'oiseau*. *Jardiner un oiseau*, como este *mué* na manopla de Hastur. Não há dificuldades nisso, mas você, Raoul, pode não considerar tão simples dominar tal *hagard*. Por duas vezes na semana passada ele se exaltou *au vif* e perdeu a *beccade*, embora ele esteja habituado ao *leurre*. O pássaro age feito um tolo *branchier*. *Paître un hagard n'est pas si facile*."

Será que estava sonhando? A antiga língua da falcoaria sobre a qual lera em manuscritos amarelados, falo do velho e esquecido francês da Idade Média, agora soava em meus ouvidos enquanto cães latiam e os guizos dos falcões tilintavam acompanhados pelo fragor dos cavalos. Ela falou outra vez comigo naquela doce língua perdida:

"Caso prefira atrelar a *longe* e deixar sua *hagard au bloc*, Raoul, não o reprovarei, pois seria uma pena desperdiçar um dia tão belo ao esporte em *sors* de treino corretivo. *Essimer abaisser* — há de ser provavelmente a melhor maneira. *Ça lui donnera des reins*. Talvez eu tenha sido precipitada em relação ao pássaro. Leva tempo para dominar *à la filière* e para práticas *d'escap*."

Então o falcoeiro Raoul curvou-se nos estribos e disse: "Se agrada a *mademoiselle*, hei de empregar o falcão".

"Eu gostaria", ela replicou. "Tenho conhecimento sobre falcoaria, mas você ainda tem de me dar diversas lições em *Autourserie*, meu singelo Raoul! *Sieur* Piriou Louis, montar!"

O caçador sumiu por uma arcada e retornou um instante depois montando um poderoso corcel de pelagem preta, seguido por um *piqueur* também montado.

"Ah!", ela exclamou em contentamento, "que presteza, Glemarec René! Que todos tenham presteza! Toque a corneta, *Sieur* Piriou!"

O melodioso som do chifre de caça preencheu o lugar, os cães dardejaram pelo portão e os demais dispararam, deixando para trás o pátio pavimentado em um galope estrondoso, o som dos cascos se intensificou na ponte levadiça, mas de repente se arrefeceu, diluindo-se em meio à estorga e ao matagal da charneca. A corneta soou cada vez mais longe, até que o som se tornou tão fraco que o súbito gorjeio de uma cotovia ascendente o abafou. Ouvi a voz lá embaixo responder à outra, que veio do interior da casa.

"Não lamento perder essa caçada, hei de caçar outras vezes. Uma cortesia ao estranho, Pelagie. Lembre-se disso."

"*Courtoisie*", uma voz fraca e trêmula ressoou de dentro da casa.

Despi-me e lavei-me da cabeça aos pés em água fria, fazendo uso da enorme tina de pedra aos pés da cama. Depois, tratei de procurar minhas roupas. Não havia sinal delas, mas, sobre um banco próximo da porta, encontrei algumas peças de vestuário que examinei tomado de perplexidade. Como as minhas tinham desaparecido, fui compelido a adotar aqueles trajes que haviam claramente sido deixados ali para mim, enquanto minhas roupas secavam. A indumentária estava completa: boina, sapatos e um gibão de um prateado cinzento feito à mão. Aquelas peças justas e sapatos sem costura pertenciam a outro século e recordei-me dos estranhos trajes dos três falcoeiros no pátio. Eu estava certo de que não se tratava da moda de nenhuma parte da França ou da Bretanha. Não foi antes que eu me aprontasse e vislumbrasse minha imagem no espelho entre as janelas que percebi que estava vestido mais à semelhança de um jovem caçador da Idade Média do que de um bretão contemporâneo. Hesitei, mas peguei a boina. Será que deveria descer e me apresentar nesse aspecto peculiar? Eu de fato não tinha escolha, não sabia onde minhas roupas tinham ido parar e, naquele antigo aposento, não havia campainha para chamar um criado. Contentei-me em retirar uma pena de falcão da boina. Em seguida, abri a porta e desci as escadas.

Em uma vasta sala ao pé da escadaria, uma velha mulher bretã sentava-se diante da lareira com uma roca nas mãos. Ela fitou-me quando surgi e, com um sorriso sincero e falando em bretão, desejou-me saúde. Sorridente, respondi em francês. Nesse instante, minha anfitriã apareceu e retribuiu aos meus cumprimentos dotada de uma graça e dignidade que me agitou o coração. Adorável, ela usava um toucado, emoldurando os cachos escuros, algo que eliminou todas as minhas dúvidas a respeito da época de minhas roupas. Ela trajava um vestido de caça feito à mão e arrematado em fios de prata, que destacava primorosamente suas formas esguias. No pulso coberto pela manopla, ela trazia um de seus falcões de estimação. Em uma cordialidade impecável, ela tomou minha mão e guiou-me ao jardim do pátio, sentando-se diante de uma mesa e, em um tom doce, convidou-me para sentar ao lado dela. Ela questionou-me naquele seu suave e exótico sotaque como eu tinha passado a noite e se me encontrava demasiado incomodado por ter de usar as roupas que a velha Pelagie deixara para mim enquanto eu dormia. Fitei minhas próprias vestimentas, que secavam ao sol logo ao lado da mureta do jardim, e as detestei. Que medonhas elas eram se comparadas aos elegantes trajes que agora usava. Sorrindo, disse isso a ela, que concordou comigo de um jeito sério.

"Nós as jogaremos fora", ela falou num sussurro.

Surpreso, tentei esclarecer que nem sequer consideraria ficar com as roupas de outra pessoa, mesmo que, pelo que eu soubesse, fosse um costume de hospitalidade nessa região. Ainda assim, eu faria papel de excêntrico se retornasse à França vestido daquela maneira.

Ela riu e meneou a cabeça, um gesto adorável, dizendo algo em francês antigo, que não compreendi. Então Pelagie surgiu em um passo apressado, trazendo uma bandeja onde havia duas canecas de leite, pão branco, frutas, uma escudela com favos de mel e um jarro de vinho tinto.

"Acontece que ainda não fiz meu desjejum, pois desejava que você comesse comigo. Mas agora estou faminta." Ela sorriu.

"Eu preferiria morrer a esquecer de uma única palavra sua." Deixei escapar e senti o rosto corar.

Ela vai achar que sou louco, acrescentei em pensamento. Todavia, seus olhos refulgiam quando ela virou-se para mim.

"Ah", ela suspirou, "então *monsieur* sabe tudo o que há para saber sobre cavalheirismo."

Ela fez o sinal da cruz e começou a comer. Eu permaneci estático, observando aquelas mãos pálidas sem ousar erguer meu olhar ao dela.

"Você não vai comer?", ela indagou. "Por que está tão aflito?"

Ah, por quê? Agora eu tinha consciência. Sabia que daria minha vida para deitar os lábios naquelas palmas rosadas. Agora compreendia que a amava, que a tinha amado desde aquele instante da noite passada, quando em meio à charneca vislumbrara seus olhos escuros. Minha imensa e inesperada paixão deixou-me sem palavras.

"Você se sente constrangido?", ela insistiu.

Então, feito um homem que proclama a própria sentença, repliquei em tom sussurrado: "Sim, estou me sentindo desconfortável porque eu a amo". Considerando que ela não moveu um músculo nem respondeu, aquele mesmo ímpeto me fez continuar falando como que por instinto: "Eu, que não sou digno nem do mais singelo dos seus pensamentos; eu, que abusei da sua hospitalidade e retribuí sua amável cortesia com uma presunção atrevida, eu amo você".

Ela apoiou o queixo nas mãos e disse com suavidade: "Eu também amo você. Suas palavras significam muito para mim. Eu amo você".

"Então hei de conquistá-la."

"Conquiste-me", ela replicou.

Entretanto, durante todo aquele tempo, estivera sentado ali em silêncio, fitando-lhe a face. E ela, o rosto adorável repousado na palma da mão, também se sentava silenciosa a me encarar. Nessa troca de olhares, soube que nenhum de nós dissera qualquer palavra em qualquer língua conhecida, mas eu também sabia que a alma dela respondera à minha. Então me empertiguei, sentindo um vívido e ledo amor correndo por minhas veias. Sua amável face cintilava e ela parecia alguém que despertara de um sonho, então seu olhar buscou o meu, oferecendo um vislumbre interrogativo que me inundou de prazer. Nós desjejuamos, falando a respeito de nós mesmos. Eu lhe disse o meu nome e ela me disse o seu: *Demoiselle* Jeanne d'Ys.

Ela contou-me sobre a morte de seu pai e de sua mãe e sobre como os dezenove anos de sua vida haviam transcorrido na pequena propriedade fortificada, acompanhada apenas da ama Pelagie, do *piqueur* Glemare René e dos quatro falcoeiros, Raoul, Gaston, Hastur e *sieur* Piriou Louis, que tinham servido a seu pai. Ela jamais havia deixado a charneca — sequer vira uma viva alma antes de mim, a não ser os falcoeiros e a ama. Ela não sabia dizer como ouvira falar de Kerselec. Talvez os falcoeiros houvessem comentado sobre o lugar. Ela conhecia as lendas sobre o Loup Garou e Jeanne la Flamme, contadas por Pelagie. Ela bordava e fiava linho. Os falcões e os cães de caça eram seu único passatempo. Quando cruzara comigo na charneca, percebera-se tão assustada que quase perdera o equilíbrio ao ouvir o som de minha voz. De fato, ela havia contemplado navios ao mar do alto das falésias, mas, até onde a vista alcançava, as charnecas pelas quais ela cavalgava eram destituídas de qualquer sinal de vida humana. A velha Pelagie lhe havia contado uma lenda sobre como aqueles que se perdiam nas regiões desconhecidas da charneca talvez jamais retornassem, pois o lugar era encantado. Ela não tinha certeza se o dito era verdadeiro, pois nunca dera muita atenção a isso antes de me encontrar. E nem sabia se os falcoeiros já tinham deixado a charneca ou mesmo se conseguiriam, caso quisessem. Os livros que havia na casa, com os quais a ama a ensinara a ler, tinham centenas de anos.

Contou-me tudo isso em um tom de doce seriedade raramente visto em alguém que não fosse uma criança. Ela considerou que meu nome era de fácil pronúncia, e insistiu, pois meu primeiro nome era Philip, que eu devia ter sangue francês. E não parecia curiosa a respeito de nada que concernisse ao mundo além da charneca. Pensei que, talvez, devido às histórias contadas pela ama, ela considerasse que o mundo não tivesse nada a ver com ela, perdendo assim o interesse por ele.

Ainda estávamos à mesa e ela lançava uvas aos diminutos pássaros do campo, que avançavam sem medo até próximo aos nossos pés.

Toquei vagamente no assunto de minha partida, mas ela se mostrava incorrigível e, antes que eu me desse por conta, já havia prometido estender minha estadia por uma semana e caçar na companhia dela, utilizando os cães e os falcões. Também recebi permissão para retornar de Kerselec, uma vez que partisse, no intuito de visitá-la.

"Ora", ela disse de forma inocente, "Eu não sei o que faria se você nunca retornasse", e eu, sabendo que não tivera nenhum direito de despertar nela a súbita comoção causada pela confissão de meu amor, permaneci em silêncio, mal ousando respirar.

"Você vai me visitar com frequência?", quis saber.

"Com muita frequência."

"Todos os dias?"

"Todos os dias."

"Ah", ela suspirou. "Fico muito contente. Agora venha ver meus falcões."

Ela se ergueu e tomou minha mão, expressando outra vez aquela inocência infantil de posse. Caminhamos pelo jardim e sob árvores frutíferas, então adentramos a relva verdejante, cujos limites eram demarcados por um regato. Havia quinze ou vinte cepos espalhados pela gramínea, parcialmente enterrados no solo, e sobre cada um deles, exceto dois, assentavam-se falcões. As aves se encontravam presas aos cepos por correias de couro, que, por sua vez, estavam atreladas a anilhas de aço logo acima de suas garras. Um tênue córrego d'água cristalina fluía de uma nascente, descrevendo um curso sinuoso à curta distância de cada poleiro.

Os pássaros se atiçaram, clamorosos, perante a aproximação da garota. Ela passou por todos eles, acariciando alguns, tomando outros ao punho por um instante ou ajustando-lhes as peias.

"Eles não são lindos? Veja, esta é uma fêmea de falcão-peregrino. Nós a chamamos de 'ignóbil', pois arrebata a presa em uma perseguição direta. Este também é um falcão-peregrino. Em falcoaria, nós dizemos que ele é 'sagaz' porque se ergue sobre a presa e, circundando-a do alto, mergulha dos céus na direção dela. Este pássaro branco é um gerifalte do norte. Ele também é 'sagaz'. Aqui está um exemplar de esmerilhão e este *tiercelet* é um falcão treinado para caçar garças."

Perguntei como ela aprendera a antiga língua da falcoaria. Ela não se lembrava, mas supunha que o pai lhe havia ensinado quando ainda jovem.

Ela deu continuidade ao passeio e mostrou-me os filhotes de falcão ainda no ninho. "Em falcoaria, eles são denominados *niais*", ela elucidou. "Um *branchier* é um pássaro jovem capaz de deixar o ninho, mas apenas para saltar de galho em galho. Um falcão jovem que ainda não trocou a plumagem é chamado de *sors* e, por sua vez, um pássaro que a trocou em cativeiro é denominado *mué*. Quando capturamos um falcão selvagem cuja plumagem já foi trocada nós o chamamos de *hagard*. Raoul foi quem me ensinou a treinar um falcão. Você gostaria que eu lhe ensinasse?"

Ela sentou-se na beira do regato, em meio aos falcões, e eu me acomodei aos seus pés para escutar. Então a *demoiselle* d'Ys ergueu um dedo rosado e disse em tom sério:

"Primeiro, é preciso capturar um falcão."

"Já fui capturado."

Ela deu um lindo riso e disse que meu *dressage* seria algo dificultoso, uma vez que eu era "sagaz".

"Já fui domado", acrescentei, "posto à peia, acrescido de guizo."

"Ah, meu bravo falcão, então você retornará ao meu comando?" Ela sorriu encantada.

"Sou seu", respondi sério.

Ela permaneceu em silêncio por um átimo. Então a cor subiu-lhe às bochechas e ela apontou-me um dedo outra vez:

"Agora escute, desejo falar de falcoaria."

"Pois escuto, condessa Jeanne d'Ys."

Mas outra vez ela adentrou um estado de devaneio, os olhos fixos em algo além das nuvens de verão.

"Philip", ela disse enfim.

"Jeanne", sussurrei.

"Isso é tudo, tudo o que desejo: Philip e Jeanne", ela suspirou.

Ela estendeu-me a mão, que tomei e beijei.

"Conquiste-me", ela disse. Dessa vez, contudo, corpo e alma haviam falado em uníssono.

Depois de uma longa pausa, ela recomeçou: "Tratemos de falcoaria".

"Pois comece", respondi, "já capturamos o falcão."

Então Jeanne d'Ys tomou minha mão nas suas e disse-me que, empregando-se infinda paciência, o jovem falcão era ensinado a assentar-se sobre o pulso da manopla e que, pouco a pouco, o pássaro se habituava ao guizo, à peia e ao *chaperon à cornette*.

"Primeiro, é necessário que ele seja bem nutrido", começou. "Então, aos poucos, reduzo a alimentação, o que em falcoaria chamamos de *pât*. Depois de inúmeras noites passadas *au bloc*, como estes pássaros se encontram agora, dobro a vontade do *hagard*, convencendo-o a assentar-se quieto em meu pulso. Então ele está pronto para ser ensinado a obedecer em troca de comida. Ponho o *pât* na extremidade de uma tira de couro, ou *leurre*, então instruo o pássaro a vir até mim no momento em que giro a corda em círculos acima de minha cabeça. De início, deixo o *pât* cair assim que o falcão se aproxima, então ele come no chão. Depois de algum tempo, ele aprende a arrebatar o *leurre* ainda em movimento, enquanto o giro acima da cabeça ou arrasto-o pelo chão. Em seguida, torna-se simples ensinar o falcão a atracar a presa, jamais esquecendo de *'faire courtoisie à l'oiseau'*, isto é, de permitir que o pássaro prove a caça."

O guincho de um falcão a interrompeu. Ela se ergueu e foi ajustar a *longe* que havia se entremeado no *bloc*, pois o pássaro, agitado, crocitava.

"Qual é o problema? Philip, você sabe dizer?"

Analisei o entorno, mas em um primeiro momento não identifiquei a causa da comoção, que agora havia se intensificado devido aos guinchos e ao bater de asas de todas as aves. Então meu olhar recaiu sobre uma rocha próxima ao regato, de onde a garota tinha se levantado. Uma serpente cinzenta movia-se em lentidão pelo seixo e os olhos que adornavam aquela cabeça triangular cintilavam feito azeviche.

"Uma *couleuvre*", ela sussurrou.

"É inofensiva, correto?", indaguei.

Ela apontou para o padrão escuro em formato de "V" no pescoço da criatura.

"É morte certa, trata-se de uma víbora."

Observamos o réptil avançar vagarosamente sobre a rocha lisa, tomando a direção de um ponto em que os feixes de sol recaíam sobre uma ampla área de relvado morno.

Dei um passo à frente, objetivando examiná-la, mas Jeanne se agarrou ao meu braço e clamou: "Não, Philip, estou com medo".

"Por mim?"

"Por você, Philip. Eu o amo."

Então a tomei em meus braços e beijei seus lábios. "Jeanne, Jeanne, Jeanne", foi tudo o que fui capaz de articular. Enquanto a acolhia trêmula em meu peito, algo na relva acertou-me no pé. Não dei atenção. Depois, um outro ataque atingiu meu tornozelo, e uma dor aguda percorreu-me veloz. Fitei o rosto amável de Jeanne d'Ys e a beijei. Então a suspendi e, com todas as minhas forças, arremessei-a para longe de mim. Depois me agachei, arranquei a víbora de meu tornozelo e esmaguei-lhe a cabeça sob a sola da bota. Lembro-me da sensação de fraqueza e entorpecimento e de despencar ao chão. Minha visão aos poucos se esmaeceu, mas vi o rosto pálido de Jeanne curvado sobre o meu e, quando a luz de meus olhos se apagou, senti os braços dela em torno de mim e sua face macia nos meus lábios contraídos.

Quando abri os olhos, analisei o entorno aterrorizado. Jeanne desaparecera. Vi o regato e a rocha. Vi a víbora morta na gramínea ao meu lado, mas não havia sinal dos falcões e dos *blocs*. Levantei-me. O jardim, as árvores frutíferas, a ponte levadiça e o pátio murado tinham se esvanecido. Pasmo, fitei as ruínas cinzentas diante de mim. Estavam tomadas por hera e árvores imensas, que haviam nascido em meio aos escombros. Avancei hesitante, arrastando a perna amortecida. Quando me aproximei, um falcão irrompeu de entre as copas das árvores em meio às ruínas e ascendeu em círculos, desaparecendo através das nuvens ao longe.

"Jeanne, Jeanne", bradei, mas minha voz feneceu e desabei de joelhos no capim. E, pela vontade de Deus, eu me ajoelhara inadvertidamente diante de uma tumba talhada em pedra e consagrada a Nossa Senhora das Dores. Contemplei o triste rosto da Virgem lavrado na pedra fria. Vi a cruz e os espinhos aos seus pés e, logo abaixo, se lia:

Rezai pela alma de
demoiselle Jeanne d'Ys,
que faleceu na juventude por amor a
Philip, um forasteiro.
1573 d.c.

E sobre a lápide frígida jazia uma luva feminina ainda morna e fragrante.

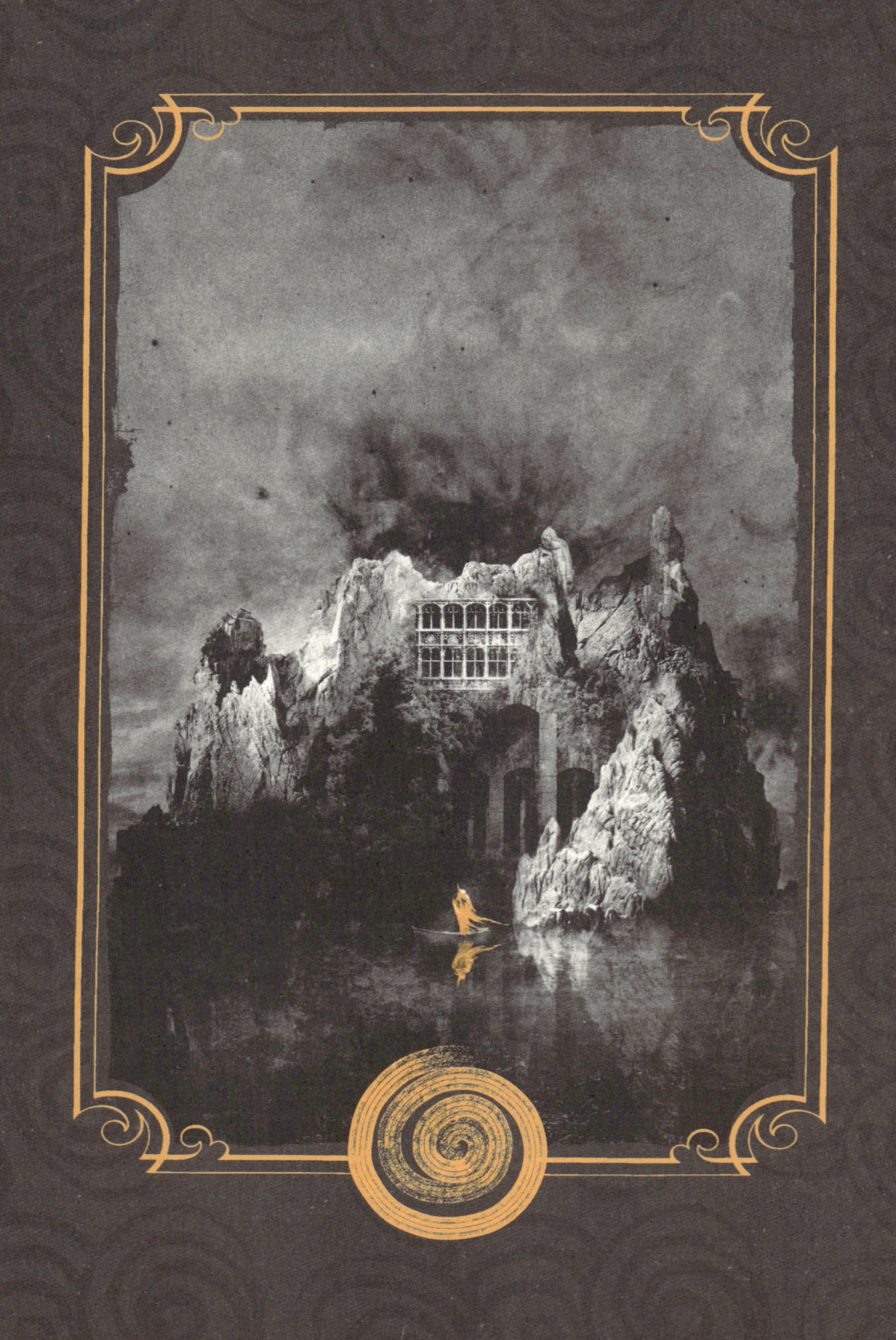

TOMO VI

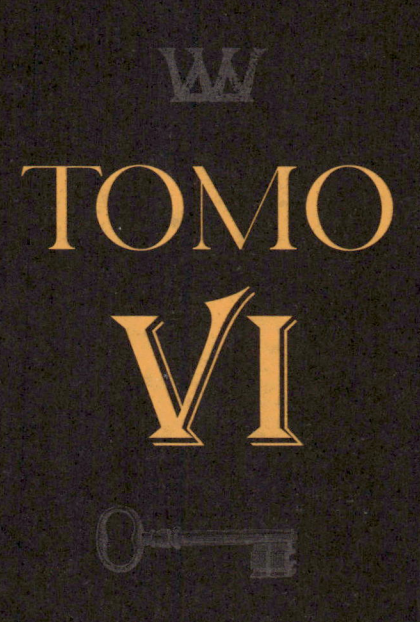

"O PARAÍSO DO PROFETA"

Essa misteriosa seção é composta de vários fragmentos, talvez da própria peça que dá título ao livro. Esses excertos apresentam ora poemas, ora diálogos e por vezes enigmas textuais sobre vida, morte e amor. Dividindo o livro em duas partes, os poemas em prosa exploram temas como arrebatamento amoroso, angústias existenciais, destinos espirituais e encontros igualmente caóticos e terríveis, com ecos sugestivos a todo o volume. Desse modo, é como se tais fragmentos iluminassem os contos anteriores e também os que estão por vir, aludindo a encantos e desencantos do amor, mesclando fascínio, ciúme, desejo e paixão frustrada com temas que são de um lado artísticos e de outro, filosóficos, de um lado atemporais e de outro, funestos e macabros. O que o distante paraíso do anônimo profeta teria a dizer ao incauto leitor?

O PARAÍSO DO PROFETA

Se da videira os víveres e do amor os renegados
Fossem ao Paraíso do Profeta destinados,
Meu Senhor! Eu duvido que o Paraíso do Profeta
se encontrasse feito a palma d'uma mão: esvaziado*

O ESTÚDIO

Ele sorriu e disse: "Procure por ela em todo o mundo".

Eu repliquei: "Por que me fala do mundo? Meu mundo é aqui, entre estas paredes e estes vitrais; aqui, em meio a jarros folhados a ouro e cegas armas ornamentais, molduras e telas embotadas, arcas soturnas e cadeiras de espaldar alto ricas de entalhes exóticos e tingidas em azul e dourado".

"Por quem você espera?", ele quis saber.

"Quando ela vier, hei de reconhecê-la", respondi.

---

* Nota do tradutor: Estes são versos citados por Edward Fitzgerald no prefácio da segunda edição de *Rubáiyát of Omar Khayyám* (1859), a mesma fonte da epígrafe de "Na Travessa do Dragão".

Na lareira, uma língua de flama sussurrou segredos às cinzas moribundas. Na rua ouvi passos, e uma voz, e uma canção.

"Por quem então você espera?", ele quis saber.

"Hei de reconhecê-la", respondi.

Passos, e uma voz, e uma canção na rua; eu conhecia a canção, mas não conhecia os passos nem a voz.

"Tolo!", ele bradou. "A canção é a mesma e a voz e os passos não fizeram mais do que mudar no decorrer dos anos."

Na lareira, uma língua de flama sussurrou sobre as cinzas moribundas: "*Não mais espere; eles se foram, os passos e a voz na rua abaixo*".

Então ele sorriu e disse: "Por quem você espera? Procure por ela em todo o mundo".

"Meu mundo é aqui, entre estas paredes e estes vitrais; aqui, em meio a jarros folhados a ouro e cegas armas ornamentais, molduras e telas embotadas, arcas soturnas e cadeiras de espaldar alto ricas de entalhes exóticos e tingidas em azul e dourado."

O FANTASMA

O Fantasma do Passado não passará deste ponto.

"Se é mesmo verdade que você vê em mim uma amiga", ela suspirou, "vamos voltar juntos. Você esquecerá se ficar aqui, sob o sol de verão."

Puxei-a para perto, suplicante e afetuoso; eu a tomei nos braços, descorado de cólera, mas ela resistiu.

"Se é mesmo verdade que você vê em mim uma amiga", ela suspirou, "vamos voltar juntos."

O Fantasma do Passado não passará deste ponto.

O SACRIFÍCIO

Fui a uma campina de flores cujas pétalas eram mais pálidas que um floco de neve e os corações eram do ouro mais precioso.

Uma mulher clamava campo adentro: "Eu destruí aquele a quem amava". E de um jarro ela vertia sangue sobre as flores cujas pétalas eram mais pálidas que um floco de neve e os corações eram do ouro mais precioso.

Eu segui campo adentro e em um jarro li mil nomes; dentro do jarro cheio até a borda o sangue fresco borbulhava.

"Eu destruí aquele a quem amava", ela clamava. "O mundo tem sede, então o deixe beber."

Ela passou por mim e, ao longe, eu a vi verter o sangue sobre as flores cujas pétalas eram mais pálidas que um floco de neve e os corações eram do ouro mais precioso.

DESTINO

Cheguei à ponte pela qual poucos podem passar.

"Passe!", disse o vigia.

Mas eu respondi: "Tenho tempo".

E ele sorriu e cerrou os portões.

Jovens e velhos chegaram à ponte pela qual poucos podem passar. A nenhum foi permitida a passagem. Indolente, eu os contei; então, enfastiado daquele rumor e lamentação, me aproximei da ponte pela qual poucos podem passar.

Aqueles que se aglomeravam em redor do portão exclamaram: "Ele chegou tarde demais".

Mas eu ri e respondi: "Tenho tempo".

"Passe!", disse o vigia, então cruzei a ponte.

Ele sorriu e cerrou os portões.

A MULTIDÃO

Ali, onde a multidão se adensava, eu me encontrava com Pierrot. Todos os olhares estavam voltados para mim.

"Do que estão rindo?", quis saber.

Ele arreganhou um sorriso, tirando o cal de minha casaca escura.

"Não entendi, deve ser algo curioso, quem sabe um ladrão honesto!" insisti.

Os olhares continuavam voltados para mim.

"Ele roubou a sua bolsa", disseram eles, rindo.

"Minha bolsa", exclamei. "Pierrot, ajude-me, é um ladrão!"

"Ele roubou a sua bolsa", eles riam.

Então a Verdade saiu da multidão segurando um espelho e disse: "Se ele for um ladrão honesto, Pierrot há de encontrá-lo com este espelho".

Mas Pierrot arreganhou um sorriso, tirando o cal da minha casaca escura.

Todos os olhares estavam voltados para mim.

"Prendam a Verdade!", bradei, esquecendo-me de que não se tratava de um espelho, e sim da bolsa que eu perdera enquanto me encontrava com Pierrot, ali, onde a multidão se adensava.

O BUFÃO

"Ela era bela?", indaguei, mas ele apenas deu um risinho abafado e eu ouvi os pequenos sinos em seu gorro.

"Arrebatadora." Ele deu uma risadinha. "Pense numa longa jornada, nos dias de perigo, nas noites terríveis! Pense que ano após ano ele vagou por aí, por ela, cruzando terras hostis, ansiando pela família e seus afetos, desejando-a."

"Arrebatadora", ele deu uma risadinha e eu ouvi os guizos em seu gorro.

"Ela era bela?", indaguei, mas ele apenas rezingou, murmurando para os pequenos sinos em seu gorro.

"Ela o beijou diante do portão." Ele deu uma risadinha. "Mas no vestíbulo as boas-vindas de seu irmão aqueceram o seu coração."

"Ela era bela?", indaguei.

"Arrebatadora." Ele riu. "Pense numa longa jornada, nos dias de perigo, nas noites terríveis! Pense que ano após ano ele vagou por aí, por ela, cruzando terras hostis, ansiando pela família e seus afetos, desejando-a."

"Ela o beijou diante do portão, mas no vestíbulo as boas-vindas de seu irmão aqueceram seu coração."

"Ela era bela?", indaguei, mas ele apenas rezingou, murmurando para os pequenos sinos em seu gorro.

O CAMARIM

O Palhaço tornou o rosto empoado ao espelho.

"Se o que é lúrido é lindo", disse ele, "quem pode se comparar a mim em minha máscara pálida?"

"Quem pode se comparar a ele em sua máscara pálida?", perguntei à Morte, que estava parada a meu lado.

"Quem pode se comparar a mim?", disse a Morte. "Pois sou ainda mais pálida."

"Você é mesmo linda", o Palhaço suspirou, tornando o rosto empoado ao espelho.

O TESTE DO AMOR

"Se for verdade que você ama", disse o Amor, "então não mais espere. Presenteie-a com estas joias, e elas hão de desonrá-la, e assim você será desonrado por amar alguém desonrado. Se for verdade que você ama", disse o Amor, "então não mais espere."

Peguei as joias e sai em busca de minha amada, mas ela pisoteou-as, lamuriando: "Ensine-me a esperar. Eu amo você!".

"Então, se for verdade, espere", disse o Amor.

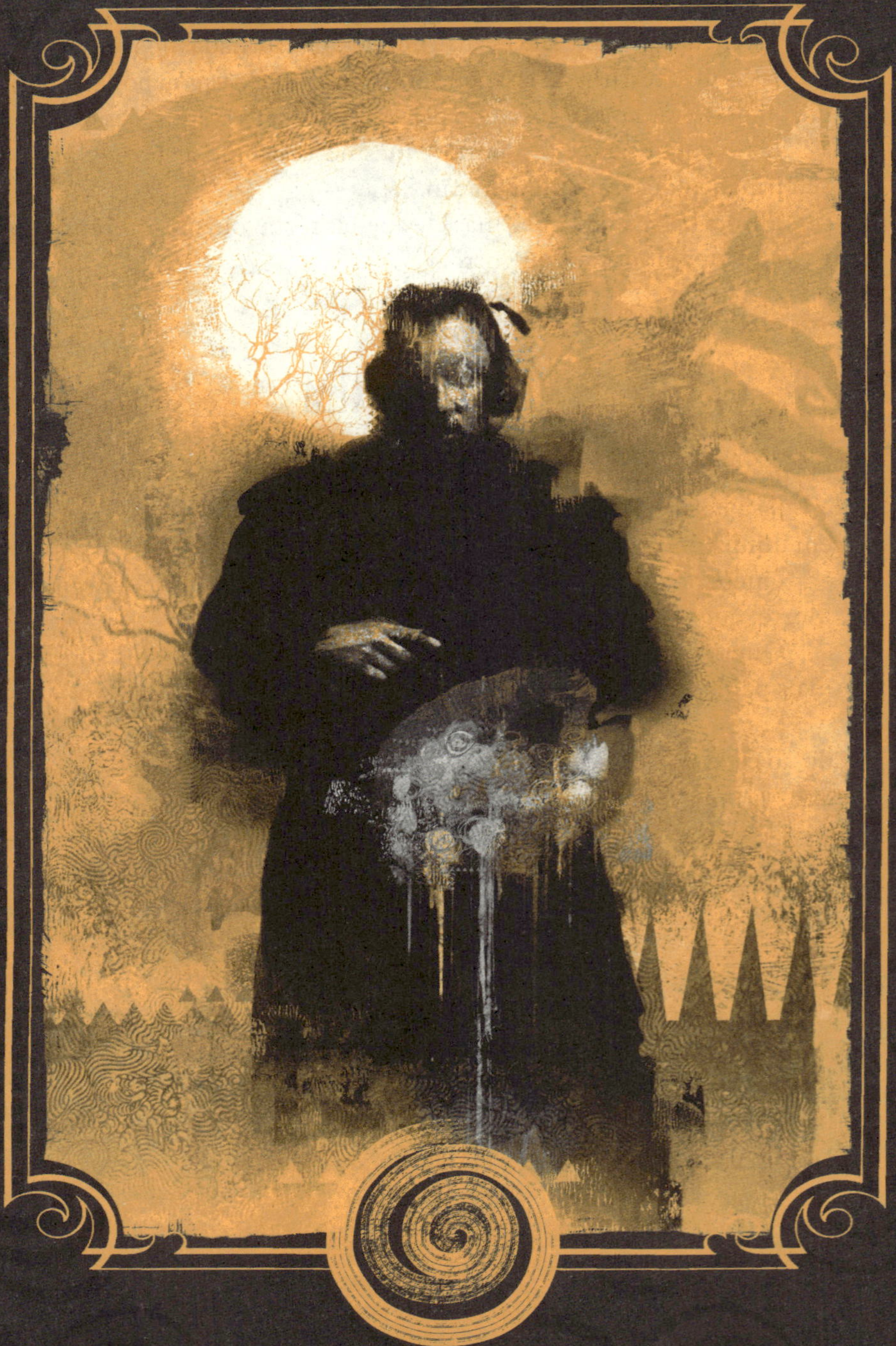

TOMO VII

"A RUA DOS QUATRO VENTOS"

No primeiro conto do segundo ciclo de *O Rei de Amarelo*, somos apresentados ao pintor Severn e ao seu estúdio de pintura. Uma visitante felina vai prestar-lhe uma visita, fazendo o artista tanto relembrar um antigo amor quanto cogitar a procedência do animal. Em meio a um jogo de gato e rato no qual memória e realidade se mesclam, além do bom humor presente na interação entre o homem e a gata, o enredo avança em direção a um desfecho assustador. Quais seriam as pistas que nos conduziriam ora ao amor ora à morte, quando arte e memória se mostram os reinos que buscamos para esquecer nossas vidas?

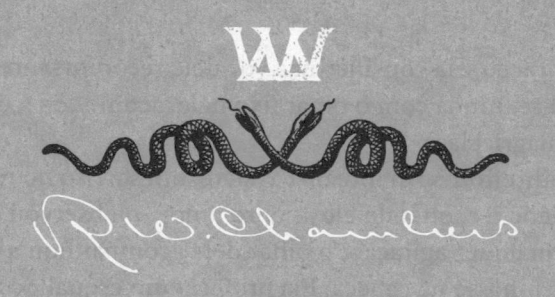

A RUA DOS QUATRO VENTOS

Ferme tes yeux à demi, / Croise tes bras sur ton sein,
Et de ton cœur endormi / Chasse à jamais tout dessein.[*]
Paul Verlaine

Je chante la nature, / Les étoiles du soir, les larmes du matin,
Les couchers de soleil à l'horizon lointain,
Le ciel qui parle au cœur d'existence future![**]
Robert W. Chambers

I

O animal estacou sob a soleira, num alerta, pronto para fugir se necessário. Severn largou a paleta e estendeu a mão num gesto de boas-vindas. A gata permaneceu estática, os olhos amarelos fixos nele.

"Entre, gatinha", disse ele num tom sussurrado e amigável.

A ponta da cauda fina estremeceu em incerteza.

"Entre", disse outra vez.

---

[*] "Repousa o rosto num meneio, /Deita a tua mão no teu seio,/ E do sonolento coração, / Afasta qualquer intenção." Trecho do poema «En Sourdine», do poeta francês Paul Verlaine (1844 - 1896)

[**] "Da natureza, eu canto / As estrelas da noite, as lágrimas da manhã, / O pôr do sol em horizontes longínquos, / O céu que fala ao coração da vida vindoura!"

Ao que pareceu, ela considerou a voz dele reconfortante, pois se sentou lentamente. Ainda com o olhar fixo nele, acomodou a cauda ao lado dos flancos magricelas.

Severn endireitou-se diante do cavalete, um sorriso no rosto. A gata o vigiou em silêncio e, quando ele se aproximou, o observou curvar-se sobre ela sem qualquer agitação; o olhar dela acompanhou a mão dele até que ele a acarinhasse na cabeça. Ela proferiu um esquálido miado.

O pintor tinha o hábito, já de longa data, de conversar com os animais, talvez porque fosse um sujeito tão solitário. Ele indagou: "O que foi, gatinha?".

O tímido olhar dela procurou pelo dele.

"Entendi", ele continuou, gentil. "Vou providenciar agora mesmo."

Em seguida, de um jeito lânguido, ele se ocupou dos deveres de um anfitrião: lavou um pires, encheu-o com o que restava do leite de uma garrafa que descansava no parapeito da janela, ajoelhou-se e esmigalhou um pãozinho na palma da mão.

A criatura se ergueu e se aproximou hesitante do pires.

Ele misturou as migalhas e o leite usando o cabo da espátula. Então se afastou e ela enfiou o focinho naquela confusão. Silente, ele a observou. De quando em quando, ela abocanhava um farelo na borda e o pires tilintava sobre os ladrilhos do assoalho. Por fim, o pão se acabou, mas a língua púrpura da gatinha passeou por toda extensão não lambida do pires até que a porcelana reluzisse feito mármore polido. Então ela se sentou e, dando calmamente as costas a ele, deu início às suas abluções.

"Continue", Severn disse, de fato interessado, "você está precisando."

Ela abaixou uma orelha, mas não se virou nem interrompeu o banho. A sujeira foi removida aos poucos, e Severn notou que a natureza a tinha concebido como uma gata branca. O pelo apresentava falhas, devido a alguma doença ou às intempéries da vida. Sua cauda era ossuda e a espinha, saliente. Por outro lado, os encantos que possuía se tornavam evidentes sob aquela fervorosa toalete. O homem esperou que a gata terminasse antes de reatar a conversa. Quando enfim ela fechou os olhos e recolheu as patas dianteiras sob o peito, ele recomeçou, gentilmente: "Gatinha, me conte, qual é o problema?".

Ao som da voz dele, ela emitiu um rumor áspero, que ele reconheceu como uma tentativa de ronronar. Ela se inclinou e esfregou o focinho, depois miou de novo, um miado fraco, amável e interrogativo, o qual ele respondeu: "Você está bem melhor agora, com certeza. Quando sua plumagem se recuperar, você vai ser um lindo passarinho".

Lisonjeada, ela se ergueu e desfilou ao redor das pernas dele e então passou pelo meio delas, como que emitindo comentários satisfeitos. O homem respondeu em solene cortesia:

"Agora, o que foi que trouxe você aqui, logo aqui, na Rua dos Quatro Ventos? E que a fez subir cinco lances de escada até a porta em que você seria bem-recebida? O que foi que impediu sua fuga quando me virei da tela para encarar seus olhos amarelos? Você é uma gata do Quartier Latin, assim como eu sou um homem do Quartier? E por que você usa essa bela coleira floreada e rosada, afivelada no pescoço?"

A gata havia subido no colo dele e agora ronronava em suas pernas enquanto ele acariciava sua pelagem irregular.

"Desculpe se pareço indelicado", continuou ele em um tom calmo e ocioso que se harmonizava ao ronronado dela, "mas não consigo parar de pensar nessa coleirinha rosa, nessa fita de liga tão primorosamente decorada. Como a presilha é feita de prata, dá para ver o símbolo da casa de fundição na borda, bem no estilo definido pelas leis da República Francesa. Agora, por que essa liga feita de seda rósea e repleta de bordados delicados, por que essa coleirinha de seda, afivelada por uma presilha de prata, esta presa em volta do pescoço de uma gatinha faminta como você? Estou sendo indiscreto ao indagar se a dona dessa coleira é também sua dona? Por acaso trata-se de alguma dama idosa que vive encerrada em suas próprias memórias de vaidades joviais? Alguém que a adora e por isso aprecia enfeitá-la com suas próprias roupas íntimas? É isso que a circunferência da liga sugere, pois o seu pescoço é delgado e a liga serve de forma adequada. Por outro lado, notei, pois costumo notar as coisas, que o tamanho da liga pode ser ajustado. Estes pequeninos ilhós prateados, dos quais eu conto cinco, são prova disso. Agora também percebo que o quinto ilhós está um tanto gasto, como se o fecho da fivela fosse habitualmente preso ali. Isso parece sugerir uma silhueta formosa."

Satisfeita, a gata encolheu as patas. Lá fora, a rua estava silenciosa.

Ele continuou sussurrando: "Por que sua dona a enfeitaria com um artigo pessoal tão necessário e de uso tão frequente? Bem, talvez nem tão frequente. Por que ela decidiu colocar essa peça de seda e prata no seu pescoço? Foi pelo impulso de um simples capricho? Quando você, antes de ter perdido a forma roliça original, desfilava aos miados pelo quarto dela, dando-lhe bom-dia? Claro, então ela se sentava em meio aos travesseiros, os cachos dos cabelos aos ombros, e você saltava sobre a cama, ronronando: 'Um bom dia, minha senhora'. Ah, é muito fácil de entender." Ele bocejou e descansou a cabeça no espaldar da cadeira. A gata ainda ronronava, flexionando e relaxando as garras nos joelhos dele.

"Será que eu deveria lhe contar tudo a respeito dela, gatinha? Ela é bela demais, a sua dona", ele murmurou sonolento, "e o cabelo dela cintila como ouro polido. Eu poderia pintá-la, não em uma tela, pois precisaria empregar nuanças, tons, matizes e tintas mais esplêndidas do que o espectro de um arco-íris. Apenas de olhos fechados eu seria capaz de pintá-la, pois as cores de que preciso só podem ser encontradas em sonho. Para os olhos dela, preciso do azul de céus imperturbados, aqueles sem nuvens de uma terra de sonho; para os lábios, rosas florescidas nos palácios da terra do sono; para a fronte, neve de montanhas que se elevam em fantasmáticos pináculos a luas distantes — ah, muito mais distantes do que a nossa — luas cristalinas de um mundo de imaginação. Ela é muito linda, a sua dona."

As sentenças morreram nos lábios dele e suas pálpebras se fecharam.

A gata também caiu no sono; o focinho voltado ao flanco machucado, as patas relaxadas.

II

"Que sorte que passamos da hora do jantar", Severn disse, endireitando-se e espreguiçando-se, "porque não tenho nada para lhe oferecer além do que pode ser comprado com um franco de prata."

A gata ergueu-se nos joelhos dele, arqueou as costas, bocejou e apontou o focinho em sua direção.

"O que vai ser? Frango assado com salada? Não? Quem sabe você prefira um bife? É claro que sim. Vou jantar um ovo e um pedaço de pão branco. Agora as bebidas. Leite para você? Muito bem. Eu vou degustar um pouco d'água fresca, direto do regato", ele terminou, gesticulando na direção do balde que ficava na pia.

Ele colocou o chapéu e deixou a sala. A gata o seguiu até a porta e, depois que ele a fechou atrás de si, ela se acomodou, farejando as rachaduras no assoalho, eriçando uma orelha para cada rangido do velho prédio agitado.

A porta lá embaixo se abriu e se fechou. A gata assumiu uma expressão séria, duvidosa por um breve instante, então abaixou as orelhas em nervosa expectativa, mas logo se levantou num impulso, agitando a cauda e iniciando uma silenciosa excursão pelo estúdio. Ela espirrou depois de cheirar um frasco de terebintina, e então recuou célere até a mesa, na qual rapidamente subiu. Depois de satisfazer a curiosidade acerca de um pacote de cera de modelagem, a felina voltou à porta e sentou-se, fitando a fresta da soleira. Então ergueu a voz num miado queixoso e sem consistência.

Quando Severn retornou, ele tinha um aspecto sério, mas a gata, alegre e expansiva, desfilou ao redor dele, esfregando o corpo magro em suas pernas, impelindo insistentemente a cabeça contra a sua mão e ronronando até que o som se transformasse em um ruído áspero.

Ele largou sobre a mesa um pedaço de carne embrulhada em papel pardo e usou um canivete para picá-la. O leite ele retirou de uma garrafa que guardava para fins medicinais e derramou-o no pires diante da lareira.

A gata agachou-se diante do pires, ronronando e miando, ao mesmo tempo lânguida e animadamente.

Ele cozinhou o ovo e o comeu com uma fatia de pão, assistindo à gata ocupada com a carne. Assim que terminou, e depois de encher e esvaziar um copo d'água retirado do balde na pia, ele se sentou, tomando-a no colo. A gata se enrolou e deu início a uma nova toalete. Ele recomeçou a conversa, acariciando-a de vez em quando, como um recurso enfático.

"Gatinha, descobri onde sua dona vive. Não é muito longe; é bem aqui, sob este mesmo telhado repleto de goteiras. Fica na ala norte, que eu supusera ser inabitada. Foi meu zelador quem me contou. Por sorte, ele estava quase sóbrio hoje. O açougueiro da Rue de Seine, onde comprei a sua carne, conhece você. O velho Cabane, o padeiro, a identificou, demonstrando um sarcasmo desnecessário. Eles me contaram histórias sobre a sua dona, coisas nas quais não vou acreditar. Eles dizem que ela é ociosa, vaidosa e leviana; que é imprudente e de péssimo tino. O modesto escultor do térreo, que comprava pãezinhos com o velho Cabane, falou comigo pela primeira vez hoje à noite, mesmo que sempre tenhamos cumprimentado um ao outro. Ele disse que ela era uma pessoa muito boa e de fato linda. Mas que a viu apenas uma vez e não sabe seu nome. Eu lhe agradeci, mas não sei por que o fiz com tanto apreço. Cabane disse que 'os quatro ventos sopram tudo que é coisa ruim pra dentro desta maldita Rua dos Quatro Ventos'. O escultor pareceu confuso, mas quando deixou a padaria, já de posse dos pães, disse: 'Tenho certeza, *monsieur*, que ela é tão boa quanto é bela'."

A gata terminou o banho e, saltando suavemente ao assoalho, seguiu até a porta, onde começou a farejar. Ele se ajoelhou ao lado dela, desafivelou a liga e segurou-a por um instante. Depois de um tempo, disse: "Tem um nome gravado na presilha de prata, abaixo da fivela. É um nome bonito: Sylvia Elven. Sylvia é um nome de mulher, Elven é um nome de cidade. Em Paris, neste bairro e, sobretudo, na Rua dos Quatro Ventos, nomes são usados e descartados que nem a moda, que muda ao ritmo das estações. Conheço a pequena cidade de Elven; foi lá que me encontrei cara a cara com o Destino, e ele foi severo comigo. Mas você sabia que, em Elven, o Destino tem outro nome e que esse nome é Sylvia?".

Ele recolocou a liga e se levantou, fitando a gata agachada diante da porta fechada.

"O nome Elven tem certo charme para mim. Lembra-me de pradarias e rios de águas límpidas. Já o nome Sylvia me perturba como o perfume de flores mortas."

A gata miou.

"Claro, claro", disse o homem num tom apaziguador, "vou levá-la de volta. Sua Sylvia não é a minha Sylvia. O mundo é vasto e Elven não é um lugar desconhecido. Ainda assim, na escuridão e na imundície da parte pobre de Paris, sob as tristes sombras desta casa secular, esses nomes me soam agradáveis."

Ele pegou a gata no colo e vagou pelos corredores vazios na direção das escadas. Desceu cinco lances e ganhou o pátio enluarado, passou o apartamento do modesto escultor e adentrou o prédio pelo outro lado, pelo portão da ala norte. Então subiu uma escadaria arruinada e alcançou por fim uma porta. Depois de passar um longo tempo batendo, alguma coisa moveu-se e então a porta se abriu. Ele encontrou o cômodo em completo breu. Assim que cruzou a soleira, a gata saltou de seus braços para dentro das sombras. Ele perscrutou os arredores, mas não conseguiu ouvir nada. O silêncio era esmagador. Ele acendeu um fósforo. Próximo a seu cotovelo, havia uma mesa e, sobre ela, uma vela num candelabro dourado. Ele acendeu-a e deu uma olhada no entorno. O cômodo era amplo, com as cortinas carregadas de bordados. Acima da lareira se erguia uma cornija entalhada e encardida devido às cinzas de chamas mortas. Em um recuo, próximo às janelas de peitoril largo, havia uma cama, de onde as cobertas ricas e macias feito renda despencavam ao chão encerado. Ele ergueu a vela acima da cabeça. Um lenço jazia a seus pés. Apresentava um perfume evanescente. O homem volveu-se às janelas. Havia um sofá diante delas e, sobre ele, em desordem, um vestido de seda entre um amontoado de acessórios de renda, pálidos e delicados como teias de aranha, luvas longas e amarrotadas e, ao chão, meias e sapatos pontiagudos. E também ali estava a outra liga de seda cor-de-rosa, florida e adornada com a presilha de prata. Pensativo, o visitante deu um passo à frente e afastou as pesadas cortinas do dossel da cama. Por um instante, a vela chispou, e então seus olhos encontraram outros, abertos demais, sorrindo demais, e a chama da vela refulgiu sobre cabelos que cintilavam como ouro polido.

Ela estava pálida, mas nem tanto quanto ele. Os olhos dela eram imperturbados como os de uma criança. Ele a encarava, estremecendo por inteiro, e a chama da vela oscilava.

Por fim, ele sussurrou: "Sylvia, sou eu". E outra vez: "Sou eu".

Então, consciente de que ela estava morta, ele a beijou nos lábios. E durantes as longas horas de vigília noturna, a gata ronronou sobre seus joelhos, flexionando e relaxando as garras. Então o céu alvoreceu acima da Rua dos Quatro Ventos.

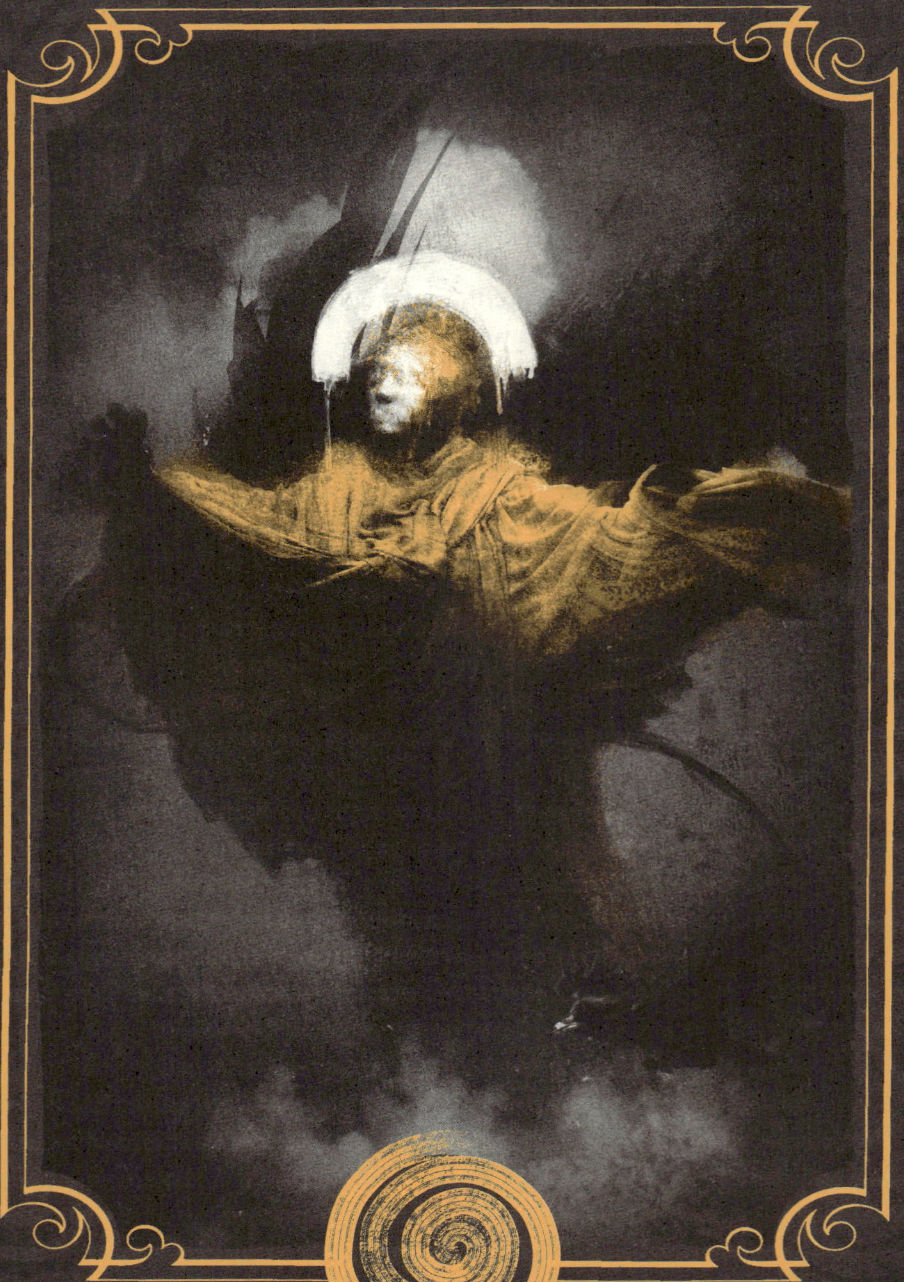

TOMO VIII

"A RUA DA PRIMEIRA BOMBA"

A trama é igualmente terrífica e desoladora, evitando o sobrenatural e abraçando a ambientação do dia a dia de uma cidade em guerra, sob ataques, sofrendo contenção de comida e rompantes de violência entre inimigos e amigos. Aqui, seguimos um estudante norte-americano chamado Jack Trent que vive em Paris durante o cerco do ataque alemão ocorrido na década de 1870. O conto é árido e tenso, levando o leitor a acompanhar a rotina desafiadora de Trent e de sua amada Sylvia, além da de um grupo de amigos que os circunda. Esses fazem de tudo para se ajudar e viver pequenos momentos de alegria e diversão em meio a mortes, explosões e riscos inúmeros. A história avança em direção ao alistamento do protagonista e a um mistério do passado de Sylvia que retorna para produzir uma crise na vida amorosa dos dois. Aonde estaria o medo e a aflição? Em um reino perdido do passado ou na rotina atual de uma cidade prestes a encontrar seu derradeiro fim?

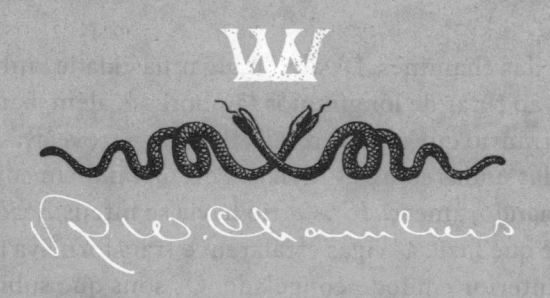

A RUA DA PRIMEIRA BOMBA

Anima-te, pois se finda o Mês Sombrio
E uma Lua jovem por fim se ergue sem brio:
Veja que a Antiga e esquálida concepção
Do tempo e da fome se vai do céu frio.
Omar Khayyám,
editado por Edward Fitzgerald

I

O cômodo se encontrava escuro. Os altos telhados do outro lado da rua bloqueavam a pouca luz remanescente daquele dia de dezembro. A jovem arrastou a cadeira até a janela, escolheu uma agulha maior e passou a linha pelo olho de aço, atando-a com os dedos. Ela ajeitou a roupa de bebê sobre os joelhos, inclinou-se, rompeu a linha com uma mordidinha e pegou a agulha menor da bainha. Depois de espalmar fios e fragmentos de renda, estendeu outra vez a peça sobre o colo e a acariciou. Em seguida, retirou a agulha com a linha do avental e passou-a por um botão, mas ao tentar pregá-lo, a mão vacilou, a linha se partiu e o botão rolou pelo assoalho. Ela ergueu o rosto e fixou o olhar em um feixe de luz acima das chaminés. De algum lugar na cidade vinham rumores semelhantes ao rufar de longínquos tambores e, além, bem mais além, um vago murmúrio que então crescia, inchava e trovejava ao longe, feito o rugido das ondas sobre as rochas. Porém, também como as ondas, recuava, rosnando, ameaçador. O frio havia se intensificado, tão amargo e cortante que fazia as vigas estalarem e transformava a neve derretida do dia anterior em lodo congelado. Os sons que subiam da rua lá soavam fragorosos e metálicos — o ruído dos sapatos, a agitação das venezianas ou o som distante da voz humana. O ar estava denso, saturado por aquele frio escuro que mais parecia uma mortalha. Respirar era doloroso e mover-se exigia esforço.

Havia alguma coisa enfadonha naquele céu desolado, nas nuvens taciturnas, algo que despertava tristeza, algo que se insinuava por aquela cidade frígida cortada por um rio frígido — a esplêndida cidade repleta de torres e domos e portos e pontes e mil e tantos pináculos. A coisa ia se assomando nas praças, envolvendo as avenidas e palácios, arrastando-se por pontes e rastejando pelas vielas do Quartier Latin, um lugar cinzento sob o cinzento céu de dezembro. Era tristeza aquilo, a mais pura tristeza. Uma gélida garoa caía, trazendo consigo a neve, empoando o pavimento com poeira cristalina. A neve perpassava as frestas da janela e se acumulava ao longo do peitoril. A luz havia quase se extinguido e a garota se curvava sobre seu trabalho. Num átimo, ela ergueu o rosto e afastou o cabelo dos olhos.

"Jack?"

"Querida?"

"Não se esqueça de limpar a paleta."

"Pode deixar", disse ele.

O homem pegou a paleta e sentou-se no chão ante o fogareiro. O rosto e os ombros estavam à sombra, mas o fogo luzia sobre seus joelhos e refulgia na lâmina da espátula. Ao lado dele, brilhando sob a luz das chamas, jazia um estojo de tintas. Na tampa, a seguinte gravação:

    J. TRENT.
    École des Beaux-Arts.
    1870.

A inscrição era ornamentada por uma bandeira americana e outra francesa.

A garoa e a neve sopravam contra as vidraças, cobrindo-as com estrelas e diamantes que, liquefazendo-se em contato com o ar mais quente do interior do cômodo, escorriam e congelavam outra vez, deixando rastros que lembravam samambaias.

Um cão latiu e um som de patinhas veio do zinco atrás do fogareiro.

"Jack, querido, você acha que Hércules está com fome?"

Atrás do fogareiro, o rumor se intensificou.

"Ele está se queixando", disse ela, apreensiva. "Se não é por estar com fome, então é porque..." Mas a voz dela vacilou.

Um denso murmúrio preencheu o ar. As janelas estremeceram.

"Ah, Jack, outra vez", ela lamuriou, mas sua voz foi abafada pelo rugido de uma bomba que irrompeu das nuvens lá em cima.

"Essa foi a que chegou mais perto", sussurrou a jovem mulher.

"Ah, não, querida", replicou ele, animado, "essa parece ter caído longe daqui, perto de Montmartre." Como ela não respondeu, o homem continuou num tom por demais despreocupado: "Eles não se dariam ao trabalho de mirar no Quartier Latin. De qualquer jeito, os canhões nem chegariam até aqui".

Depois de algum tempo, ela o questionou, um pouco mais animada:

"Jack, querido, quando você vai me levar para ver as esculturas do *monsieur* West?".

"Aposto que Colette esteve aqui hoje", respondeu ele, abandonando a paleta e juntando-se a ela perto da janela.

"Por quê?", ela inquiriu, arregalando os olhos, mas logo continuando: "Ah, que chatice! Sinceramente, homens são tão cansativos quando acham que sabem tudo. E eu já lhe aviso que se *monsieur* West é presunçoso o bastante para acreditar que Colette..."

Outro projétil veio do norte, zunindo e tremulando pelo céu. A bomba passou acima deles emitindo um guincho tão longo e penetrante que fez as vidraças sibilarem.

"Essa foi perto demais para não se preocupar", deixou escapar o homem.

Eles se aquietaram por um tempo, mas então ele voltou a falar num tom alegre: "Continue, Sylvia, desfaça do pobre West".

"Ah, querido, não consigo me acostumar com as bombas", suspirou ela.

Ele se sentou no braço da cadeira, ao lado dela.

A tesoura caiu no chão, tilintando. Ela pôs a peça inacabada de lado, deitou os braços em torno do pescoço dele e puxou-o para o seu colo.

"Não saia esta noite, Jack, por favor."

Ele beijou-a no rosto.

"Você sabe que eu preciso. Não torne as coisas ainda mais difíceis para mim."

"É que quando eu escuto essas bombas, sabendo que você está lá fora..."

"Mas todas elas caem em Montmartre."

"Elas podem muito bem cair na Beaux-Arts. Você mesmo disse que duas delas acertaram o Quai d'Orsay."

"Por mero acaso, além do que..."

"Jack, tenha piedade de mim! Leve-me com você."

"E quem faria o nosso jantar?"

Ela se levantou e jogou-se na cama.

"Ah, não consigo me habituar a isso. Eu sei que você tem que ir, mas por favor não se atrase para o jantar. Se soubesse o quanto fico angustiada. Eu não posso, não consigo evitar. Querido, seja paciente comigo."

"Lá fora é tão seguro quanto aqui dentro", disse ele.

Ela o viu abastecer o lampião a álcool e, depois que ele o acendeu e pegou o chapéu para partir, a jovem saltou sobre ele, agarrando-se ao amado sem dizer palavra alguma. Depois de um momento, o homem disse: "Sylvia, lembre-se de que minha coragem é subsidiada pela sua. Por favor, eu preciso ir".

Mas ela não moveu um músculo, o que o fez repetir: "Eu preciso".

Ela então se afastou. O homem achou que ela fosse dizer alguma coisa, então esperou. Todavia, ela apenas o encarou. Ele, impaciente, a beijou de novo.

"Não se preocupe, minha querida."

Quando alcançou o último lance de escada que o separava da rua, uma mulher coxeou do apartamento da *concierge*, agitando uma carta e chamando: "*Monsieur* Jack! *Monsieur* Jack! *Monsieur* Fallowby deixou-lhe isso!".

Ele apanhou a carta e a leu apoiado na soleira:

Caro Jack,

    Acredito que Braith esteja totalmente quebrado e estou certo de que Fallowby também esteja. Braith jura que não está e Fallowby jura que ele está, então tire suas próprias conclusões. Planejei algo para um jantar e, se tudo der certo, aviso vocês.

                           Com os melhores cumprimentos,

                                         West.

P.S.: Fallowby deu uma dura em Hartman e no pessoal dele, graças a Deus! Tem algo podre ali, ou talvez ele só seja mesmo um avarento.

P.P.S.: Estou mais apaixonado, desesperadamente apaixonado, do que jamais estive em toda a minha vida, mas tenho certeza de que ela não dá a mínima para mim.

"Tudo bem", Trent disse, sorrindo para a *concierge*. "Mas, me diga, como vai *papa* Cottard?"

A velha acenou com a cabeça e apontou para a cama acortinada no apartamento.

"*Père* Cottard!", ele bradou num tom alegre. "Como está a ferida hoje?"

Ele se aproximou da cama e afastou as cortinas.

Um velho estava deitado entre lençóis amarrotados.

"Melhor?", Trent sorriu.

"Melhor", o homem repetiu fatigado. Depois de uma pausa, continuou: "Tem alguma notícia, *monsieur* Jack?".

"Ainda não saí hoje. Venho lhe contar qualquer boato que porventura eu escute, mas Deus sabe que já tive a minha cota de boatos", sussurrou para si mesmo, então complementando em voz alta: "Anime-se, o senhor está com uma aparência melhor".

"E quanto à ofensiva?"

"Ah, vai acontecer esta semana. O general Trochu deu ordens ontem à noite."

"Vai ser terrível."

Vai ser abominável, Trent pensou ao ganhar a rua. Então, ele virou a esquina na direção da Rue de Seine. *Matança e mais matança. Credo! Ainda bem que não faço parte disso.*

A rua se encontrava quase deserta. Uma meia dúzia de mulheres, agasalhadas em andrajos militares, vagava pela calçada congelada, e um menino de rua miserável se agachava sobre a boca de um bueiro da esquina do Boulevard. Tinha uma corda enrolada na cintura, que mantinha no lugar os trapos que ele usava. Dela pendia um rato, ainda morno e sangrando.

"Tem outro ali dentro", gritou para Trent. "Eu o acertei, mas o bixo fugiu."

Trent atravessou a rua e perguntou: "Quanto?".

"Dois francos por um quarto de um bem gordo. É isso que eles pagam no mercado público em St. Germain."

O menino foi interrompido por um violento acesso de tosse, mas rapidamente limpou o nariz com a palma da mão e fitou Trent de modo astuto.

"Semana passada dava pra comprar um rato por seis francos, mas", então começou a praguejar, "os ratos foram embora da Rue de Seine e agora a gente tem que pegar eles lá perto do hospital novo. Eu te vendo este por sete francos. Posso vender por dez na Île St. Louis."

"Você está mentindo", afirmou Trent. "Vou lhe dizer uma coisa, se tentar enganar alguém neste bairro, as pessoas vão botar você e seus ratos para correr."

Trent permaneceu um instante analisando o garoto, que fingiu choramingar. Então, sorrindo, jogou-lhe um franco. A criança pegou a moeda, enfiou-a na boca e voltou a circundar a abertura do bueiro. Por um segundo, ele se agachou, imóvel e alerta, com o olhar fixo nas grades do dreno. Então, num salto, atirou uma pedra lá dentro. Trent o deixou para trás enquanto o menino dava conta de um feroz rato cinzento que guinchava e se contorcia na entrada do esgoto.

Imagine se Braith chegasse a esse ponto, pensou Trent, *pobre diabo*. Apressado, pegou a travessa suja da Beaux-Arts e entrou na terceira casa à esquerda.

"*Monsieur* está em casa", o velho *concierge* balbuciou.

Casa? Um sótão completamente vazio, exceto por um estrado de ferro num canto e uma vasilha e um jarro no chão.

West surgiu à porta, deu uma piscadela de cumplicidade e acenou para que Trent entrasse. Braith, que pintava deitado na cama para se manter aquecido, ergueu o rosto, riu e acenou.

"Novidades?"

Tal pergunta corriqueira era comumente respondida com: "Nada além dos canhões".

Trent sentou-se na cama.

"Mas de onde foi que você tirou isso?", ele indagou, apontando para o frango semidevorado aninhado numa vasilha.

West deu um sorriso matreiro.

"Vocês por acaso ficaram milionários? Fale logo."

Braith, parecendo um tanto envergonhado, começou: "Ah, essa é uma das façanhas do West". Mas ele foi atalhado pelo homem, que afirmou que contaria a história ele mesmo.

"Sabe, antes do cerco, eu tinha uma carta de apresentação para um 'tipo' daqui, um banqueiro gordo, de origem germano-americana. Dá para ver que você está familiarizado com a espécie. Bem, é claro que esqueci de entregar a carta, mas esta manhã, julgando que se tratava de uma boa oportunidade, fui visitá-lo. Acontece que o desgraçado vive no bem bom. Ele tem lareiras, meu amigo, lareiras... nas antessalas! O mordomo enfim se dignou a levar minha carta para ele e me deixou ali, plantado no vestíbulo, algo de que não gostei. Então eu entrei, mas quase desmaiei ao vislumbrar o banquete posto numa mesa diante da lareira. O mordomo voltou, sujeito insolente. Não, ah, não, o patrão dele 'não estava em casa e, de fato, estava muito ocupado para receber cartas de apresentação agora. O cerco, além de diversas dificuldades comerciais...' E foi aí que eu dei um chute nele, peguei o frango da mesa, joguei meu cartão no prato vazio e, chamando o mordomo de porco prussiano, marchei casa afora carregando os espólios da guerra."

Trent balançou a cabeça.

"Esqueci de dizer que Hartman costuma jantar lá, então tirei minhas conclusões", West continuou. "Agora, sobre o frango, é metade para Braith e para mim e metade para Colette, mas é claro que você pode me ajudar a comer a minha parte. Não estou com tanta fome assim."

"Nem eu", Braith comentou.

Trent, sorrindo para aqueles rostos nervosos e esfomeados, acenou com a cabeça e disse: "Que bobagem, vocês sabem muito bem que nunca estou com fome".

West hesitou e enrubesceu. Então cortou o frango, separou a parte de Braith, mas não comeu nada. Ele deu boa-noite e saiu apressado para a Rue Serpente, 470, onde vivia uma linda garota chamada Colette, que ficara órfã depois da Batalha de Sedan. E só Deus sabia de onde ela havia tirado aquelas bochechinhas rosadas, pois o cerco pesava ainda mais sobre os pobres.

"Aquele frango vai alegrá-la, mas acredito de verdade que ela está apaixonada por West", disse Trent. Ele então se aproximou da cama. "Veja só, meu amigo, agora não desconverse e me diga quanto dinheiro você ainda tem sobrando."

O outro titubeou, ruborizando.

"Ora, camarada, vamos lá", insistiu Trent.

Braith tirou uma niqueleira de debaixo do colchão e entregou-a ao amigo, numa simplicidade que o comoveu.

"Sete *sons*"*, ele contou as moedas. "Você me cansa. Por que diabos você não me pediu ajuda? Isso é muito irritante, Braith! Quantas vezes terei de repetir e lhe explicar que tenho dinheiro e que, por causa disso, é meu dever compartilhá-lo, assim como é o seu e de todo norte-americano fazer o mesmo? Não tem como ganhar dinheiro agora, a cidade está fechada, as entradas estão bloqueadas, o ministro norte-americano está muito ocupado com toda aquela ralé alemã e sabe-se lá mais com o quê! O que lhe custa agir com sensatez?"

"Eu vou, Trent, mas essa é uma dívida que talvez nunca consiga pagar, nem mesmo em parte. Sou pobre e..."

"Mas é claro que você vai conseguir pagar. Seu eu fosse um agiota, usaria o seu talento como garantia. Quando você for rico e famoso..."

"Chega, Trent."

"Tudo bem, mas chega dessa patifaria, certo?"

Ele pôs uma dúzia de moedas de ouro no porta-níquel, enfiou-o de volta debaixo do colchão e sorriu para Braith.

---

* Nota do tradutor: No original, "seven sons". O termo "sons" remete a antiga moeda do Império Romano. Na língua francesa, que se desenvolveu a partir do latim vulgar, "solidus" tornou-se "soldus", depois "solt", então "sol" e, por fim, "sou", cujo plural é "sons". O "sou" era uma divisão monetária da antiga livre tournois, a moeda que circulou pela região da França desde a Idade Média até meados do século XVIII. Por isso, já teve diversas cotações durante a história francesa. A livre tournois foi substituída pelo franco em 1795, mas sons persistiu como uma gíria para as moedas de cinco centavos.

"Quantos anos você tem?", ele inquiriu.

"Dezesseis."

Num gesto afetuoso, Trent pousou a mão no ombro do amigo.

"Eu tenho vinte e dois e, no que diz respeito a você, tenho a autoridade de um avô. Então você vai fazer o que eu disser até completar vinte e um."

"Espero que até lá o cerco tenha terminado", disse Braith, tentando sorrir, mas em seu coração ele clamava: *Por quanto tempo, meu Deus, por quanto tempo?* E esse pedido aos céus foi respondido pelo repentino rugido de uma bomba irrompendo entre as nuvens escuras daquela noite de dezembro.

II

West esbravejava sob a fachada de uma casa na Rue Serpente. Ele dizia que não se importava se Hartman gostava daquilo ou não. E era uma afirmação, não um argumento.

"E você se diz americano!", zombou ele. "Berlim e o inferno estão cheios desse tipo de americanos. Você fica vagabundeando ao redor da Colette com os bolsos estufados de pão e carne e uma garrafa de vinho de 30 francos, mas não se digna a contribuir com um único dólar para a Ambulância Americana e a Assistência Pública, o que Braith faz, mesmo estando a meio passo da miséria!"

Hartman recuou para o meio-fio, mas West o seguiu, o rosto como um céu se armando para um temporal. "Não se atreva a se considerar meu conterrâneo", rugiu ele. "Não, nem mesmo um artista! Artistas não lambem as botas da Defensoria Pública, onde não fazem nada a não ser sugar a medula do povo! Quer saber de uma coisa?", ele continuou, baixando o tom, pois Hartman já estava atiçado: "Você devia manter distância daquela *brasserie* alsaciana e dos salafrários presunçosos que assombram aquela espelunca. Você sabe o que eles fazem com quem suspeitam".

"Seu cão mentiroso!", berrou Hartman, e então arremessou a garrafa que tinha na mão na direção do rosto de West. Um segundo depois, no entanto, West agarrou-o pelo pescoço, empurrando-o contra a parede de pedra e dando-lhe uma prensa.

"Agora preste bem atenção no que vou lhe dizer", rosnou entre os dentes. "Você já é um suspeito e aposto que não passa de um espião na folha de pagamento de alguém. Não é da minha conta identificar vermes que nem você e não pretendo denunciá-lo, mas quero que entenda uma coisa: Colette não gosta de você e eu não o suporto. Se eu encontrá-lo nessa rua de novo, o encontro será bem desagradável. Agora caia fora, prussiano petulante!"

Hartman conseguiu sacar uma faca do bolso, mas West arrancou-a da mão dele e arremessou-o na sarjeta. Um garoto de rua que testemunhara a cena caiu num surto de riso, que ecoou de maneira desagradável pela rua silente. Então, por todo lado, janelas se abriram e uma miríade de rostos exaustos surgiu, exigindo saber por que alguém tinha motivos para rir numa cidade assolada pela fome.

"Foi uma vitória?", alguém sussurrou.

"Olhe para eles", West bradou enquanto Hartman se erguia do chão. "Olhe, miserável! Olhe para aqueles rostos!" Mas, ao invés disso, o homem olhou para ele, com uma expressão que West jamais esqueceria, e foi embora sem proferir palavra.

De súbito, Trent surgiu da esquina e deu uma olhadela curiosa para West, que não fez mais do que acenar com a cabeça na direção da porta e dizer: "Vamos, Fallowby está lá em cima".

"O que você está fazendo com essa faca?", Fallowby inquiriu assim que ele e Trent adentraram no estúdio.

West fitou a mão ferida, que ainda a segurava.

"Me cortei por acidente", respondeu ele, jogando a faca num canto e lavando o sangue da mão.

Fallowby, que era corpulento e indolente, observou-o sem dizer nada. Trent, por outro lado, pareceu adivinhar o que tinha acontecido e se aproximou de Fallowby sorrindo.

"Eu tenho um pepino para você."

"Onde está? Estou com fome", replicou Fallowby, num entusiasmo exagerado, mas Trent franziu o cenho e pediu que ele o escutasse.

"Quanto lhe emprestei na semana passada?"

"380 francos", o outro disse, encolhendo-se de arrependimento.

"Onde está?"

O homem deu início a uma série de explicações intrincadas, mas logo Trent o atalhou:

"Eu sei, você gastou tudo, você sempre gasta tudo. Não dou a mínima para o que você fazia antes do cerco. Sei que você é rico e que tem o direito de gastar o seu dinheiro como bem entender. Eu também sei que, de modo geral, isso não costumava ser da minha conta. Entretanto, *agora* é da minha conta, pois sou eu quem precisa garantir os recursos até que você consiga seus próprios meios de conseguir dinheiro, o que, de um jeito ou de outro, você não será capaz antes que o cerco acabe. Quero dividir o que tenho, mas não admito que esse dinheiro seja jogado pela janela. Ah, sim, claro que você vai me reembolsar, mas essa não é a questão. Enfim, meu caro, seus amigos têm a opinião de que você não vai definhar se praticar uma leve abstinência dos prazeres terrenos. Você é sem dúvidas uma aberração nesta cidade amaldiçoada pela fome, onde todo mundo é só pele e osso."

"Eu estou *mesmo* robusto", admitiu.

"É verdade que você está sem dinheiro?", Trent quis saber.

"Sim, estou", o outro suspirou.

"E o leitão assado da Rue St. Honoré, ainda está por lá?", Trent continuou.

"Q-quê?", o sujeito balbuciou enfastiado.

"Ah, bem que eu achei! Eu o flagrei em êxtase diante daquele leitão assado pelo menos uma dúzia de vezes." Ele então sorriu e entregou a Fallowby uma pilha de moedas de 20 francos. "Se você gastar isso nas suas ostentações, vai ter que viver da própria carne."

Trent tratou de oferecer auxílio a West, que estava sentado ao lado da vasilha do lavatório, dando pontos na própria mão. West permitiu que ele desse o nó final.

"Você se lembra de que ontem deixei você e Braith e levei o frango para Colette?"

"Frango! Meu Deus", Fallowby lamuriou.

"Frango", West repetiu, apreciando a aflição de Fallowby. "Queria dizer que as coisas mudaram. Colette e eu, bem, nós vamos nos casar."

"Quê? Mas e o frango?", Fallowby se queixou.

"Cale a boca." Trent riu, enganchou o braço no de West e seguiu à escadaria.

"Coitadinha dela", West disse, "imagine que ela passou a semana sem nem uma acha de lenha, e não me disse nada porque achava que eu precisava da lenha para minha escultura. Que horror! Depois que escutei isso, esmaguei aquela sorridente ninfa de argila, que ela suma, que ela se dane!" Após um momento, ele continuou um tanto contido: "Você poderia passar ali antes de ir embora e me dar um *bon soir*? É o número dezessete".

"Sim", disse Trent, deixando o apartamento e fechando a porta atrás de si.

Ele estacou no terceiro patamar, acendeu um fósforo, perscrutou os números nas portas encardidas e bateu na de número dezessete.

"*C'est toi*, Georges?" A porta foi aberta.

"Ah, desculpe, *monsieur* Jack, achei que fosse *monsieur* West." De súbito ela corou. "Então você ficou sabendo. Ah, agradeço imensamente as felicitações, estou certa de que estamos muito apaixonados. Estou morrendo de vontade de me encontrar com Sylvia para contar a ela e..." Ela hesitou.

"E o quê?" Trent sorriu.

"Estou muito feliz", ela suspirou.

"Ele é um achado", falou Trent e, num tom mais contente, continuou: "Quero que você e George venham jantar conosco hoje à noite. É uma pequena comemoração. Sabe, amanhã é o *fête* da Sylvia. Ela vai fazer dezenove anos. Escrevi a Thorne, os Guernalec vão trazer a prima, Odile, e Fallowby prometeu que não vai levar ninguém".

A garota aceitou acanhada, enchendo-o de mensagens carinhosas a Sylvia.

Ele lhe deu boa-noite e ganhou a rua, caminhando a passos largos, pois o frio era cortante. Pegou um atalho pela Rue de la Lune e adentrou, por fim, na Rue de Seine. A noite de inverno havia caído quase sem aviso, mas o céu estava limpo e miríades de estrelas resplandeciam no céu. O bombardeio se intensificara — o constante troar do canhão prussiano era cortado pelos pesados estrondos provenientes do Forte Mont Valérien.

As bombas dardejavam pelos céus, deixando um rastro luminoso como se fossem estrelas cadentes. Trent virou-se e olhou para trás. Foguetes rubros e azuis flamejavam acima do horizonte, disparados do Forte d'Issy. A Fortaleza do Norte chamejava feito uma fogueira.

"Boas notícias!", um homem gritava ao longo da Boulevard St. Germain. Como que por mágica, as ruas se encheram de gente, gente tremendo e tagarelando, gente de olhos fundos.

"Jacques", alguém bradou. "O Exército do Loire!"

"Ah, *mon vieux*, o exército enfim veio! Eu lhe disse, não? Hoje ou amanhã, quem sabe?"

"É verdade? É uma ofensiva?"

"Ah, meu Deus, uma ofensiva", disse alguém. "Mas e o meu filho?"

Outra pessoa ergueu a voz: "Vamos pro Sena? Dizem que dá pra ver a sinalização do Exército do Loire da ponte Neuf".

Havia uma criança próximo a Trent que repetia "Mamãe, mamãe, então amanhã vamos ter pão branco para comer?".

A seu lado, um velho cambaleava e tropeçava, as mãos comprimidas contra o peito, resmungando como se estivesse louco: "Será que é verdade? Quem foi que ouviu essa notícia? O sapateiro da Rue de Buci ouviu de um *mobile* que ouviu um *franc-tireur* repetindo a ordem de um capitão da Guarda Nacional".

Trent seguiu a multidão, que irrompia pela Rue de Seine na direção do rio.

Foguetes e mais foguetes singravam os céus e agora, de Montmartre, os canhões retumbavam e as artilharias se alinhavam em Montparnasse. A ponte se encontrava abarrotada de gente.

"Alguém viu os sinais do Exército do Loire?", perguntou Trent.

"Estamos esperando por eles", alguém respondeu.

Ele olhou para o norte. Num átimo, a silhueta do Arco do Triunfo destacou-se em um relevo escuro contra o clarão de um canhão. E o estrondo bramiu ao longo do cais, fazendo a velha ponte estremecer.

E mais uma vez, acima de Point du Jour, um lampejo e uma explosão fizeram a ponte trepidar. Todo o bastião leste da fortificação chamejava, enviando flamas rubras aos céus.

"Alguém já viu algum sinal deles?", ele questionou outra vez.

"Estamos esperando", respondeu outra voz.

"É, esperando", alguém murmurou atrás dele. "Esperando adoentados, famintos e morrendo de frio, mas esperando. Se for uma ofensiva, eles se voluntariam de bom grado. Se tiverem que passar fome, que passem. Eles nem sequer têm tempo de pensar em rendição. Eles são heróis, esses parisienses? Responda-me, Trent!"

O cirurgião da Ambulância Americana tornou-se e perscrutou pelo parapeito da ponte.

"Alguma notícia, doutor?", Trent perguntou instintivamente.

"Notícia? Não tenho nenhuma. Não tive nem tempo para isso", respondeu o médico. "O que essas pessoas estão procurando?"

"Dizem que o Exército do Loire sinalizou de Mont Valérien."

"Pobres diabos." O médico deu-lhe uma olhadela. "Estou tão atordoado e preocupado que nem sei o que fazer. Depois da última ofensiva, nossa pobre corporação teve que trabalhar em cinquenta ambulâncias. E amanhã vai acontecer outra ofensiva. Gostaria que vocês, meus camaradas, viessem à nossa sede. Talvez precisemos de voluntários." Por fim, ele acrescentou abruptamente: "Como vai sua esposa?".

"Bem", respondeu Trent, "mas ela fica a cada dia mais ansiosa. Eu deveria estar com ela neste momento."

"Cuide bem dela", o médico comentou, então mirou o povo com uma expressão afiada: "Não posso ficar aqui agora, conversando. Boa noite". Ele se foi, apressado e murmurando: "Pobres diabos!".

Trent inclinou-se sobre o parapeito e estreitou os olhos para o rio escuro que corria sob os arcos. Objetos difusos, arrastados pela corrente feroz, chocavam-se contra os píeres, emitindo ondas de estalidos violentos, e então giravam por um instante e desapareciam dentro da escuridão. Era o gelo do rio Marne.

Ele fitava a água um tanto absorto quando alguém pôs a mão em seu ombro.

"Olá, Southwark", exclamou, volvendo-se. "Este é um lugar estranho para encontrá-lo."

"Trent, eu preciso lhe dizer uma coisa: não fique aqui, não acredite no Exército do Loire." O *attaché* da Legação Norte-Americana engachou o braço no de Trent e conduziu-o na direção do Louvre.

"Então tudo isso não passa de outra mentira", Trent concluiu em tom amargo.

"É ainda pior, segundo o que sabemos na Legação, embora não possa fazer comentários. Mas não era isso que eu queria lhe contar. Algo aconteceu esta tarde. Fizemos uma incursão na *brasserie* alsaciana e um norte-americano chamado Hartman foi preso. Você o conhece?"

"Conheço um alemão que se diz americano, o nome dele é Hartman."

"Ele mesmo. Foi preso cerca de duas horas atrás e eles pretendem... fuzilá-lo."

"Como assim?"

"É claro que nós da Legação não podemos permitir que ele seja fuzilado de imediato, mas as evidências parecem conclusivas."

"Ele é um espião ou algo assim?"

"Olhe, os documentos apreendidos nos aposentos dele são provas contundentes. Além disso, afirmam que ele foi flagrado fraudando o Comitê para Alimentação Pública. Ele desviou porções de ração para cinquenta pessoas. Como fez isso? Não faço ideia. Ele alega ser um artista norte-americano em Paris, então fomos obrigados a dar atenção a isso na Legação. É uma questão desagradável."

"Enganar o povo numa época dessas é pior do que roubar de uma caixa de esmolas", Trent disse com raiva. "Deixe que o executem."

"Ele é um cidadão norte-americano."

"Ah, sim, claro", ele comentou de forma ácida. "A cidadania norte-americana é um privilégio precioso demais para que todo alemão invejoso dê..." Mas a raiva trancou-lhe a garganta.

Southwark então lhe deu um afetuoso aperto de mãos.

"Não tem jeito, o cadáver nos será enviado. Acredito que você seja intimado para identificá-lo como um artista norte-americano", falou ele, esboçando o espectro de um sorriso em seu rosto de linhas fundas. O homem então partiu pela Cours la Reine.

Trent praguejou num sussurro e sacou o relógio. Sete da noite. *Sylvia deve estar ansiosa*. Apressado, ele tomou a direção do rio. A multidão ainda se aglomerava na ponte, trêmula de frio, uma triste congregação, perscrutando a noite por sinais do Exército do Loire: seus corações batiam no ritmo dos canhões, os olhos se iluminavam por cada lampejo que surgia dos bastiões e a esperança se erguia aos céus acompanhando os foguetes errantes.

Uma nuvem escura pairava sobre as fortificações. A fumaça dos canhões estendia-se de uma ponta a outra do horizonte em linhas sinuosas, por vezes envolvendo pináculos e domos numa bruma fuliginosa, outras soprando em massas vaporosas pelas ruas ou descendo do telhado das casas e invadindo os píeres e pontes feito uma névoa sulfurosa. E o relampejar do canhão se insinuava em meio àquela mortalha de fuligem e, de quando em quando, uma fenda nas alturas revelava a insondável e escura abóbada cravejada de estrelas.

Ele adentrou outra vez na Rue de Seine, aquela rua triste e abandonada, repleta de venezianas fechadas e luminárias apagadas. Estava um tanto apreensivo e uma ou duas vezes quis ter em mãos um revólver. No entanto, notou que as figuras furtivas por quem passava na escuridão estavam fracas demais para serem perigosas. Em instantes, ele estava são e salvo à porta de casa. Mas ali alguém saltou sobre ele. Trent e seu agressor rolaram pelo pavimento frígido, mas ele conseguiu romper a corda que lhe enlaçava o pescoço e, num movimento brusco, pôs-se em pé.

"Levante", ele gritou ao seu atacante.

Lenta e cuidadosamente, um esquálido menino de rua se levantou da sarjeta, fitando Trent com aversão.

"Mas que truquezinho covarde", disse Trent. "Um menino da sua idade! Desse jeito, você vai acabar diante de um pelotão de fuzilamento. Agora me dê essa corda."

O garoto entregou-lhe o laço sem dizer nada.

Trent acendeu um fósforo e fitou o agressor. Era o caçador de ratos do dia anterior.

"Bem que eu suspeitei", reclamou.

"*Tiens, c'est toi*?", o garoto maltrapilho disse num tom calmo.

O atrevimento e a audácia do fedelho deixaram Trent sem fôlego.

"Você sabia, seu estranguladorzinho, que eles fuzilam ladrões da sua idade?", arfou.

A criança encarou Trent com uma expressão impassível. "Que fuzilem então."

Aquilo era demais. Trent deu as costas e adentrou o hotel. Ele subiu às cegas a escadaria penumbrosa e, por fim, alcançou o próprio patamar, tateando pela porta. O som de vozes vinha do estúdio — o riso caloroso de West e a voz estridente de Fallowby. Ele enfim encontrou a maçaneta, mas, ao abrir a porta, a luz por um momento o entorpeceu.

"Olá, Jack", exclamou West, "você é mesmo um ótimo anfitrião! Convida as pessoas para o jantar e as deixa esperando. Olha só, Fallowby está chorando de fome."

"Cale a boca", Fallowby replicou. "Quem sabe ele saiu para comprar um peru."

"Ele andava garrotando por aí, olhem para o laço." Guernalec deu um riso.

"Então agora sabemos de onde você tira dinheiro", West acrescentou. "*Vive le coup du Père François!*"

Trent apertou a mão de todos e sorriu diante do rosto pálido de Sylvia.

"Eu não queria me atrasar, mas parei na ponte por um instante para observar o bombardeio. Você ficou preocupada, Sylvia?"

"Ah, não", ela sorriu, falando baixinho, mas pousou a mão sobre a dele, apertando-a de maneira convulsiva.

"Vamos à mesa", Fallowby exclamou e emitiu um brado de satisfação.

"Vá com calma", Thorne o repreendeu, esboçando um resquício de boas maneiras. "Você não é o anfitrião, sabe?"

Marie Guernalec, que conversava com Colette, levantou-se de pronto e tomou o braço de Thorne. *Monsieur* Guernalec tomou o braço de Odile.

Trent fez uma mesura e ofereceu o braço a Colette. West fez o mesmo com Sylvia, e Fallowby pairou ansiosamente na retaguarda.

"Vocês vão dar três voltas ao redor da mesa cantando 'Marseillaise'", falou Sylvia, "e *monsieur* Fallowby vai marcar o ritmo batendo na mesa."

Fallowby sugeriu que eles poderiam cantar depois do jantar, mas seu protesto foi afogado pelo eco do coro de "*Aux armes! Formez vos bataillons*". Então eles marcharam pela sala cantando "*Marchons! Marchons!*", a plenos pulmões enquanto Fallowby, de muita má vontade, martelava na mesa com a palma da mão, consolado pela expectativa de que o exercício melhorasse seu apetite. Hércules, o terrier preto-amarronzado, fugiu para baixo da cama, de onde latiu e choramingou até que Guernalec o pegasse e o acomodasse no colo de Odile.

"E agora escutem", Trent disse sério depois que todos se sentaram. Ele então leu o menu:

Sopa de carne *à la Siège* de Paris
—
Peixe
Sardinhas *à la père Lachaise*
(Vinho branco)
—
Rôti (vinho tinto)
Carne crua *à la sortie*
—
Legumes
Feijão enlatado *à la chasse-pot*

Ervilhas enlatadas Gravelotte
Batatas *irlandaises*
Diversos
—

Presunto enlatado *à la Thieis*
Ameixas cozidas *à la Garibaldi*
—

Sobremesa
Ameixas secas e pão branco
Geleia de groselha
Chá e café
Licores
Cachimbos e cigarros[*]

Fallowby aplaudiu com ímpeto e Sylvia serviu a sopa.

"Não está deliciosa?", Odile suspirou.

Em êxtase, Marie Guernalec provou a sopa.

"Não está nada parecida com carne de cavalo. Eu não me importo com o que dizem, carne de cavalo não tem o mesmo gosto de carne de gado", Colette sussurrou para West.

Fallowby, que já havia terminado, passou a cofiar o queixo e a encarar a sopeira.

"Quer um pouco mais, camarada?", Trent inquiriu.

---

[*] Nota do tradutor: Esse menu não passa de uma grande ironia em relação à guerra, embora sua extensão seja difícil de determinar, pois algumas referências culturais se perderam. O Cerco de Paris, ocorrido durante quatro meses da guerra Franco-Prussiana (1870-1871), tinha o objetivo de forçar a rendição da cidade devido à escassez de recursos, principalmente alimentos, imposta pelo bloqueio realizado pelas forças prussianas. Durante o cerco, os parisienses passaram a consumir tudo o que podiam: cães, ratos, cavalos, predando até mesmo o zoológico da cidade. No que tange ao conto, o primeiro prato é uma sopa "à moda do Cerco de Paris", o que remete ao garoto que caçava ratos na entrada do esgoto. As sardinhas parecem procedentes do Cemitério Père Lachaise, onde os pobres iam procurar comida durante o cerco — mas também havia uma feira no lugar. Feiras eram — e ainda são — comuns em alguns cemitérios da França. A carne crua é "à moda da ofensiva" e talvez seja uma piada de mau gosto em relação à matança da guerra, algo que Trent, o protagonista, reprova. O feijão enlatado refere-se ao fuzil Chassepot, a arma de serviço das forças francesas durante a guerra Franco-Prussiana. Já as ervilhas remetem à Batalha de Gravelotte, um dos principais conflitos da guerra. As ameixas, por sua vez, reportam-se a Giuseppe Garibaldi, o revolucionário italiano que também teve papel importante na Revolução Farroupilha no Sul do Brasil e que liderou um exército de voluntários em favor da França.

"*Monsieur* Fallowby não pode ganhar mais", Sylvia anunciou. "Vou guardar o resto para a *concierge*."

Fallowby passou então a mirar o peixe.

As sardinhas grelhadas foram um sucesso. Enquanto os outros comiam, Sylvia apressou-se escada abaixo levando a sopa para a *concierge* e o marido. Ela retornou ligeira, corada e sem fôlego e deixou-se cair numa cadeira, sorrindo para Trent. Ele se levantou, e o silêncio abateu-se sobre a mesa. O jovem fitou Sylvia por um momento, considerando que ela jamais parecera tão bela.

"Vocês todos sabem", ele começou, "que hoje é o aniversário de dezenove anos da minha esposa."

Fallowby, explodindo de entusiasmo, brandia a taça em círculos acima da cabeça, para o horror de Odile e Colette, ao lado dele. Thorne, West e Guernalec serviram-se de mais três taças antes que a torrente de aplausos causada pelo brinde de Sylvia arrefecesse.

Por três vezes, as taças foram servidas e esvaziadas em nome de Sylvia, e uma vez mais para Trent, que protestou:

"Isso não está certo. O próximo brinde deveria ser para as repúblicas irmãs: França e Estados Unidos."

"Às repúblicas! Às repúblicas!"

Eles beberam em meio aos brados de: "*Vive la France! Vive l'Amérique! Vive la Nation!*".

Trent então sorriu para West e ofereceu-lhe um brinde: "Ao feliz casal!". Todos compreenderam. Sylvia inclinou-se e deu um beijo em Colette, ao passo que Trent cumprimentou West.

A carne foi saboreada com relativa calma. Depois que terminaram e que uma porção foi reservada à velha *concierge* e ao marido, Trent ergueu a voz: "Bebam por Paris! Que ela se erga das ruínas e esmague os invasores!".

Brados ecoaram, abafando por um átimo o trovoar monótono das armas prussianas.

Cachimbos e cigarros foram acesos e, por um instante, Trent ouviu o burburinho animado ao seu redor, entremeado ao riso das garotas ou à risada polpuda de Fallowby. Ele tornou-se para West:

"Haverá uma ofensiva hoje à noite. Eu vi um cirurgião da Ambulância Americana logo antes de chegar em casa e ele me pediu para falar com vocês, meu amigo. Qualquer ajuda que possamos oferecer será muito bem-vinda." Ele baixou o tom e continuou em inglês: "Quanto a mim, vou com a ambulância amanhã de manhã. É claro que não há perigo. Ainda assim, é melhor não contar nada à Sylvia".

West assentiu. Thorne e Guernalec, que tinham ouvido, manifestaram-se, oferecendo ajuda. Fallowby voluntariou-se num gemido.

"Combinado", Trent disse apressado. "Não vamos mais falar disso. Encontrem-me na sede da Ambulância amanhã de manhã, às oito."

Sylvia e Colette inquietaram-se diante daquele falatório em inglês, exigindo saber sobre o que se tratava a conversa.

"Sobre o que um escultor normalmente fala?", West disse, sorrindo.

Odile deu uma olhadela reprovadora para Thorne, seu noivo, e disse de forma bastante digna: "Você não é francês, sabe? E essa guerra não é da sua conta".

Os ânimos de Thorne pareciam ter se amansado, mas West assumiu um ar de virtude ofendida.

"Ao que parece", ele disse a Fallowby, "um sujeito não pode discutir as belezas da escultura grega em sua língua materna sem levantar suspeitas."

Colette pôs a mão em sua boca e então se virou para Sylvia, sussurrando: "Esses homens... são terrivelmente desonestos".

"Acredito que a palavra para 'ambulância' seja a mesma em ambas as línguas", falou Marie Guernalec num tom atrevido. "Sylvia, não confie em *monsieur* Trent."

"Jack", Sylvia murmurou, "prometa-me que..." Uma batida à porta do estúdio a interrompeu.

"Entre!", Fallowby gritou, mas Trent se ergueu num pulo, abriu a porta e olhou para fora. Então, dando uma desculpa apressada aos demais, ganhou o corredor e fechou a porta.

Ele voltou rezingando.

"O que foi, Jack?", West indagou.

"O que foi?", Trent repetiu furioso. "Eu lhe digo o que foi: recebi uma intimação do ministro da Legação Norte-Americana que exige que eu vá prontamente identificar, como um compatriota e irmão nas artes, um ladrão e espião alemão!"

"Não vá", Fallowby sugeriu.

"Se eu não for, eles vão fuzilá-lo de imediato."

"Deixe que o fuzilem", Thorne rosnou.

"Vocês sabem de quem se trata?"

"Hartman", West bradou a plenos pulmões.

Sylvia levantou-se num pulo, pálida feito a morte, mas Odile passou o braço em torno dela e ajudou-a a se sentar. "Sylvia desmaiou, está muito abafado aqui. Alguém traga um pouco d'água", ela disse com calma.

De pronto, Trent trouxe-lhe um copo.

Um minuto depois, Sylvia abriu os olhos, ergueu-se e, auxiliada por Guernalec e Trent, foi para o quarto.

Aquela foi a deixa para o fim da festa. Todos se aproximaram e cumprimentaram Trent, dizendo que esperavam que não fosse nada e que Sylvia melhorasse passada uma boa noite de sono.

Quando Marie Guernalec se despediu, ela evitou encará-lo. Mas Trent falou com ela em um tom cordial e agradeceu a ajuda.

"Tem algo que eu possa fazer, Jack?", West inquiriu, demorando-se. Mas logo se apressou escada abaixo para alcançar os outros.

Trent apoiou-se na balaustrada, ouvindo os passos e a conversa deles. A porta da frente então bateu e o prédio foi inundado pelo silêncio. Ele permaneceu ali, encarando a escuridão lá embaixo, mordendo o lábio. Então fez um gesto impaciente e sussurrou "devo estar ficando louco". Acendeu uma vela e foi ao quarto. Sylvia estava deitada na cama. Ele curvou-se diante dela, afastando os cachinhos de seu rosto.

"Você está melhor, minha querida?"

Ela não respondeu, apenas ergueu o rosto. Por um átimo, os olhos dele encontraram os dela e o que ele percebeu ali açoitou-lhe o coração. Ele se sentou e cobriu o rosto com as mãos.

Por fim, Sylvia falou em uma voz cansada, mas distinta, uma voz que ele nunca tinha ouvido antes. Ele abaixou as mãos e se endireitou na cadeira, ouvindo com atenção:

"Jack, o momento chegou. Como eu temia. Ah, quantas vezes fiquei acordada de madrugada pensando nisso, rezando para que minha vida terminasse antes que você soubesse. Eu te amo, Jack. Se você me deixasse, eu morreria. Mas eu o enganei. Aconteceu antes de eu conhecê-lo, e desde aquele primeiro dia, quando você me encontrou chorando nos Jardins de Luxemburgo e falou comigo, Jack, desde então eu tenho sido fiel em cada ato e pensamento. Eu o amei desde a primeira vez que o vi e não ousei lhe contar isso, pois temia que você fosse embora. E meu amor cresceu e cresceu... ah!... como isso me angustia! Mas não me atrevo a dizer em voz alta que há algo em segredo. Só que agora você sabe, embora não saiba o pior. Eu não me importo mais com ele. Ele era cruel. Ah! Tão cruel."

Ela escondeu o rosto entre as mãos.

"Preciso continuar? Será que tenho que lhe contar? Ah, Jack, você não é capaz de imaginar?"

Ele não moveu um músculo e seus olhos pareciam sem vida.

"Eu era tão jovem, não sabia nada da vida e ele dizia que, bem, dizia que me amava."

Trent pôs-se em pé e deu um safanão na vela. O quarto foi engolido pelas trevas.

Os sinos de St. Sulpice anunciaram a hora e ela recomeçou, falando numa pressa febril: "Eu preciso terminar o que comecei! Quando você disse que me amava, ah, você! Você não me exigiu nada. Mas, mesmo naquele momento, já era tarde demais, pois aquela *outra vida* que me prende a ele vai permanecer para sempre entre você e eu! Pois existe *outra pessoa*, alguém que ele reivindicou e para quem ele é bondoso. Ele não deve morrer, eles não podem fuzilá-lo, pelo bem daquela *outra pessoa*".

Trent sentou-se, imóvel, com seus pensamentos sendo engolfados por um violento turbilhão.

Sylvia, a afável Sylvia com quem ele partilhava a vida estudantil, que suportava ao lado dele, sem queixas, a monótona tristeza do cerco. Aquela esguia menina de olhos azuis por quem ele sentia uma afeição tão sóbria, que ele provocava ou acarinhava conforme lhes convinha, que às vezes até o deixava um tanto impaciente em sua devoção apaixonada, seria esta a mesma Sylvia que jazia em lágrimas na escuridão diante dele?

Então ele cerrou os dentes. *Que esse homem morra! Que morra!* Mas pelo bem de Sylvia e pelo bem daquela *outra pessoa*, sim, ele iria, ele *deveria* ir, pois seu dever desvelava-se claramente. Quanto a Sylvia, ele não podia mais ser o que tinha sido para ela. Ainda assim, agora que tudo fora dito, um vago terror apoderou-se dele. Trêmulo, ele acendeu uma luz.

Ali estava ela, o cabelo encaracolado caindo-lhe sobre o rosto, as delicadas mãos pálidas recolhidas contra o seio.

Ele não seria capaz de deixá-la, mas tampouco poderia ficar ali, com ela. Ele jamais se dera conta do quanto a amava. Até então, Sylvia fora apenas uma mera companheira, sua jovem esposa. Ah, mas agora ele a amava de alma e coração, embora tivesse percebido tarde demais. Tarde demais? Por quê? Então ele pensou na *outra pessoa* que a vinculava eternamente àquela criatura que se encontrava entre a vida e a morte. Ele praguejou fortemente, saltou na direção da porta, mas ela não se abriu, ou talvez ele a tivesse empurrado em vez de puxar, quem sabe trancando-a. Trent caiu de joelhos ao lado da cama, consciente de que não se atreveria, por sua própria vida e seu próprio bem, abandoná-la, pois ela era tudo para ele.

III

Eram quatro da manhã quando Trent saiu da Prisão dos Condenados acompanhado pelo secretário da Legação Norte-Americana. Um grupo de pessoas havia se reunido ao redor da diligência do ministro, que estava parada diante da prisão. Os cavalos batiam os cascos nas pedras geladas e o cocheiro se encolhia no assento, embrulhado em peles. Southwark ajudou o secretário a entrar na carruagem e apertou a mão de Trent, agradecendo-lhe por ter vindo.

"Como aquele patife nos encarava", ele disse. "As evidências que você apresentou estavam mais para um palpite, mas salvaram a pele dele, ao menos por enquanto. Além disso, evitamos complicações."

"Fizemos nossa parte. Agora eles que provem que o sujeito é um espião. Lavamos nossas mãos quanto a ele." O secretário soltou um suspiro. "Entre, capitão. Venha, Trent."

"Preciso trocar uma palavrinha com o capitão Southwark, mas não vou me demorar", Trent disse apressado, abaixando sua voz: "Southwark, agora eu preciso de *sua* ajuda. Você conhece a história do canalha, sabe que a criança está nos aposentos dele. Pegue-a e leve-a para o meu apartamento. Se ele for fuzilado, garantirei um lar para ela."

"Farei isso", disse o capitão.

"Agora", Trent respondeu.

Eles trocaram um caloroso aperto de mãos. Em seguida, o capitão Southwark entrou na carruagem e gesticulou para que Trent também entrasse. No entanto, ele deu um aceno negativo de cabeça e disse: "Até mais". A diligência partiu.

Trent observou a carruagem alcançar o fim da rua e então tomou o rumo do bairro onde vivia. Porém, depois de um ou dois passos, ele estacou, hesitante. Por fim, deu meia-volta e seguiu na direção oposta. Alguma coisa, talvez a visão do prisioneiro que ele acabara de defrontar, encheu-o de repulsa. Ele desejava solidão e quietude para poder organizar seus pensamentos. Os eventos da noite o haviam abalado terrivelmente, mas a caminhada afastaria aquela sensação, o faria esquecer, sepultaria tudo. Só então voltaria para Sylvia. De início, caminhou a passos largos e a amargura pareceu esvair-se. Todavia, quando enfim se deteve, sem fôlego, sob o Arco do Triunfo, o desgosto e a agonia que contaminavam toda a situação, sim, toda a sua vida desperdiçada, retornaram numa ferroada. O rosto do prisioneiro, marcado por uma horrenda expressão de medo, projetou-se das sombras diante dele.

De coração angustiado, ele vagueou para lá e para cá sob o imenso Arco, esforçando-se para ocupar os pensamentos, fitando as cornijas trabalhadas, tentando ler os nomes dos heróis e das batalhas que sabia estarem gravados ali. Porém, em todas as ocasiões, ele só distinguia o rosto cinzento de Hartman em puro terror. Mas seria terror? Não seria por acaso triunfo? Diante daquele pensamento, exasperou-se como se sentisse uma faca na garganta. No entanto, depois de um trotar ensandecido pela praça, sentou-se para digladiar-se com a própria miséria.

A brisa soprava gélida, mas suas bochechas ardiam numa vergonha raivosa. Ora, vergonha? Mas por quê? Seria por que havia se casado com uma garota cujo acaso fizera mãe? Será que ele *de fato* a amava? Seria então essa mísera existência boêmia a finalidade e o objetivo de sua vida? Ele baixou o olhar às alas secretas do coração e leu uma história perversa — a história do passado. Ele cobriu o rosto por vergonha e, marcando o ritmo da dor enfadonha que pulsava em sua cabeça, seu coração ditou o teor de sua sina futura: desgraça e ignomínia.

Enfim desperto da letargia que havia começado a entorpecer-lhe os pensamentos, ergueu o rosto e olhou ao redor. Uma névoa repentina havia caído sobre as ruas, sufocando as arcadas do Arco. Ele tinha de ir para casa. O imenso horror da solidão envolveu-o. *Mas ele não estava sozinho*. O nevoeiro era povoado por fantasmas. Eles singravam as brumas ao redor dele, vagando sob os arcos, assomando-se em fileiras e então se esvaindo. Mas outros emergiam da cerração, passando por ele e sendo outra vez engolfados pela névoa. Não, ele não estava sozinho, pois esses espectros se adensavam ao seu lado, tocando-o, esbarrando nele, fazendo-o recuar e arrastando-o pelo nevoeiro. Pela turva avenida e por vielas e travessas pálidas de névoa eles vagavam, e conversavam, com suas vozes soando amorfas feito os vapores que os envolviam. Por fim, logo adiante, uma muralha de tijolos cindida por um vasto portão de ferro ergueu-se em meio à cerração. Mais e mais vagarosos eles planavam, lado a lado, a passos sincronizados. Então todo o movimento cessou. Uma brisa repentina agitou a névoa, que ondeou e dobrou-se numa voragem. Os objetos se tornaram mais distintos. Uma sombra pálida insinuou-se no horizonte e, alcançando as bordas das nuvens aquosas, suscitou o brilho apático de mil baionetas. Baionetas! Elas estavam por todo lado, rompendo a névoa ou fluindo sob ela em torrentes de aço. No topo da murada de tijolos, assomava-se uma imensa arma e, ao redor dela, silhuetas moviam-se em vultos. Ao nível do solo, uma multidão irrompeu através da entrada do portão gradeado e ganhou a planície sombria. As coisas pareciam mais nítidas agora. Os rostos se tornavam menos indistintos e, na multidão em marcha, ele reconheceu alguém.

"Philippe!"

A figura voltou-se a ele.

"Tem um posto aí para mim?", Trent bradou, mas o outro apenas acenou num vago adeus e desapareceu junto aos demais.

Logo a cavalaria começou a passar, esquadrão após esquadrão, apinhando-se para dentro da escuridão. Em seguida, surgiram incontáveis canhões, uma ambulância e, de novo, infindas fileiras de baionetas. Ao seu lado havia um *cuirassier* montado num cavalo. O animal exalava vapor das narinas. Mais adiante, em meio a um grupo de oficiais montados, ele avistou um general, com a gola pesada virada para cima, cobrindo seu rosto exangue.

Havia algumas mulheres chorosas em torno dele, e uma delas tentava forçar um pedaço de pão preto na bolsa de alimentos de um soldado. O sujeito tentava ajudá-la, mas o fecho estava preso e o fuzil o atrapalhava, então Trent segurou a arma enquanto a mulher abria a bolsa e guardava o pão, agora úmido de lágrimas. O fuzil não era pesado. Trent descobriu-o surpreendentemente manejável. Será que a baioneta era afiada? Ele a testou. Foi quando uma repentina urgência, um feroz e imperativo desejo o dominou.

"*Chouette!*", um menino de rua gritou, trepado no portão de ferro. "*Encore toi, mon vieux?*"

Trent olhou para cima e o caçador de ratos riu da cara dele. Mas depois que o soldado pegou a arma de volta e, agradecendo-lhe, correu para alcançar o batalhão, ele mergulhou na multidão que se avolumava diante do portão.

"Você também vai?", disse a um fuzileiro que, sentado ao cordão, enfaixava o pé.

"Vou."

De repente, uma menina, uma mera criança, pegou-o pela mão e conduziu-o a um café com vista aos portões. O salão estava lotado de soldados, alguns pálidos e quietos, sentados ao chão, outros lamuriavam deitados nos sofás estofados de couro. O ar era acre e sufocante.

"Decida-se", a menina disse num discreto gesto de piedade. "Eles não podem ir."

Ele encontrou, numa pilha de roupas no chão, um capote e um quepe.

Ela o ajudou a afivelar a bolsa de alimentos, a cartucheira e o cinto, e então, apoiando a arma nos joelhos, mostrou a ele como carregar o fuzil Chassepot.

Trent agradeceu e ela se colocou em pé.

"Você é um estrangeiro."

"Norte-americano", falou ele, tomando a direção da porta. Mas a criança interpôs-se em seu caminho.

"Eu sou bretã, meu pai está lá em cima com os canhões dos fuzileiros. Ele vai atirar em você se você for um espião."

Eles encararam uma ao outro por um instante. Trent soltou um suspiro, agachou-se e deu um beijo na menina. "Reze pela França, pequenina", sussurrou a ela.

"Pela França e por você, *beau monsieur*", ela repetiu num sorriso sem cor.

Ele atravessou a rua apressado, cruzando os portões. Lá fora, alinhou-se a uma fileira e seguiu ao largo da estrada. Um cabo passou, fitou-o, retornou e por fim chamou outro oficial.

"Você deveria estar na sexagésima", rosnou o cabo, mirando o número no quepe de Trent.

"Não precisamos de *franc-tireurs*", o oficial acrescentou, notando suas calças pretas.

"Gostaria de me voluntariar no lugar de um camarada", falou Trent. O oficial deu de ombros e se foi.

Ninguém lhe prestou muita atenção, apenas um ou outro soldado deu uma olhadela às suas calças. A estrada estava coberta por uma grossa camada de neve, entrecortada por trilhas e pegadas lamacentas deixadas por rodas e cascos. Um soldado à sua frente torceu o tornozelo num buraco no gelo, e então se arrastou aos gemidos até a beira da estrada. Para ambos os lados, a planície se estendia cinzenta devido à neve derretida. Aqui e ali, para além de sebes desmazeladas, havia carroças que exibiam bandeiras brancas estampadas com cruzes vermelhas. Ora o condutor era um padre de chapéu e batina desgastados, ora um *mobile* aleijado. Uma vez, passaram por uma carroça guiada pelas Irmãs de Caridade. Casas vazias e silenciosas, de paredes fendidas e vidraças quebradas, sucediam-se pela estrada. Mais adiante, dentro da zona de perigo, não existia nada que meramente lembrasse uma habitação humana, exceto por uma esporádica pilha de tijolos congelados ou um celeiro escurecido afogado pela neve.

Havia certo tempo que Trent se irritara com o homem atrás dele, que seguia pisando em seus calcanhares. Convencido por fim de que era intencional, volveu-se para protestar, mas descobriu-se cara a cara com um estudante, um colega da Beaux-Arts. Trent encarou-o.

"Achei que você estivesse no hospital."

O outro deu um aceno de cabeça e indicou o maxilar enfaixado.

"Entendi, você não consegue falar. Tem algo que eu possa fazer?"

O ferido remexeu no saco de alimentos e retirou uma casca de pão preto.

"Ele não consegue mastigar, o maxilar está quebrado. O homem quer que você mastigue para ele", disse o soldado ao lado.

Trent pegou a casca, triturou-a entre os dentes e passou bocado a bocado de volta ao homem faminto.

De quando em quando, soldados montados passavam por eles em trote veloz, cobrindo-os de neve e barro. Era uma frígida e silente marcha através dos prados encharcados e amortalhados pela névoa. Ao longo do aterro da ferrovia, do outro lado da vala, outra coluna avançava em paralelo. Trent observou-a: uma triste multidão, ora distinta, ora disforme, ora desvanecida pelo nevoeiro. Uma vez mais, ela sumiu de vista por meia hora. Quando voltou a ficar visível, notou uma linha tênue apartando-se pelo flanco e, agrupando-se, voltou-se rapidamente para o oeste. Naquele instante, estalidos prolongados projetaram-se da neblina mais adiante. Outras linhas passaram a desprender-se da coluna, oscilando para leste ou para oeste. Os estalidos tornaram-se constantes. Um destacamento surgiu num galope veloz e ele e os companheiros deram um passo atrás para dar-lhes espaço. A bateria entrou em combate mais à frente, um tanto à direita de seu batalhão. O primeiro disparo de fuzil ecoou através da neblina e os canhões das fortificações rugiram. Um oficial cavalgou ao longo da formação, gritando algo que Trent não conseguiu entender, mas ele viu as fileiras da frente repentinamente afastarem-se da sua vista e desaparecerem na aurora. Mais oficiais se aproximaram a cavalo e estacaram próximos dele, mirando a cerração. Em algum ponto distante, mais à frente, os estalidos transmutaram-se em um longo estouro. A espera era agonizante. Trent mascou um pedaço de pão para o homem à sua retaguarda, que tentou e tentou engoli-lo, mas, depois de um tempo, apenas fez um gesto para que Trent comesse o resto. Um cabo ofereceu-lhe um gole de conhaque e ele aceitou. No entanto, quando virou-se para devolver o cantil, o cabo jazia ao chão. Alarmado, ele fitou o soldado mais próximo, que deu de ombros e abriu a boca para falar, porém, algo o atingiu e ele despencou pela vala no limite da estrada. Então o corcel de um dos oficiais empinou, depois recuou, adentrando e escoiceando as fileiras do batalhão. Um homem foi lançado ao chão, outro levou um coice no peito e acabou arremessado em meio às fileiras. O oficial fincou as esporas no cavalo e forçou-o na direção da infantaria, para onde ele seguiu instável. O bombardeio parecia mais próximo agora. Um oficial de estado-maior, que trotava para lá e para cá pelo batalhão, de súbito despencou da sela, agarrando-se às crinas do cavalo. Uma de suas botas pendia do estribo, tingida de carmim, gotejando. Então homens despontaram da neblina adiante. As estradas, os campos e as valas estavam repletos deles. Muitos haviam sido abatidos. Por um átimo, ele achou ter visto cavaleiros trotando feito fantasma nas brumas do além.

Um homem atrás deles praguejou em terror, afirmando que também os tinha visto e que eles eram da cavalaria de ulanos. Mas o batalhão seguia inerte e a névoa caiu outra vez.

O coronel tinha um ar taciturno. Montado no cavalo, com a cabeça em formato de projétil sepultada na gola do casaco pesado, as pernas bojudas despontando retas até os estribos.

Os corneteiros agruparam-se perto dele, as trombetas preparadas. Mais atrás, um oficial de estado-maior numa casaca desbotada fumava um cigarro e conversava com um dos capitães dos hussardos. Um galopar furioso ressoou da estrada adiante e um soldado deteve o cavalo ao lado do coronel, que, sem voltar-se para ele, indicou que fosse para a retaguarda. Logo um confuso burburinho se ergueu à esquerda, culminando num grito. Um hussardo passou feito o vento, seguido por outro e mais outro. Então um esquadrão após o outro turbilhonou por eles, adentrando a mortalha de névoa. Naquele instante, o coronel empertigou-se na sela, os clarins retiniram e o batalhão inteiro impeliu-se barranco abaixo, adentrando na vala e avançando pela campina alagada. Trent perdeu o quepe quase de imediato. Alguma coisa o arrancou da cabeça e ele achou que fosse um galho de árvore. Uma boa porção dos camaradas despencou na neve e no lodo. Ele concluiu que eles deviam ter escorregado. Um deles foi-se ao chão bem na sua frente. Trent estacou e ajudou-o a se levantar, mas, ao ser tocado, o homem soltou um urro. Um oficial bradou "Avante! Avante!" e então pôs-se a correr outra vez. Foi uma longa investida através da névoa. Trent viu-se diversas vezes obrigado a mudar o braço de apoio do fuzil. Quando enfim jaziam ofegantes atrás do aterro de uma ferrovia, ele olhou ao seu redor. Tinha sentido uma necessidade de agir, uma desesperada urgência de agredir, de matar. Trent fora dominado pelo desejo de lançar-se em meio à multidão e atacar a esmo para todas as direções. Ele ansiava por puxar o gatilho, por fazer uso da afiada baioneta de seu Chassepot. Não havia imaginado que seria assim. Ele tinha achado que chegaria à exaustão, que lutaria e arremeteria até que se visse incapaz de erguer os braços. Depois disso, havia pretendido ir para casa. Foi quando ouviu um homem dizer que metade do batalhão havia perecido na investida. O próprio Trent vira outro soldado examinando um cadáver próximo ao aterro. O corpo, ainda quente, trajava um estranho uniforme. No entanto, mesmo depois de notar o elmo pontiagudo caído perto dali, não se deu conta do que tinha acontecido.

O coronel, a cavalo, se encontrava alguns metros à direita, os olhos chamejando sob o quepe carmim. Trent o ouviu responder a um oficial: "Podemos sustentar mais uma investida, mas não vão sobrar homens nem para tocar a corneta".

"Os prussianos estão aqui?", Trent perguntou a um soldado que, sentado, limpava o sangue que lhe escorria do cabelo.

"Sim, os hussardos acabaram com eles. Fomos pegos no fogo cruzado."

"Somos o apoio de uma bateria neste aterro", outro comentou.

Então o batalhão rastejou sobre o aterro, posicionando-se ao longo dos trilhos retorcidos. Trent arremangou as calças e as enfiou nas meias de lã. Eles pararam outra vez, com alguns dos homens se sentando nos trilhos destruídos. Trent procurou pelo amigo ferido da Beaux-Arts. Ele estava em posição, bastante pálido. O bombardeio tornara-se assombroso. A névoa se desfez por um momento e ele teve um vislumbre do primeiro batalhão, estanque nos trilhos à frente, e de regimentos em ambos os flancos. Então o nevoeiro se adensou outra vez. Tambores troaram e o som dos clarins ecoou ao longe, à esquerda. Certa inquietação dominava as tropas. O coronel ergueu o braço, os tambores soaram e o batalhão arremeteu pela névoa. Eles se encontravam próximos à frente de batalha, pois as tropas abriam fogo enquanto avançavam. Ambulâncias se estendiam o longo da base do aterro, na direção da retaguarda. Os hussardos iam e vinham como fantasmas. Por fim, chegaram à frente de batalha, e tudo ao redor era movimento e confusão. Do nevoeiro, de algum ponto próximo, vinham lamentos, gritos e saraivadas violentas. Bombas caíam por toda parte, explodindo nas imediações do aterro, salpicando-os com rajadas gélidas de barro e neve. Ele passou a temer o desconhecido que jazia ali adiante, crepitando e chamejando de forma indistinta. O estrondo do canhão lhe dava náuseas. Trent até podia ver a neblina incendiar-se num alaranjado cansado quando o troar estremecia a terra. Estava perto, ele tinha certeza, pois o coronel bradou "Avante!", e o primeiro batalhão investiu. Ele sentiu o hálito do canhão, mas, trêmulo, avançou. Uma explosão ameaçadora logo adiante o encheu de terror. Havia homens dando graças em algum lugar dentro da névoa e o cavalo do coronel, esvaindo-se em sangue, mergulhou em meio à fumaça.

Outra explosão surgiu bem diante dele. Um tanto atordoado, Trent vacilou. Todos os homens à sua direita foram-se ao chão. Sua cabeça girava. A névoa e a fuligem o aturdiam. Ele tateou em busca de apoio e encontrou alguma coisa — era a roda da carreta de um canhão. Um homem saltou de trás da arma, pronto para acertá-lo na cabeça com um soquete, mas cambaleou, guinchando, com a baioneta transpassada em seu pescoço. Trent teve consciência de que havia matado alguém. De maneira autômata, se agachou para recobrar a arma, mas a baioneta ainda se achava fincada no sujeito que, ao chão, tateava a relva com as mãos rubras. Nauseado, ele apoiou-se no canhão. Homens lutavam por todos os lados e o ar rescendia a pólvora e a suor. Alguém o surpreendeu pelas costas e outro investiu pela frente, mas outros, por sua vez, dominaram-nos ou nocautearam-nos com golpes potentes. O *clique! clique! clique!* das baionetas o enfureceu e ele apanhou o soquete, girou-o e golpeou às cegas até que se despedaçasse.

Um homem o agarrou pelo pescoço e o lançou ao chão, mas Trent o estrangulou e pôs-se em pé. Ele viu um companheiro tomar o canhão e, logo depois, desabar sobre ele, o crânio destruído. Ele viu o coronel despencar da sela direto na lama. Então, perdeu a consciência.

Quando voltou a si, jazia no aterro em meio aos trilhos retorcidos. Por todos os lados, homens berravam, praguejavam e fugiam para dentro da neblina. Atordoado, ele se ergueu e os seguiu. Uma vez mais, estacou para ajudar outro companheiro de maxilar enfaixado, alguém que, não sendo capaz de falar, agarrou-lhe o braço por um instante, mas este tombou morto no lamaçal congelado. Mais uma vez, Trent tentou ajudar outro sujeito, que clamava "*Trent, c'est moi, Philippe*", então uma súbita saraivada de tiros aliviou-o desse encargo.

Um vento gélido desceu das alturas, destroçando a névoa. Por um segundo, num vislumbre perverso, o sol espreitou por entre as florestas desfolhadas de Vincennes e então afundou feito um coágulo na fumaça da bateria, mergulhando mais e mais na planície sangrenta.

IV

Quando soou meia-noite no campanário de St. Sulpice, os portões de Paris ainda jaziam engasgados com os restos do que uma vez tinha sido um exército.

Os homens retornaram acompanhados da noite, uma horda taciturna, suja de lodo, abatida de fome e exaustão. De início, quase não houve agitação. A multidão que esperava aos portões abriu-se em silêncio e as tropas marcharam pelas ruas frígidas. Foi o passar das horas que provocou desordem. Mais e mais rápido, esquadrões e baterias acumulavam-se uns sobre os outros; cavalos coiceavam; carroças de munição tombavam; os remanescentes da frente de batalha irrompiam pelos portões; o caos da cavalaria e da artilharia lutava pelo direito de passagem; a infantaria vinha arrastando-se perto deles; os restos de um regimento marchavam numa tentativa desesperada de manter a ordem; uma turba desordeira de *mobiles* investia violentamente na direção da rua. Então veio uma tormenta de cavaleiros, canhões, tropas sem oficiais, oficiais sem tropas e de novo as ambulâncias, as rodas reclamando sob o peso das cargas.

A multidão os fitava atordoada pela desesperança.

Durante o dia inteiro, as ambulâncias não paravam de chegar; durante o dia inteiro, o povo maltrapilho lamentava e tiritava próximo da amurada. Ao meio-dia, a turba já estava dez vezes maior, estendendo-se às praças ao redor dos portões e enchendo as fortificações internas.

Às quatro da tarde, as baterias alemãs foram repentinamente engolfadas por fumaça, e bombas despencaram em Montparnasse. Às quatro e quinze, dois projéteis atingiram uma casa na Rue du Bac e, um momento depois, a primeira bomba caiu no Quartier Latin.

Braith pintava na cama quando West surgiu bastante assustado.

"Eu queria que você descesse. Nossa casa foi achatada feito um chapéu e tenho receio de que saqueadores decidam nos fazer uma visita essa noite."

Braith saltou da cama e enrolou-se numa peça que um dia havia sido uma sobrecasaca.

"Alguém se feriu?", indagou, lutando com uma manga de forro arruinado.

"Não. Colette está escondida no porão e a *concierge* fugiu para o forte. Vai aparecer uma cambada violenta por lá se o bombardeio continuar. Você podia nos ajudar."

"Mas é claro", Braith replicou.

Eles alcançaram a Rue Serpente e pegaram a travessa que levava ao porão de West. Só então este disse: "Você viu Jack Trent hoje?".

"Não", Braith respondeu, parecendo preocupado. "Ele não apareceu na sede hospitalar."

"Imagino que tenha ficado em casa para cuidar da Sylvia."

Uma bomba despedaçou o telhado de uma casa no fim da viela e explodiu no porão, lançando fragmentos de ardósia e gesso pela rua. Uma segunda atingiu uma chaminé e aterrissou no jardim, provocando uma avalanche de tijolos. Outra explodiu na rua ao lado, causando um estrondo ensurdecedor.

Eles se apressaram pela travessa, chegando à escada que levava ao porão. Braith estacou outra vez.

"Você não acha que seria melhor se eu fosse conferir se Jack e Sylvia estão bem entrincheirados? Eu consigo voltar antes de anoitecer."

"Não, entre e fique com Colette. Eu vou."

"Não, não, deixe que eu vá, não há perigo."

"Eu sei", West disse em tom calmo, arrastando Braith à viela e apontando para os degraus do porão. A porta de ferro estava trancada.

"Colette, Colette!", chamou. A porta se abriu e a garota surgiu nas escadas para recebê-los. Naquele instante, Braith deu uma olhadela por cima do ombro e, numa exclamação de surpresa, empurrou os dois para dentro do porão, saltando atrás deles e batendo a porta. Poucos segundos depois, um intenso abalo vindo do exterior fez a porta estremecer.

"Eles estão aqui", West sussurrou empalidecido.

"Essa porta vai segurá-los para sempre", Colette observou sem agitação.

Braith examinou a estrutura de ferro, que estremecia devido às pancadas recebidas do exterior. West deu uma olhadela apreensiva para Colette, mas ela não demonstrou qualquer sinal de preocupação e isso o acalmou.

"Não acho que eles vão perder muito tempo por aqui", Braith disse. "Eles vêm aos porões em busca de bebida, imagino."

"A menos que tenham ouvido que existe algo de valor enterrado aqui."

"Mas é claro que não há nada de valor enterrado aqui, não é?", Braith disse apreensivo.

"Infelizmente, tem sim", West resmungou. "Aquele meu miserável senhorio…" Mas ele foi atalhado por um estrondo, seguido de um grito vindo de fora.

A porta estremeceu devido aos golpes consecutivos. Eles ouviram um estalido, depois um tilintar de metal e então um pedaço de ferro triangular caiu da porta, deixando um espaço por onde vertia um sôfrego feixe de luz.

De imediato, West ajoelhou-se, meteu o revólver na abertura e descarregou o tambor. Por um momento, o clamor da arma ressonou pela viela, seguido de um silêncio absoluto.

A porta foi atingida por uma única pancada interrogativa. Instantes depois, outra, e então outra. Por fim, um repentino estalo ziguezagueou pela chapa de ferro.

"Vamos", West, agarrando Colette pela mão. "Braith, venha comigo!" E ele correu na direção da coluna de luz que despontava no canto mais distante do porão. Vinha de um bueiro gradeado. West indicou que Braith subisse em seus ombros.

"Empurre! Vai, você *consegue*!"

Braith levantou a tampa gradeada sem muito esforço, escorregou para fora e, sem dificuldades, içou Colette dos ombros de West.

"Rápido, meu amigo!", West disse.

Braith apoiou as pernas numa cerca e inclinou-se para dentro do bueiro uma vez mais. A adega jazia inundada por uma luminosidade amarela e o ar estava impregnado pelo cheiro fétido de lampiões de petróleo. A porta de ferro ainda estava no lugar, mas a placa metálica havia caído e agora, enquanto eles examinavam o lugar, uma figura maliciosa se aproximava, com uma lamparina em mãos.

"Rápido", Braith sussurrou. "Pule!" West titubeou por um instante e então Colette agarrou-o pela gola e ele foi arrastado para fora. De repente, os nervos dela cederam e ela começou a chorar. Mas West tomou-a nos braços e conduziu-a pelos jardins na direção da rua ao lado. Braith recolocou a tampa do bueiro, empilhou pedras caídas do muro sobre ela e então se juntou a eles. Estava quase escuro. Apressados, eles seguiram pela rua iluminada apenas por prédios em chamas ou pelo rápido lampejo das bombas. Passaram ao largo dos incêndios, mas viram ao longe as formas fugidias dos saqueadores chafurdando nos escombros. De vez em quando, passavam por mulheres enfurecidas, enxaguadas de bebida, que amaldiçoavam o mundo a plenos pulmões. Outras vezes, por algum fanfarrão trôpego cujo rosto e mãos sujas indicavam seu papel naquele teatro de destruição. Eles enfim chegaram ao Sena e cruzaram a ponte. Braith disse: "Preciso voltar. Não tenho certeza se Jack e Sylvia estão bem".

Ele abriu caminho pela multidão que avançava aos trancos através da ponte e ao longo da beira do rio na direção do quartel d'Orsay.

Em meio à turba, West identificou a marcha constante de um pelotão. Um lampião passou por eles e então uma fileira de baionetas, depois outro lampião, que cintilava sobre um rosto moribundo.

"Hartman", Colette exclamou.

Mas ele se foi.

Eles perscrutaram a margem do rio angustiados e sem fôlego.

Passadas confusas soaram pelo cais e o portão do quartel foi fechado. Um lampião reluziu por um segundo na entrada secundária. A turba amontoou-se contra a grade. Foi quando uma saraivada de tiros ressoou da muralha de pedra.

Tochas de petróleo acenderam-se uma a uma no entorno do rio e logo a praça inteira movimentava-se inquieta. Os remanescentes da batalha vagueavam da Champs Élysées até a Place de la Concorde, uma companhia aqui, um grupo ali. Eles desembocavam de todas as ruas, seguidos por mulheres e crianças. Um murmúrio intenso trazido pelo vento frígido sibilou pelo Arco do Triunfo e singrou a avenida escurecida: "*Perdus! Perdus!*".

A retaguarda maltrapilha de um batalhão passou às pressas, sendo o próprio retrato da aniquilação. West rezingou. Então uma figura surgiu daquelas tristes fileiras e chamou o nome dele. Ao notar que se tratava de Trent, que o abordou pálido de horror, ele respondeu.

"Sylvia?"

West o encarou sem voz, mas Colette soltou um sussurro dolorido: "Ah, Sylvia! Sylvia! E eles estão bombardeando o Quartier".

"Trent", Braith bradou, mas ele já tinha partido e eles não conseguiram alcançá-lo.

O bombardeio havia cessado quando Trent cruzou a Boulevard St. Germain. A entrada da Rue de Seine estava bloqueada por uma pilha de tijolos fumegantes. As bombas tinham aberto crateras imensas pelas ruas e calçadas. O café fora reduzido a uma confusão de caibros e vidro. A livraria estava arruinada, destruída do teto ao porão, e a placa da pequena padaria, há muito fechada, jazia sobre uma larga pilha de ardósia e estanho.

Ele passou por sobre o amontoado de tijolos fumegantes e apressou-se pela Rue de Tournon. Um incêndio ardia na esquina, iluminando a sua rua. Numa mureta, sob um poste de luz destruído, uma criança estava escrevendo com um pedaço de carvão:

AQUI CAIU A PRIMEIRA BOMBA.

As letras o encaravam. O caçador de ratos terminou de escrever e afastou-se para contemplar seu trabalho. No entanto, ao avistar a baioneta de Trent, deu um grito e disparou para longe. O homem então titubeou pela rua destroçada. Mulheres irromperam de fendas e aberturas nas ruínas, praguejando e abandonando a empreitada da pilhagem.

De início, ele não foi capaz de encontrar sua casa, pois tinha os olhos turvos devido às lágrimas, mas tateou pela parede e alcançou a porta. Um lampião chispava nos aposentos da *concierge* e seu velho marido jazia morto ao lado da luz. Atordoado pelo medo, Trent apoiou-se no rifle por um momento. Então, arrebatando o lampião, disparou escada acima. Ele tentou chamar por Sylvia, mas a voz não saiu. Havia gesso espalhado pela escada do segundo andar, o assoalho do terceiro estava dilacerado e a *concierge* jazia numa poça de sangue no patamar. O andar seguinte era onde ele vivia, onde *eles* viviam. A porta pendia das dobradiças, as paredes todas fendidas. Ele arrastou-se para dentro e deixou-se cair ao lado da cama. Então Trent foi arrebatado por um abraço e um rosto inchado de choro se fez diante dele.

"Sylvia."

"Ah, Jack, Jack, Jack!"

No travesseiro ao lado deles, uma criança soluçou.

"Eles o trouxeram. Ele é meu", ela disse, arfando.

"Ele é nosso", ele sussurrou, tomando-a nos braços.

Então a voz ansiosa de Braith ecoou dos andares inferiores:

"Trent, está tudo bem aí?"

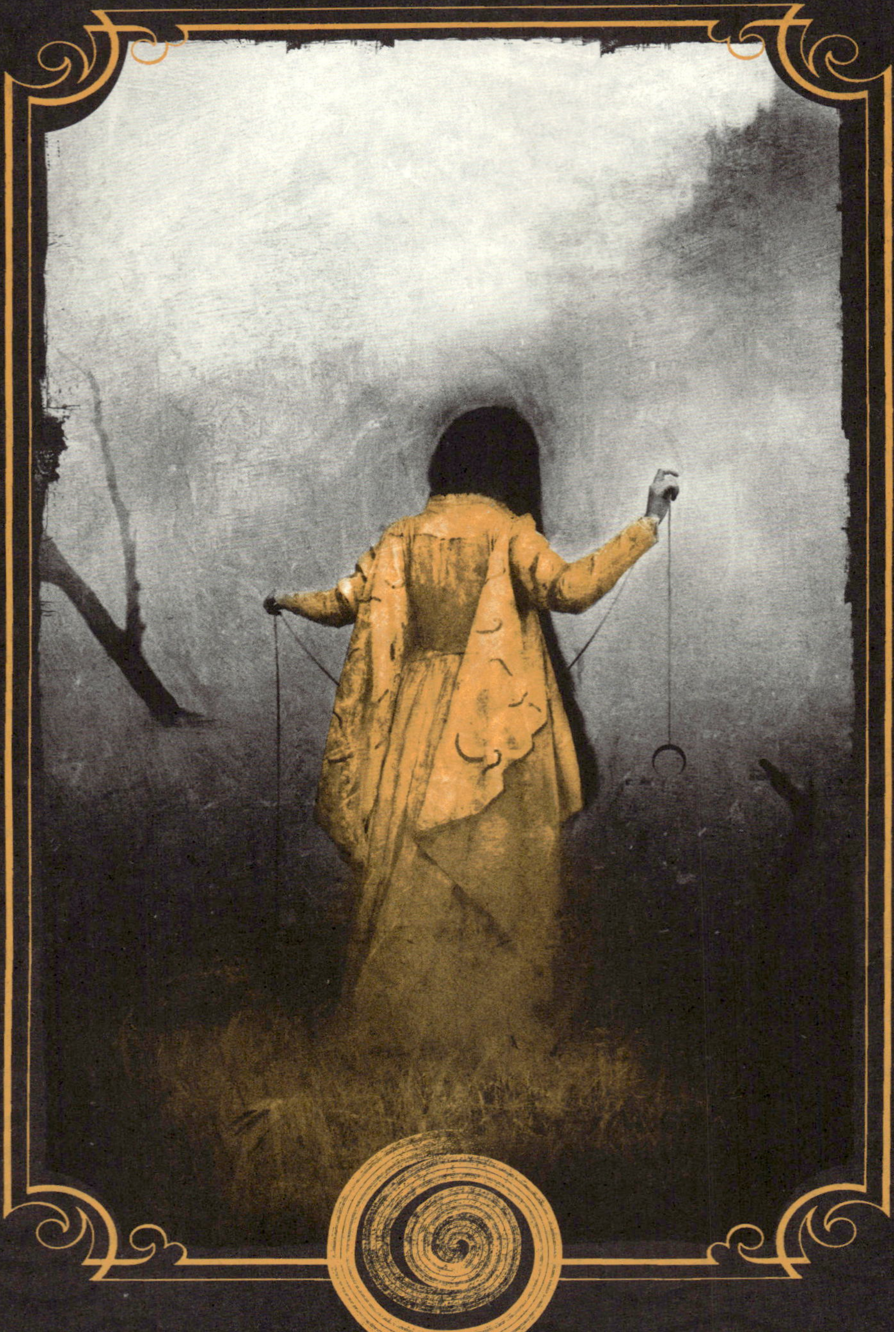

TOMO IX

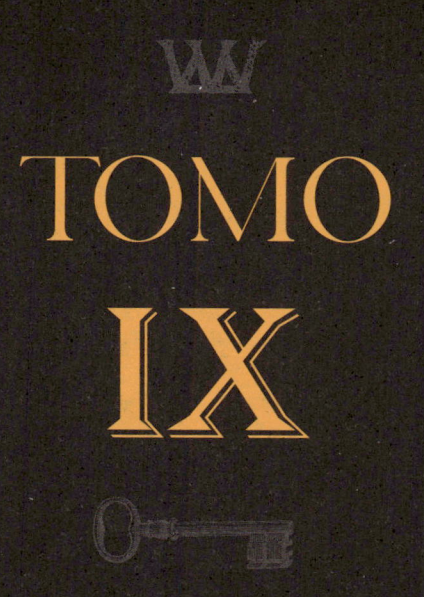

"A RUA DE NOSSA SENHORA DOS CAMPOS"

Na penúltima história do livro, somos apresentados a Hastings, um jovem puritano vindo do interior dos Estados Unidos para estudar arte em Paris. Ele mora no boêmio bairro Quartier Latin — cenário da maioria das histórias do livro. Lá, ele trava contato com Clifford, um jovem artista como ele, mas mais experiente nos perigos do mundo e do amor. Boa parte desses perigos é exemplificada pela figura de Valentine, uma moça de passado misterioso. Curiosamente, o conto evita tanto a moral vitoriana típica — de condenação ao feminino, ao amor e ao prazer — quanto a exaltação da vida boêmia dos moradores do Quartier Latin, posicionamento que parece ir ao encontro da visão de mundo do próprio Chambers, que não raro evitaria a associação de seu nome e do seu livro ao decadentismo do séc. XIX. Seriam os caminhos da inexperiência e do medo um indireto convite às descobertas do amor e da maturidade?

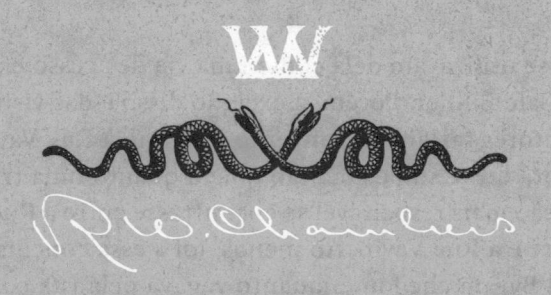

A RUA DE NOSSA SENHORA DOS CAMPOS

Et tout les jours passés dans la tristesse
Nous sont comptés comme des jours heureux!*
Da ópera *Ariodant* (1799), de François-Benoît
Hoffmann e Étienne Méhul

I

A rua não era notável, mas também não era deprimente. Tratava-se de uma pária entre outras ruas: era uma rua sem bairro. Comumente dizia-se que ela se encontrava fora dos limites da pomposa Avenue de l'Observatoire. Os estudantes de Montparnasse a consideravam um lugar abastado e não queriam saber dela. O Quartier Latin constituía, desde os Jardins de Luxemburgo, a fronteira norte, e zombava de sua respeitabilidade, desaprovando os estudantes alinhados que a frequentavam. Poucos turistas a visitavam. De vez em quando, os estudantes

---

* E todos os dias vividos em tristeza / Nos são narrados feito dias felizes!

do Quartier se utilizavam dela como uma via de acesso entre a Rue de Rennes e o Café Bullier. Porém, à exceção disso e das visitas semanais que pais e tutores faziam ao convento próximo à Rue Vavin, a Rua de Nossa Senhora dos Campos era tão quieta quanto uma travessa vazia. Talvez a porção mais respeitável se encontrasse entre a Rue de la Grande Chaumière e a Rue Vavin. Ao menos, foi a essa conclusão que o reverendo Joel Byram chegou enquanto vagava pela rua conduzido por Hastings. Para este, no entanto, a rua tinha um aspecto agradável ao frescor de junho e passou a torcer para que ela fosse selecionada. Mas então o reverendo Byram encolheu-se subitamente diante da cruz do convento do outro lado da rua.

"Jesuítas", ele sussurrou.

"Bem, acho que não vamos encontrar nada melhor do que isso. O senhor mesmo diz que o vício triunfa em Paris e me parece que vamos encontrar jesuítas por todas as ruas, ou coisas piores", ele disse enfastiado e, depois de um momento, continuou: "Coisas piores que, claro, eu não notaria se o senhor não fizesse a bondade de me apontar".

O reverendo Byram mordeu o lábio e fitou Hastings. Ele se mostrava impressionado com a clara respeitabilidade dos arredores. Então, franzindo o cenho para o convento, tomou o braço do rapaz e atravessou a rua num passo intermitente, na direção de um pórtico de ferro, o qual exibia o número 201 *bis* pintado em branco sobre um fundo azul. Logo abaixo da campainha havia um aviso, em inglês:

> Para chamar o porteiro, aperte uma vez.
> Para chamar um criado, aperte duas vezes.
> Para entrar, aperte três vezes.

Hastings tocou a campainha elétrica por três vezes, então uma criada bem-alinhada conduziu-os através do jardim até uma sala de estar. As portas da sala de jantar, logo adiante, estavam abertas, oferecendo uma ampla vista da mesa, onde uma mulher robusta se sentava. Ela se ergueu apressada e veio na direção deles. Hastings teve o vislumbre de um jovem pretensioso e de velhos cavalheiros rabugentos tomando café. Então a porta se fechou e a mulher vigorosa bamboleou sala adentro, trazendo consigo o aroma de café e um poodle preto.

"É um *plaisir* receber vocês", ela exclamou. "*Monsieur é anglais*? Não? *Americain*? É claro. Minha *pension* é no geral para *americains*. Todos aqui *parle anglais*. *C'est à dire*, o *personnel*, os *sairvants* todos *parle anglais, plus ou moins*, um pouquinho. Estou feliz em tê-los como *pensionnaires*."

"*Madame*", o reverendo Byram atalhou, sendo logo interrompido.

"Ah, *oui*, eu sei, ah! *Mon Dieu!* Vocês não falam *français*, vieram para *apprendre*. Meu esposo fala *français* com os *pensionnaires*. Há uma família *américaine* que aprende *français* com meu esposo."

O poodle rosnou para o reverendo e foi prontamente repreendido pela dona:

"*Veux tu*", ela exclamou, dando-lhe um tapa. "*Veux tu! Ah! Le vilain, ah! Le vilain!*"

"*Mais, madame*", Hastings disse, sorrindo, "*il n'a pas l'air très féroce.*"

O poodle fugiu e a dona ergueu a voz: "Ah! Que sotaque *charmant*! Ele já fala *français* como um jovem cavalheiro *parisien*!".

O reverendo Byram conseguiu articular uma ou duas sentenças, extraindo uma informação aqui e outra ali a respeito dos preços.

"É uma *pension serieux*. Minha *clientèle* é bem seleta. Na verdade, esta é uma *pension de famille* onde as pessoas se sentem em casa."

Eles subiram ao segundo andar para examinar os futuros aposentos de Hastings, testar as molas da cama e combinar a quantidade semanal de toalhas. O reverendo Byram pareceu satisfeito.

Madame Marotte os acompanhou à porta e tocou a campainha para chamar a criada. Quando Hastings ganhou a calçada de cascalho, seu guia e mentor parou por um instantee, ao fitar *madame* com olhos enevoadas, disse:

"A senhora compreende que este jovem teve uma criação por demais atenciosa e que seu caráter e moral não contam com sequer uma mancha? Ele é jovem e nunca viajou ao exterior, jamais viu uma cidade grande e seus pais me pediram, pois sou um velho amigo que vive em Paris, para garantir que ele esteja cercado apenas de boas influências. Ele vai estudar arte, mas sob nenhuma circunstância seus pais desejam que ele viva no Quartier Latin, já que sabem que a imoralidade reina por lá."

Um som como o estalo de um trinco o interrompeu, então ele volveu o rosto, mas não a tempo de ver a criada estapear o jovem pretensioso atrás da porta da sala.

A *madame* pigarreou, deu uma olhadela feroz por sobre o ombro, então sorriu ao reverendo Byram.

"Pois ainda bem que veio aqui. Esta *pension* é muito séria, *il n'en existe* outra melhor", anunciou a mulher com convicção.

Como não havia nada a acrescentar, o reverendo Byram alcançou Hastings no portão.

"Vou confiar em você", ele mirou o convento. "Vou confiar que não fará nenhuma amizade entre os jesuítas."

Hastings encarava o convento quando uma linda garota passou diante da fachada cinzenta. Ele a acompanhou com o olhar.

Um jovem carregando um estojo de tintas e uma tela vinha trotando pela rua. Ele parou diante da garota, disse alguma coisa durante um breve mas firme aperto de mãos e então os dois riram. Depois ele partiu, exclamando ao longe: "À *demain*, Valentine". Ela respondeu de um fôlego só: "À *demain*!".

Valentine, Hastings pensou, *que nome curioso*.

Ele então tratou de seguir o reverendo Joel Byram, que se arrastava na direção da estação de bonde mais próxima.

II

"E você se agrada de Paris, *monsieur Astang*?", *madame* Marotte quis saber na manhã seguinte, quando Hastings desceu para tomar café, ainda rosado devido ao mergulho na diminuta banheira do andar de cima.

"Tenho certeza de que vou gostar", ele disse, refletindo sobre seu estado de espírito melancólico.

A criada trouxe-lhe café e pãezinhos. Ele devolveu o olhar vazio a um jovem pretensioso e retribuiu os cumprimentos dos velhos cavalheiros rabugentos. Hastings nem tentou terminar o café e permaneceu ali, esfarelando um pãozinho, inconsciente dos olhares complacentes de *madame* Marotte, que tinha tato o bastante para não o perturbar.

Em seguida, a criada reapareceu, equilibrando uma bandeja que comportava duas canecas de chocolate. Os cavalheiros rabugentos deram uma olhadela lúbrica nos tornozelos dela. A criada deixou o chocolate na mesa próxima à janela e sorriu para Hastings. Então uma jovem esguia, seguida por alguém que era sua contraparte em tudo, exceto na idade, adentrou a sala e sentou-se à mesa em questão. As duas eram claramente norte-americanas, mas Hastings viu-se decepcionado, uma vez que não recebeu sinal de atenção. Ser ignorado por compatriotas intensificava sua melancolia. Ele remexeu a faca e fitou o prato.

A jovem esguia falava bastante. Estava bem ciente da presença de Hastings e pronta para se sentir lisonjeada caso ele olhasse em sua direção. Por outro lado, ela se sentia superior, afinal, já estava em Paris há três semanas, e era evidente que ele ainda nem desfizera as malas.

A conversa era complacente. Ela argumentava com a mãe sobre os méritos do Louvre e da Bon Marché, mas o papel da mãe se reduzia principalmente à observação "Ai, Susie!".

Os velhos cavalheiros deixaram o cômodo em grupo, educados por fora, furiosos por dentro. Eles não suportavam americanos, que inundavam o ambiente com aquela falação.

O jovem pretensioso os seguiu com o olhar e então soltou um pigarro oportuno e murmurou: "Salafrários senis".

"Eles parecem maus, sr. Bladen", disse a garota.

"O momento deles já passou", replicou o homem, esboçando um sorriso e um tom que sugeriam que agora o momento era todo seu.

"E é por isso que todos eles têm esse olhar caído", a garota exclamou. "Eu acho uma pena que jovens cavalheiros..."

"Ai, Susie", falou a mãe, indicando o fim da conversa.

Depois de um tempo, o sr. Bladen pôs de lado o *Petit Journal*, que ele lia todos os dias às custas da pensão, virou-se para Hastings e mostrou-se um pouco mais agradável. Ele começou: "Vejo que você é norte-americano".

O jovem, que estava morrendo de saudade de casa, respondeu que sim, grato a esse prelúdio original e brilhante. A conversa seguiu judiciosamente pontuada por observações de *miss* Susie Byng dirigidas ao sr. Bladen. No transcurso da conversa, *miss* Susie se esqueceu de referir-se apenas ao sr. Bladen e Hastings passou a responder à maioria de suas perguntas. Então a *entente cordiale* foi estabelecida e Susie e sua mãe expandiram seus domínios sobre o que era um território neutro.

"Sr. Hastings, não fuja da pensão todas as noites, como o sr. Bladen o faz. Paris pode se provar um lugar terrível para um jovem cavalheiro, e o sr. Bladen é um cínico incorrigível."

O sr. Bladen pareceu satisfeito com o comentário.

Hastings respondeu: "Vou passar o dia inteiro no estúdio. Imagino que vá me sentir contente o bastante por poder voltar para cá à noite para descansar".

O sr. Bladen, que atuava como um agente da Pewly Manufacturing Company of Troy, de Nova York, recebendo uma salário de 15 dólares semanais, deu um sorriso dúbio e se retirou, pois tinha um compromisso com um cliente na Boulevard de Magenta.

Hastings foi ao jardim acompanhado da sra. Byng e de Susie e, a convite delas, sentou-se à sombra ante o portão de ferro. As nogueiras ainda ostentavam fragrantes flores rosa-pálidas e as abelhas zuniam entre as roseiras entremeadas e as treliças na parede da casa.

Havia um suave frescor pelo ar. As carroças d'água iam e vinham pela rua, e um córrego cristalino borbulhava nas límpidas sarjetas da Rue de la Grande Chaumière. Os pardais perambulavam alegres pelo meio-fio, banhando-se naquelas águas e agitando as penas em contentamento. Em um jardim de inverno, do outro lado da rua, um par de pássaros escuros assobiava entre as amendoeiras.

Hastings engoliu em seco. O canto dos pássaros e o som da água corrente nas sarjetas de Paris trouxeram de volta a imagem dos prados ensolarados de Millbrook.

"Aquele é um melro", a srta. Byng comentou. "Olhem, ali nos arbustos de botões cor-de-rosa. Ele é todo preto exceto pelo bico. Até parece que a pontinha do bico foi mergulhada numa omelete, como alguns franceses dizem."

"Ai, Susie", a sra. Byng disse.

"Aquele é o jardim de um estúdio alugado por dois norte-americanos", a garota continuou sem se perturbar. Costumo vê-los passar por aqui. Os dois parecem precisar de um grande número de modelos, a maioria jovem e feminina."

"Ai, Susie!"

"Talvez eles prefiram pintar modelos desse tipo, mas não vejo por que precisem convidar cinco delas, além de mais três cavalheiros. Quando terminam, todos se acomodam em duas diligências e vão embora cantando." E acrescentou: "Esta rua é tediosa. Não há nada para se ver aqui, a não ser o jardim e um vislumbre do Boulevard du Montparnasse para além da Rue de la Grande Chaumière. À exceção de um policial, ninguém vem aqui. Há um convento na esquina".

"Achei que fosse um internato jesuíta", Hastings arriscou, mas foi imediatamente soterrado por uma descrição de guia de viagens.

"De um lado, ficam os palacetes de Jean-Paul Laurens e Guillaume Bouguereau e, do outro, na discreta Passage Stanislas, Carolus Duran pinta suas obras-primas que encantam o mundo", concluiu a garota.

O melro irrompeu num gorjeio alegre e profundo e, de algum ponto verdejante na cidade além, um pássaro desconhecido respondeu num chilrear exaltado e fluido. Os pardais interromperam o banho e ergueram os bicos, piando inquietos.

Uma borboleta posou num ramo de flor, agitando as asas rajadas de carmim sob o calor do sol. Hastings tomou-a como amiga, então lhe ocorreu a imagem de altos e verdes verbascos e serralhas brancas perfumadas, todos vívidos em contraste com milhares de asas coloridas. Era a visão de uma casa branca e uma *piazza* abarrotada de madressilvas. Então, ele teve o vislumbre de um homem lendo e de uma mulher curvando-se sobre um canteiro de amores-perfeitos — foi quando seu coração ficou triste. Um momento depois, ele sobressaltou-se ao ouvir a voz de *miss* Byng:

"Acredito que você esteja com saudades de casa."

Hastings corou.

Miss Susie Byng fitou-o de maneira empática e então continuou: "De início, sempre que eu sentia saudade de casa, ia passear pelos Jardins de Luxemburgo com minha mãe. Não sei por quê, mas aqueles jardins antiquados faziam com que me sentisse mais próxima de casa do que qualquer outra coisa nesta cidade tão artificial".

"Mas eles estão repletos de estátuas de mármore", a sra. Byng disse em tom brando. "Eu não vejo semelhança alguma."

"Onde ficam esses jardins?", Hastings indagou depois de certo silêncio.

"Venha comigo até o portão", respondeu-lhe *miss* Byng.

Ele se levantou e a seguiu. Ela apontou para a Rue Vavin ao fim da rua.

"Pegue a direita no convento." Ela sorriu e Hastings se foi.

III

Os Jardins de Luxemburgo resplandeciam de flores. Ele caminhou lentamente pelas longas aleias, passou diante de estátuas de mármore cobertas de musgo e de antigas colunas e, seguindo sob o arvoredo que circundava um leão de mármore, alcançou o terraço arborizado que se erguia diante da fonte. Logo abaixo, o chafariz cintilava sob o sol. Amendoeiras em florescência cercavam o terraço e alamedas de nogueiras serpenteavam para todas as direções, abrindo passagens sinuosas em meio ao bosque úmido que divisava a ala ocidental do palácio. O observatório se erguia ao fim de uma aleia, a cúpula esbranquiçada tinha o mesmo formato da de uma mesquita. Na outra extremidade, jazia o palácio, com suas vidraças incandescentes sob o intenso sol de junho.

Havia crianças ao redor da fonte. Acompanhadas por amas, elas empunhavam varetas de bambu e conduziam barquinhos de brinquedo, cujas velas vacilavam na claridade do dia. Um policial taciturno, exibindo dragonas vermelhas e munido de um sabre, observou-as por um instante, então se afastou, indo repreender um jovem que soltara seu cachorro da coleira. O cão estava ocupado rolando na terra e na relva, agitando contente as patas no ar.

O policial apontou para o cachorro, indignado e em silêncio.

"Pois é, capitão." O jovem sorriu em resposta.

"Pois é, *monsieur* estudante", o policial rezingou.

"Sobre o que o senhor veio me recriminar?"

"Se você não prender esse animal, vou confiscá-lo", exclamou o oficial.

"Mas o que isso tem a ver comigo, *mon capitaine*?"

"Ora! Esse buldogue não é seu?"

"Se ele fosse meu, o senhor não acha que o teria prendido?"

O oficial encarou-o em silêncio e então concluiu que, sendo um estudante, ele devia ter más intenções. Por isso, tentou agarrar o cão, que prontamente se esquivou. O policial saiu perseguindo o animal ao redor dos canteiros de flores e, quando o encurralou, o cão disparou de novo, cortando caminho por um dos canteiros, trapaceando o oficial.

O jovem se divertia com a situação e o buldogue também parecia apreciar o exercício.

Ao notar esse fato, o policial decidiu investir contra a fonte daquele mal. Ele avançou até o estudante e disse: "Por ser responsável por esta perturbação pública, você está preso!".

"Mas esse cachorro não me pertence."

Que situação! Era inútil tentar capturar o animal sozinho, então três jardineiros ofereceram uma mãozinha. Mas aí o cão simplesmente fugiu e desapareceu pela Rue de Médicis.

O policial se foi, cabisbaixo, buscando consolo entre as amas. O estudante bocejou, fitando o relógio. Ele avistou Hastings, sorriu e fez uma mesura. Sorrindo, Hastings circundou a balaustrada de mármore.

"Que coisa, Clifford", ele disse. "Quase não o reconheci."

"É por causa do meu bigode." O outro deu um suspiro. "Eu o tirei para satisfazer o capricho de... bem, de uma amiga. O que você achou do meu cachorro?"

"Então ele é seu?", Hastings exclamou.

"Mas é claro. Ele adora esse pega-pega com policiais, mas já ficou conhecido e vou ter que parar com isso. O cão deve ter ido para casa agora. É o que ele faz sempre quando os jardineiros entram na história. É uma pena, ele adora rolar nessa grama."

Os dois homens conversaram um pouco sobre os planos de Hastings e então Clifford se ofereceu para receber o amigo em seu estúdio.

"Sabe, aquele velho mexeriqueiro, quero dizer, o reverendo Byram, me falou de você antes mesmo que eu te conhecesse", Clifford esclareceu. "Elliott e eu vamos ficar contentes em ajudá-lo como pudermos." Então ele olhou o relógio outra vez e sussurrou: "Tenho dez minutos antes de pegar o trem para Versalhes, *au revoir*". Ele estava prestes a partir, mas ao avistar uma garota vindo pelo entorno da fonte, tirou o chapéu e deu um sorriso confuso.

"Por que você não está em Versalhes?", indagou ela, reconhecendo a presença de Hastings de um modo quase imperceptível.

"E-Eu estou indo", Clifford murmurou.

Eles se entreolharam por um momento. Clifford, enrubescido, balbuciou: "Se você me permite, tenho a honra de lhe apresentar meu amigo, *monsieur* Hastings".

Hastings fez uma longa mesura. Ela sorriu um sorriso amável, mas havia algo malicioso no suave movimento daquele queixinho *parisienne*.

"Eu gostaria que *monsieur* Clifford tivesse mais tempo para mim, mesmo quando está acompanhado de um americano tão encantador."

"Será que ainda devo ir, Valentine?", Clifford recomeçou.

"Certamente", respondeu ela.

Clifford despediu-se de maneira relutante, parecendo um tanto descontente quando ela acrescentou: "E dê meus mais amáveis cumprimentos a Cécile!". Depois que ele desapareceu na Rue d'Assas, a garota deu as costas como se estivesse indo embora. Entretanto, repentinamente lembrando-se que Hastings estava ali, ela fitou-o e deu-lhe um aceno de cabeça.

"*Monsieur* Clifford é tão bobo que às vezes chega a ser constrangedor." Ela sorriu. "Certamente deve ter ouvido sobre o sucesso que ele fez no *Salon*?"

Hastings pareceu intrigado e ela notou.

"Você já foi ao *Salon*, não é mesmo?"

"Bem, não", ele disse. "Cheguei em Paris há apenas três dias."

Ela não pareceu dar muita atenção à sua resposta.

"Ninguém imaginava que *Monsieur* Clifford tivesse energia para fazer alguma coisa boa. Mas, no dia da vernissage, o *Salon* se viu atônito diante da obra que submeteu. E ele desfilou pelo lugar, entre as pessoas, como quem não quer nada, com uma orquídea na lapela e uma linda pintura em exposição."

Ela sorriu para si mesma diante da lembrança e depois tornou o olhar à fonte.

"*Monsieur* Bouguereau disse-me que *monsieur* Julian ficou tão impressionado que, na hora de apertar a mão de *monsieur* Clifford, ele ficou todo pasmado e até se esqueceu de dar-lhe um tapinha no ombro. Imagine só", continuou ela, fazendo graça, "imagine *papa* Julian esquecendo-se de dar um tapinha no ombro de alguém."

Hastings, fascinado pelo fato de que ela conhecesse o grande Bouguereau, olhou-a com estima.

"Posso perguntar", disse ele, tímido, "se você é pupila de Bouguereau?"

"Eu?", ela disse um tanto surpresa. Então foi a vez dela o fitar com curiosidade. Será que ele estava se dando a liberdade de fazer esse tipo de piada mesmo que mal a conhecesse?

Seu rosto sério e aprazível questionava o dela.

Tiens, ela pensou, *que sujeito curioso!*
"Você estuda arte, não?", ele disse.
Ela curvou-se para trás e abaixou um tanto o guarda-sol, analisando-o.
"Por que você acha isso?"
"Porque você fala como se estudasse."
"Você está zombando de mim", disse a garota. "Isso não é de bom tom."
Valentine se calou, confusa, notando que ele enrubesceu até a raiz dos cabelos.
"Há quanto tempo você está em Paris?", disse ela por fim.
"Três dias", respondeu ele, em tom sério.
"Mas é claro que você não é um *nouveau*. Você fala francês muito bem." Ela fez uma pausa e então continuou: "Você é mesmo um *nouveau*, não é?"
"Sou."
Ela sentou-se no banco de mármore antes ocupado por Clifford e, inclinando o guarda-sol sobre a cabeça, ergueu o rosto para ele.
"Não acredito."
Ele se deu conta do elogio e, por um instante, hesitou em declarar-se um dos desprezados. Em seguida, reuniu coragem e confessou o quanto era jovem e inexperiente, tudo dotado de uma franqueza que a fez arregalar os olhos azuis e entreabrir os lábios no mais doce dos sorrisos.
"Você nunca viu um estúdio?"
"Nunca."
"Nem uma modelo?"
"Não."
"Que coisa curiosa", ela concluiu, um pouco solene demais.
Ambos riram daquilo.
"E você, já viu um estúdio?", perguntou Hastings.
"Centenas."
"E modelos?"
"Milhões."
"E você conhece Bouguereau?"
"Sim, e Henner, e Constant, e Laurens, e Puvis de Chavannes, e Dagnan, e Courtois e, bem, todos os outros!"
"E, ainda assim, você afirma que não é uma artista."
"*Pardon*", ela disse com seriedade, "por acaso eu disse que não era?"

"Você não vai me dizer?", titubeou ele.

A princípio ela o analisou, assentindo e sorrindo. De repente, ela baixou o olhar e começou a traçar figuras no cascalho, usando o guarda-sol. Hastings também havia se sentado no banco e agora, apoiando os cotovelos nos joelhos, observava a água jorrando acima do chafariz da fonte. Um garotinho vestido de marinheiro cutucava seu barco e choramingava: "Não vou para casa! Não vou para casa". Sua ama ergueu as mãos aos céus.

Exatamente como um menino norte-americano, Hastings pensou, estocado por uma pontada de saudade.

A ama logo tomou o barco dele, mas o menininho continuou resmungando.

"*Monsieur* René, você pode ter o barco de volta quando voltarmos aqui."

O garoto se afastou de cenho franzido.

"Devolva o meu barco, estou mandando", ele clamou. "E não me chame de René, meu nome é Randall, você sabe disso!"

"Olá!", Hastings disse. "Randall? É um nome inglês, não é?"

"Eu sou norte-americano", o menino anunciou num inglês claro, depois se virou para Hastings, "e ela é uma grande idiota. Ela me chama de René porque a mamãe me chama de Ranny."

Então ele esquivou-se da ama e se entrincheirou atrás de Hastings, que, sorrindo, pegou o garoto pela cintura e colocou-o no colo.

"Um de meus conterrâneos", disse ele à garota ao seu lado. Hastings sorria enquanto falava, mas tinha um gosto estranho na boca.

"Você não viu as estrelas e as faixas no meu iate?", Randall inquiriu. Com certeza, as cores da bandeira americana pendia embaixo do braço da ama.

"Ah! Ele é encantador", a garota exclamou e, num impulso, curvou-se para dar-lhe um beijo. Mas o menino Randall se desvencilhou dos braços de Hastings e a ama tratou de agarrá-lo, lançando um olhar irritado para a moça.

Ela enrubesceu e mordeu os lábios. A ama, ainda com o olhar fixo nela, arrastou a criança para longe, limpando ostensivamente a boca do menino num lenço. Então a garota roubou uma olhadela de Hastings e mordiscou os lábios outra vez.

"Que mulher mal-humorada", ele comentou. "Nos Estados Unidos, a maioria das amas fica lisonjeada quando as pessoas beijam as crianças."

Por um momento, ela inclinou o guarda-sol para esconder o rosto, mas o fechou num estalo e fitou o homem de forma desafiadora.

"Você acha estranho que ela o tenha desaprovado?"

"Como não acharia?", ele disse, surpreso.

Ela tornou a olhar para ele daquele jeito curioso, como se o analisasse. Os olhos dele se mostravam vívidos e sinceros. Ele sorriu para ela e repetiu: "Como eu não acharia?".

"Você é tão bobo", ela sussurrou, baixando a cabeça.

"Por quê?"

Mas ela não respondeu, permanecendo em silêncio, trançando linhas e círculos no cascalho com o guarda-sol. Depois de certo tempo, ele falou:

"Fico contente de ver que os jovens têm tanta liberdade aqui. Achava que os franceses não eram nada parecidos conosco. Você sabe, nos Estados Unidos, pelo menos em Millbrook, de onde sou, as garotas têm muita liberdade: elas saem sozinhas e recebem amigos sozinhas. Eu tinha receio de sentir falta disso aqui. Mas agora sei como as coisas são e fico feliz que eu estivesse enganado."

Ela levantou seus olhos para ele e os manteve fixos.

Ele continuou a falar-lhe, num tom amigável: "Desde que me sentei aqui, vi um monte de garotas bonitas caminhando sozinhas pelo terraço ali em cima. Além disso, você também está sozinha. Diga-me uma coisa, pois não estou familiarizado com os costumes franceses: por aqui, as moças têm a liberdade de ir ao teatro sozinha sem um acompanhante?".

Ela estudou o rosto dele por um longo tempo.

"Por que você está me perguntando isso?", perguntou ela, dando-lhe um sorriso vacilante.

"Porque você deve saber, é claro", ele disse, de um jeito alegre.

"Sim, eu sei", ela comentou indiferente.

Ele esperou por uma resposta. Como não recebeu nenhuma, considerou que, talvez, ela não o tivesse compreendido bem.

"Espero que você não ache que eu pretenda tomar qualquer liberdade em relação à nossa recente amizade", ele recomeçou. "Na verdade, isso é um tanto estranho, mas não sei o seu nome. Quando Clifford me apresentou, ele mencionou apenas o meu. Isso é um costume na França?"

"É um costume do Quartier Latin", ela disse com um estranho brilho nos olhos. Então, de repente, ela começou a falar de modo quase febril: "*Monsieur* Hastings, você deve saber que todos nós somos *un peu sans gêne* aqui no Quartier Latin. Somos demasiado boêmios, a etiqueta e a cerimônia não têm lugar aqui. Foi por isso que *monsieur* Clifford apresentou você para mim sem muita formalidade e nos deixou com menos formalidade ainda. Foi só por isso. Eu sou amiga dele e tenho muitos amigos no Quartier Latin. Além disso, todos nos conhecemos muito bem, e eu não sou estudante de arte, mas..."

"Mas o quê?"

"Eu não vou lhe contar. É um segredo", ela disse num sorriso incerto. Suas bochechas ardiam, rosadas, e seus olhos cintilavam.

Então, por um segundo, ela pareceu desapontada.

"Você é muito próximo de *monsieur* Clifford?"

"Não muito."

Depois de um tempo, ela voltou-se para ele, agora séria e um pouco pálida.

"Meu nome é Valentine... Valentine Tissot. Sei que acabamos de nos conhecer, mas posso pedir-lhe um favor?"

"Ah, eu me sentiria honrado", respondeu Hastings.

"É algo simples, nada de mais", ela disse gentilmente. "Prometa-me que não vai falar sobre mim com *monsieur* Clifford. Prometa-me que não vai falar sobre mim com ninguém."

"Prometo", assegurou ele, bastante intrigado.

"Quero permanecer um mistério. É um capricho." Ela deu-lhe um sorriso um tanto nervoso.

"Mas eu esperava que", ele interpôs, "digo, eu tinha esperanças de que você permitisse que *monsieur* Clifford me levasse à sua casa, que me apresentasse em sua casa."

"Em minha casa?", ela repetiu.

"Quero dizer, onde você vive. Para me apresentar à sua família."

A mudança na expressão da garota o abalou.

"Desculpe-me", ele disse. "Acho que magoei você."

Como ela era uma mulher, ela o compreendeu rápido feito um relâmpago.

"Meus pais estão mortos", ela afirmou.

Logo ele recomeçou a conversa, agora delicadamente.

"Você ficaria contrariada se eu insistisse que você me recebesse? Não é o costume?"

"Não posso", replicou ela e depois ergueu o rosto para ele. "Sinto muito, eu gostaria, mas não posso. Acredite."

Ele fez uma mesura grave, parecendo vagamente desconfortável.

"Não é porque não queira. Eu gosto de você, você é muito gentil."

"Gentil?", ele disse surpreso e intrigado.

"Gosto de você", ela repetiu lentamente, "e podemos nos ver de vez em quando se você quiser."

"Na casa de amigos."

"Não, não na casa de amigos."

"Onde então?"

"Aqui", ela respondeu num olhar vivaz.

"Que coisa! Aqui em Paris vocês têm uma visão muito mais liberal do que a nossa."

Ela o fitou com curiosidade.

"Sim, somos por demais... boêmios."

"Acho encantador", ele declarou.

"Veja só, nos encontraremos em meio à alta sociedade", ela aventurou-se, tímida, fazendo um gesto adorável na direção das estátuas de rainhas mortas, dispostas de maneira imponente por toda a extensão do terraço.

Ele olhou para ela encantado e ela iluminou-se diante do sucesso de sua piadinha inocente.

"Eu estarei muito bem acompanhada, de fato." Ela sorriu. "Sabe, estamos sob a proteção dos próprios deuses. Veja, Apolo, Juno e Vênus em seus pedestais." Ela enumerou-os em seus dedinhos enluvados. "E Ceres, Hércules e, bem, esse aqui não sei qual é."

Hastings virou-se para contemplar o deus alado sob a sombra do qual eles estavam acomodados.

"Ah, esse é o Amor", ele disse.

IV

"Tem um *nouveau* aqui", Laffat disse lânguido, inclinando-se sobre o cavalete para se dirigir ao amigo Bowles. "Tem um *nouveau* aqui que é tão tenro, fresco e apetitoso que, se ele cair numa saladeira, Deus o ajude!"

"O caipira?", Bowles inquiriu, texturizando o fundo da tela com uma paleta quebrada. Ele analisou o efeito numa expressão de aprovação.

"Um bebê adorável e tapadinho que veio lá de onde o diabo perdeu as botas. Só Deus sabe como ele brotou no meio das margaridas, mas escapou de ser comido pelas vacas."

Bowles esfregou o polegar nas arestas do estudo para, segundo ele, "criar uma atmosfera". Ele deu uma olhada na modelo, pitou o cachimbo e, notando-o apagado, riscou um fósforo nas costas do companheiro para reacendê-lo.

"O nome dele é Hastings", Laffat continuou, arremessando um pedacinho de pão na chapeleira. "Ele é verdinho e sabe tanto da vida quanto um filhote de gato dando o primeiro passeio ao luar." A expressão do sr. Laffat sugeriu a extensão de seu próprio conhecimento sobre o mundo.

Bowles havia conseguido acender o cachimbo e então esfregou o polegar na outra aresta do estudo, soltando um "Ah!".

"Você consegue acreditar nisso?", o amigo prosseguiu. "Tenho a impressão de que ele acha que as coisas por aqui são do mesmo jeito que naquela porcariazinha de rancho caipira de onde ele saiu. Ele fala sobre como as garotas bonitas andam sozinhas na rua, diz que isso é sensato e que os pais franceses são mal compreendidos nos Estados Unidos. Do ponto de vista dele, as garotas francesas, embora admita que só conhece uma, são tão alegres quanto as norte-americanas. Tentei dizer a verdade a ele, dar algum indício sobre que tipo de moça anda sozinha por aí ou sai acompanhada por estudantes. Mas ele é burro demais ou inocente demais para entender. Então fui direto ao ponto e ele me acusou de ser um louco perverso, indo embora."

"Você o apresentou à sua bota?", Bowles indagou num ocioso interesse.

"Bem, não."

"Ele te chamou de louco perverso, ora."

"E estava certo", Clifford disse de trás do cavalete.

"Quê? O que quer dizer?", Laffat retorquiu, a cor lhe subindo ao rosto.

"Quero dizer o que eu disse", Clifford replicou.

"Quem foi que falou com você? Isso não é da sua conta", Bowles escarneceu, mas quase perdeu o equilíbrio quando Clifford virou-se para ele e o encarou.

"Mas é", ele disse num tom calmo, "é da minha conta sim."

Ninguém se manifestou por algum tempo.

"Ei, Hastings", Clifford exclamou.

Hastings deixou seu cavalete e se aproximou, dando um cumprimento de cabeça ao surpreso Laffat.

"Este sujeito tem o aborrecido e eu gostaria de dizer que se você se sentir inclinado a dar-lhe uns tabefes, bem, eu cuido da outra criatura."

"Não, não! Nós só discordamos um do outro, nada de mais", Hastings disse um pouco envergonhado.

"Sem dúvidas", falou Clifford e então passou o braço pelo de Hastings e saiu vagando em sua companhia.

Clifford o apresentou a vários de seus amigos. Os outros *nouveaux* deram olhadelas de inveja e aquilo fez com que todos no estúdio compreendessem que Hastings, embora fosse o *nouveau* mais recente e só estivesse capacitado a pintar trabalhos subalternos, já integrava o charmoso círculo dos respeitados e temidos veteranos — os realmente notáveis.

Depois disso, o modelo voltou ao seu lugar e o trabalho prosseguiu, permeado pelo coro de cantos e brados ensurdecedores que os estudantes de arte emitem quando estudam o belo.

Bateram as cinco da tarde. O modelo bocejou, espreguiçou-se e vestiu as calças. Hordas de estudantes barulhentos irromperam de seis estúdios, aglomerando-se pelo corredor e ganhando a rua. Dez minutos depois, Hastings se encontrava no bonde para Montrouge. Clifford juntou-se a ele. Eles saltaram na Rue Gay-Lussac.

"Eu desço aqui", Clifford comentou. "Gosto de caminhar pelos Jardins de Luxemburgo."

"A propósito, como é que eu vou visitá-lo se não sei onde você mora?", Hastings indagou.

"Mas eu vivo do outro lado da rua."

"O quê? No estúdio com jardim? Onde tem amendoeiras e melros?"

"Exato", Clifford respondeu. "Eu vivo com meu amigo Elliott."

Hastings lembrou-se da história dos dois artistas norte-americanos contada por *miss* Susie Byng e perdeu a voz.

"Acho que seria melhor você me avisar quando estiver pensando em me visitar, porque então eu posso..." Clifford concluiu de maneira desajeitada: "Bem, aí eu posso estar lá para te receber."

"Prefiro não encontrar nenhuma das suas amigas modelos por lá", disse Hastings, sorrindo. "Você sabe, sou um pouco conservador. Acho que você diria puritano até. Eu não ia gostar, não ia saber como me comportar."

"Ah, eu entendo", Clifford, então acrescentou de modo cordial: "Tenho certeza de que seremos bons amigos, mesmo que você tenha um pé atrás comigo e meus camaradas. Mas você vai gostar de Severn e Selby porque... bem, eles são parecidos com você, meu caro." Ele fez uma pausa. "Tem uma coisa sobre a qual eu gostaria de conversar com você. Sabe, na semana passada, quando estávamos nos Jardins de Luxemburgo e eu te apresentei a Valentine..."

"Não diga mais nada", Hastings bradou, sorrindo. "Você não deve me contar nada a respeito dela."

"Mas..."

"Nada, nem uma palavra", ele falou de um jeito alegre. "Eu insisto. Prometa-me em nome de sua honra que não vai falar dela até que eu lhe dê permissão. Prometa!"

"Prometo", Clifford jurou, pasmo.

"Ela é uma garota encantadora, tivemos uma conversa tão agradável depois que você partiu. Agora chega, nem mais uma palavra a respeito dela até que eu permita."

"Ah", Clifford murmurou.

"Lembre-se da promessa." Ele sorriu, rumando para o portão.

Clifford atravessou a rua, cruzou a passagem coberta de heras e ganhou o jardim. Ele tateou em busca da chave do estúdio, sussurrando para si mesmo: "Será que perdi? Não, claro que não". Então estacou sob o pórtico e, ao pôr a chave na fechadura, encarou as duas plaquetas fixadas na porta:

FOXHALL CLIFFORD
RICHARD OSBORNE ELLIOTT

"Por que diabos ele não quer que eu fale dela?"

Ele abriu a porta e, dispensando a atenção dos dois buldogues, deixou-se cair no sofá.

Elliott sentava-se diante da janela, fumando e trabalhando num esboço.

"Olá", ele disse sem erguer o olhar.

Clifford fitou distraído a nuca do outro e então disse:

"Ah, meu amigo, temo que aquele sujeito seja por demais inocente. Estou dizendo, Elliott." Ele enfim chegou ao assunto: "Hastings, sabe? O sujeito sobre quem o mexeriqueiro do Byram veio nos falar? No dia que você teve que esconder a Colette no armário, lembra?".

"Sei, o que é que tem?"

"Ah, nada. Ele é um sujeito decente."

"Ele é", Elliott disse sem entusiasmo.

"Você acha mesmo?", Clifford quis saber.

"Bem, acho que sim, mas ele vai passar maus bocados quando algumas de suas ilusões caírem por terra."

"Vai ser mais vergonhoso ainda para quem acabar com elas."

"Ah, sim, espere até que ele venha nos fazer uma visita, de surpresa, claro."

Clifford empertigou-se. Ele acendeu um charuto e observou:

"Eu estava prestes a dizer que pedi para que ele não venha sem nos avisar, assim posso adiar qualquer orgia que você tenha planejado."

"Ah, e eu imagino que você tenha dito isso a ele bem assim", falou Elliott, indignado.

"Não exatamente." Clifford deu um risinho, mas continuou num tom mais sério: "Não quero que aconteça nada aqui que possa incomodá-lo. Ele é um sujeito decente e é uma pena que não possamos ser mais parecidos com ele."

"Eu só vivo com você...", Elliott comentou de forma complacente.

"Escute!" O outro pediu. "Consegui trocar os pés pelas mãos em grande estilo. Sabe o que eu fiz? Bem, na primeira vez que topei com ele pela rua, ou melhor, no Luxemburgo, eu o apresentei à Valentine."

"Ele se desagradou?"

"Acredite", Clifford disse num tom solene, "esse garoto do interior não faz ideia de que, na verdade, Valentine é, bem, Valentine... nem de que ele mesmo seja um belo exemplar de decência moral num bairro onde a decência é tão rara quanto um elefante. Eu ouvi muita coisa numa conversa entre o imoralzinho do Bowles e aquele patife do Laffat e isso abriu meus olhos. Te digo: Hastings é um garoto de ouro! Ele é um jovem sincero, de mente pura, criado numa vila interiorana, daquele que foi ensinado que os *Salons* são estações de baldeação no caminho do inferno. Quanto às mulheres..."

"O que tem as mulheres?", Elliott indagou.

"Bem, a ideia que ele tem de uma mulher perigosa é provavelmente uma pintura de Jezabel."

"É possível", o outro comentou.

"Ele é um achado! E se ele acredita que o mundo é um lugar tão bom e puro quanto seu próprio coração, eu digo a ele que acredito também", Clifford concluiu.

Elliott raspou o carvão na aresta da prancheta para apontá-lo. Então voltou a atenção ao esboço e disse: "Ele jamais vai ouvir qualquer coisa pessimista vindo de Richard Osborne E.".

"Ele é um exemplo para mim", Clifford disse, depois desdobrou um perfumado bilhetinho cor-de-rosa que jazia na mesa diante dele.

Ele o leu, sorriu, assobiou um ou dois compassos de "Miss Helyett" e acomodou-se para respondê-lo, utilizando seu melhor papel de carta. Depois de escrever e selar a carta, ele pegou a bengala e deu duas ou três voltas pelo estúdio, assobiando.

"Vai sair?", o outro disse sem se virar.

"Vou", respondeu Clifford, mas se demorou por um instante sobre o ombro de Elliott, que trabalhava na iluminação do esboço usando um pedacinho de pão.

"Amanhã é domingo", ele observou depois de algum silêncio.

"E?", Elliott quis saber.

"Você viu Colette?"

"Não, vou vê-la hoje à noite. Ela, Rowden e Jacqueline vão ao Boulant. Imagino que você e Cécile vão estar lá."

"Na verdade, não", Clifford respondeu. "Cécile vai jantar em casa esta noite e eu estava pensando em ir ao Mignon."

Elliott fitou-o com reprovação.

"Você pode fazer todos os preparativos para a viagem a La Roche sem mim", ele continuou, evitando o olhar de Elliott.

"O que você está aprontando agora?"

"Nada", Clifford protestou.

"Até parece", disse o outro com desdém. "Um amigo não foge para o Mignon se o resto do pessoal vai jantar no Boulant. Quem é agora? Mas não, não quero saber. De que adianta?" Ele ergueu o tom e bateu o cachimbo na mesa, reclamando: "De que adianta tentar saber por onde você anda? O que Cécile vai dizer? Ah, claro, o que será que ela vai dizer? É uma pena que você não consiga ser fiel nem por dois meses! Credo, por Júpiter! Nosso bairro é bem indulgente, mas você abusa da boa vontade desse lugar e também da minha."

Elliott se levantou e, metendo o chapéu na cabeça, apressou-se na direção da porta.

"Só Deus sabe por que as pessoas toleram suas patifarias, mas todo mundo as tolera, inclusive eu. Se eu fosse Cécile ou qualquer uma das outras lindas tolinhas atrás de quem você corre, e com toda a certeza vai continuar correndo, ah, pois te digo, se eu fosse Cécile, já teria te dado uns bons tabefes. Bem, eu estou indo ao Boulant e, como de costume, vou inventar alguma desculpa para você e resolver tudo. Não dou a mínima para onde você vai, mas juro pela ossada deste estúdio que se você não der as caras amanhã com seu material de desenho embaixo de um braço e Cécile no outro, se você não estiver apresentável, não quero mais saber de você. Os outros que pensem o que quiserem. Boa noite."

Clifford deu boa-noite, sorrindo da maneira mais agradável que foi capaz. Ele se sentou, encarando a porta. Então pegou o relógio e esperou dez minutos para ter certeza de que Elliott havia desaparecido. Em seguida, tocou a campainha do *concierge* e lamuriou: "Ah, meu Deus, por que diabos faço isso?".

Uma figura de olhos penetrantes atendeu ao chamado.

"Alfred, trate de se limpar e de se arrumar. Troque esses tamancos por um par de sapatos, escolha seu melhor chapéu e entregue esta carta na grande casa branca na Rue du Dragon. Não espere pela resposta, *mon petit* Alfred."

O *concierge* saiu aos suspiros, nos quais se mesclavam a falta de vontade para a tarefa e a afeição que sentia por *monsieur* Clifford. O jovem foi se arrumar e, com esmero, experimentou as melhores e mais belas peças tanto de seu próprio guarda-roupas quanto do de Elliott. Ele aprontou-se sem pressa e, por vezes, fez uma pausa para tocar banjo ou brincar com os cachorros, zanzando com eles a quatro pés. *Ainda faltam duas horas*, pensou, e pegou um par de polainas de seda emprestadas de Elliott, o qual usou para brincar de bola com os cães antes de decidir vesti-lo. Ele acendeu um cigarro e inspecionou os bolsos da casaca. Livrou-se de quatro lenços, um leque e um par de luvas amassadas tão longas quanto seu braço. Mas aí achou que a casaca não era adequada, pois não acrescentava *éclat* aos seus encantos. Então começou a ponderar sobre alguma coisa que pudesse substituí-la. Elliott era magro demais e, de qualquer jeito, as casacas dele estavam agora fechadas à chave. Rowden provavelmente estava tão mal aparatado quanto ele. Hastings! Hastings era o cara! Ele jogou um paletó sobre os ombros e cruzou a rua sem pressa na direção da casa de Hastings. Porém, foi informado de que o jovem saíra havia mais de uma hora.

"Agora, em nome de tudo o que é sensato, onde pode ter ido?", Clifford murmurou, olhando para a rua.

A criada não sabia, então ele presenteou-a com um sorriso encantador e marchou de volta ao estúdio.

Hastings não se encontrava tão longe dali. Os Jardins de Luxemburgo ficavam a cinco minutos a pé da Rua de Nossa Senhora dos Campos, e lá ele se achava acomodado sob as sombras de um deus alado. Lá, estivera sentado por mais de uma hora, traçando linhas no cascalho, atento à escadaria que levava do terraço norte até a fonte. O sol, uma esfera púrpura, pairava sobre as colinas brumosas de Meudon. Longas fileiras de nuvens róseas vagavam baixas pelos céus, rumando a oeste, e o domo do distante Hôtel des Invalides refulgia feito uma opala através da neblina. Por trás do palácio, a fumaça de uma alta chaminé erguia-se retilínea no ar, arroxeada até cruzar diante do sol, na altura em que se transmutava numa linha de chamas ardentes. As torres irmãs de St. Sulpice assomavam-se além das copas escuras das nogueiras, uma silhueta que se adensava mais e mais devido ao passar das horas.

Um melro sonolento cantarolava num arbusto próximo e pombos iam e vinham, trazendo o suave sussurro do vento sob as asas. A luz nas janelas do palácio havia se esvanecido e a cúpula do Panthéon flutuava cintilante acima do terraço norte, como uma Valhalla flamejante nos céus. Logo abaixo, num arranjo sombrio ao longo dos limites do terraço, as rainhas de mármore fitavam o horizonte.

O ruído dos ônibus e o rumor da rua projetavam-se do final da longa trilha de cascalho, adentrando o portão de ferro próximo à fachada norte do Palácio. Hastings fitou o relógio do campanário. Era seis horas. Como seu próprio relógio concordava com aquele, ele voltou a traçar linhas pelo chão. Havia um constante fluxo de pessoas entre o Odéon e a fonte. Sacerdotes trajados de preto, calçando sapatos de fivelas prateadas; soldados em desalinho, caminhando langorosos; garotas muito bem arrumadas e sem chapéus, trazendo caixas de modistas; estudantes carregando portfólios encadernados em couro e usando cartolas; estudantes de *bérets*, portando bengalas; oficiais apreensivos a passos largos; moças ostentando joias de prata cravejadas de turquesas; soldados de cavalaria num trote monótono sobre a poeira; garotinhos de entrega, saltitando sem um pingo de consideração pelas cestas que traziam equilibradas naquelas cabeças travessas; e, por fim, um proscrito esquálido, um cambaleante pedinte parisiense, vagando de ombros caídos, analisando furtivamente o pavimento em busca de algum resto de cigarro tragável; todos passavam pelo entorno da fonte num ritmo constante, saindo para a cidade pelo Odéon, cujas longas arcadas agora luziam sob o brilho de postes a gás. Os melancólicos sinos de St. Sulpice bateram a hora e a torre do relógio do palácio se iluminou. Hastings ergueu o rosto, ouvindo o som de passos apressados se aproximando pelo cascalho.

"Você está atrasada", ele disse, rouco, mas apenas seu rosto ruborizado revelava o quanto a espera tinha sido longa.

"Acabei me demorando", respondeu ela. "De fato, fiquei bastante aborrecida e… bem… acontece que só posso ficar um minuto."

Ela se sentou ao lado dele e lançou um olhar furtivo ao deus no pedestal.

"Que inconveniente, esse Cupido intrometido ainda está aqui?"

"Com asas e setas e tudo o mais", acrescentou Hastings, sem se dar conta de que havia se sentado.

"Asas", ela repetiu num suspiro. "Ah, sim, para voar para longe sempre que ele estiver cansado deste jogo. É claro que foi um homem quem concebeu a ideia de asas, do contrário, o Cupido seria insuportável."

"Você acha mesmo?"

"*Ma foi*, isso é por certo o que os homens acham."

"E as mulheres?"

"Ah", exclamou ela num suave meneio de cabeça. "Eu realmente me esqueci do que estávamos falando."

"Falávamos sobre o amor."

"Não *eu*", a moça comentou. Em seguida fitou o deus de mármore. "Eu não dou a mínima para ele. Não estou convencida de que ele saiba mirar direito suas flechas. Não, ele é na verdade um covarde. Se insinua feito um assassino ao cair da noite e não aprovo essa covardia", ela afirmou, dando as costas à estátua.

"Já eu, acho que mira muito bem", Hastings disse hesitante. "E até nos dá pistas."

"Você fala por experiência própria, *monsieur* Hastings?"

Ele encarou-a direto nos olhos e falou: "Ele está me dando pistas".

"Então seja cauteloso." Ela deu um sorriso nervoso. Valentine tirou as luvas enquanto falava, mas voltou a calçá-las num gesto esmerado. Assim que terminou, ela virou o rosto na direção do relógio do palácio e disse: "Nossa, como está tarde." Ela enrolou o guarda-sol, depois o desenrolou e, enfim, olhou para Hastings.

"Não, não pretendo ser cauteloso", declarou ele.

"Ah, Deus", ela suspirou, "você ainda está falando sobre essa estátua sem graça. Imagino que..." Ela deu-lhe um olhar de canto de olho. "Imagino que você esteja apaixonado."

"Não sei", ele murmurou. "Acho que sim."

Ela ergueu o rosto num gesto rápido.

"Você parece encantado pela ideia", respondeu a jovem e, quando seus olhos encontraram os dele, mordeu os lábios, acometida por um arrepio. Ela foi tomada por um medo repentino, então se empertigou, encarando as sombras que se assomavam pelos jardins.

"Você está com frio?", ele indagou.

"Ah, meu Deus, como está tarde. Está tão tarde. Preciso ir. Boa noite." Foi tudo o que ela disse. Em seguida, ofereceu-lhe a mão enluvada por um segundo, mas a recolheu num sobressalto.

"O que foi?", ele insistiu. "Você está assustada?"

Valentine encarou-o de maneira curiosa.

"Não, não estou assustada. Você é muito gentil comigo e..."

"Por Júpiter! O que quer dizer com isso? Essa é pelo menos a terceira vez que você diz isso, e eu não entendo o que significa."

Ele foi atalhado pelo rufar de um tambor vindo da guarita do Palácio. "Escute só, eles vão fechar os portões", sussurrou ela. "Está muito tarde."
O som do tambor parecia mais próximo agora e a silhueta do tamborileiro projetou-se contra o céu acima do terraço leste. A luz do dia evanescente cintilou por um momento no cinto e na baioneta do oficial. Então ele sumiu nas sombras, despertando os ecos dos bosques com o rufar do instrumento. O som dissipou-se pela extensão do terraço leste, mas crepitou, cresceu e se intensificou quando o homem perpassou a alameda diante do leão de bronze, pegando o passeio que conduzia ao terraço oeste. O tambor soava cada vez mais alto, ecoando na umbrosa parede do palácio. Então o tamborileiro avultou-se diante deles, com suas calças vermelhas surgindo como uma mancha opaca na escuridão crescente, o bronze do tambor e da baioneta faiscando, além das dragonas que se agitavam em seus ombros. O sujeito se foi, deixando o estalido do tambor nos ouvidos deles e, ao longe, na aleia, o casal distinguiu o brilho de uma diminuta caneca de estanho pendurada em seu bornal. Então as sentinelas anunciaram monótonas "*On ferme! On ferme!*" e uma corneta soou nos quartéis da Rue de Tournon.
"Boa noite", sussurrou ela. "Hoje eu preciso voltar sozinha."
Ele observou-a alcançar o terraço norte e desaparecer. Hastings sentou-se no banco de mármore e ali permaneceu até que um toque em seu ombro e o chispar da baioneta pedissem que ele também se retirasse.
Valentine contornou o bosque e pegou a Rue de Médicis na direção do Boulevard. Na esquina, ela comprou um buquê de violetas e seguiu rumo à Rue des Écoles.
Uma diligência parou em frente ao Boulant e, auxiliada por Elliott, uma linda garota desceu.
"Valentine", a moça chamou, "venha conosco!"
"Não posso", ela respondeu, parando por um instante. "Tenho um encontro no Mignon."
"Não com Victor?", a garota exclamou, sorrindo. No entanto, sentindo um leve frêmito, Valentine deu um aceno de boa-noite e voltou a caminhar.
Ao entrar no Boulevard St. Germain, ela apertou o passo para escapar do alegre grupo que, sentado diante do Café Cluny, convidou-a para se juntar a eles. Havia um recepcionista de pele retinta à entrada do Restaurante Mignon. Ele tirou o quepe num cumprimento quando ela passou, dirigindo-se às escadas acarpetadas.

"Chame Eugene, por favor?", disse ela ao chegar à recepção.

Ela cruzou o átrio, virou à direita na sala de jantar e parou diante de uma fileira de portas. Um atendente passou por ela, a quem a jovem repetiu o pedido por Eugene, que logo apareceu, discreto e silencioso.

"*Madame*", ele murmurou, curvando-se de leve.

"Quem está aqui?"

"Não há ninguém nos reservados, *madame*. Já no mezanino estão *madame* Madelon e *monsieur* Gay, *monsieur* de Clamart, *monsieur* Clisson e *madame* Marie acompanhada de sua trupe." Ele analisou os arredores e, numa mesura, disse: "*Monsieur* está esperando a *madame* há meia hora".

Em seguida ele bateu à porta número seis.

Clifford atendeu e a moça entrou no reservado. O garçom curvou-se quando ela passou, sussurrando "*Monsieur* teria a bondade de tocar a sineta?". Então desapareceu.

Ele a ajudou a tirar o casaco, depois tomou seu chapéu e guarda-sol. Ela sentou-se à mesa de frente para Clifford, deu-lhe um sorriso, apoiou-se nos cotovelos e o olhou nos olhos.

"O que você está fazendo aqui?", indagou.

"Esperando", respondeu o homem em tom de adoração.

Ela virou-se e examinou a si mesma no espelho por um momento. Os imensos olhos azuis, o cabelo cacheado, o nariz reto e os lábios estreitos e salientes — seu reflexo chispou no espelho por não mais de um segundo. Então ela se virou e o espelho passou a refletir suas costas delgadas e seu belo pescoço. "Pronto, assim dou as costas à vaidade", ela disse, inclinando-se para frente outra vez. "O que você está fazendo aqui?"

"Esperando por você", Clifford repetiu levemente aborrecido.

"E Cécile?"

"Não faça isso, Valentine."

"Você não sabe que desaprovo o seu comportamento?", disse ela, com calma.

Ele mostrou-se desconcertado e então chamou Eugene, na esperança de que isso mascarasse sua confusão.

Eles tomaram uma sopa *bisque* acompanhada de uma garrafa de vinho Pommery. Os pratos sucederam-se como de costume e depois Eugene trouxe o café. Não havia mais nada sobre a mesa a não ser uma diminuta lamparina de prata.

"Valentine", Clifford começou, depois de receber a permissão de fumar, "o que vai ser? Vaudeville ou Eldorado? Ou ambos? Ou então o Nouveau Cirque?"

"Fiquemos aqui mesmo", disse ela.

"Bem, temo que eu não conseguiria entreter você", respondeu ele, bastante lisonjeado.

"Ah, mas é claro que sim, você é mais divertido que o Eldorado."

"Olhe aqui, não tire sarro de mim, Valentine. Você sempre faz isso, mas acontece que, quero dizer, você sabe o que dizem: uma boa risada é capaz de matar."

"O quê?"

"Hum... o amor e tudo mais."

Ela riu tanto que chegou a lacrimejar.

"*Tiens*", ela exclamou. "Então ele morreu."

Clifford mirou-a numa preocupação crescente.

"Você sabe por que vim?", perguntou ela.

"Não", respondeu o homem, inquieto. "Não sei."

"Há quanto tempo você está me cortejando?"

"Bem, acho que faz mais ou menos um ano", ele admitiu um tanto surpreso.

"Acho que faz um ano, de fato. Você não está cansado?"

Ele não respondeu.

"Será que você não sabe que gosto demais de você para, bem, para me apaixonar por você?", ela disse. "Você não tem noção de que somos dois bons companheiros, de que somos amigos demais para isso? Mesmo que não fossemos, você acha que eu não conheço seu histórico, *monsieur* Clifford?"

"Não faça isso, não seja sarcástica", ele pediu. "Não seja cruel, Valentine."

"Eu não sou. Estou é sendo gentil com você e com Cécile."

"Cécile está cansada de mim."

"Espero que sim. Ela merece algo melhor. *Tiens*, será que você não sabe a reputação que tem no Quartier? Você é conhecido por ser infiel, o mais infiel, totalmente incorrigível e tão errante quanto um pernilongo numa noite de verão. Coitada da Cécile!"

Clifford parecia tão desconfortável que Valentine se sentiu impelida a falar num tom mais amistoso.

"Gosto de você e você sabe disso. Todo mundo gosta. Aqui você é uma criança mimada. Para você tudo é permitido e todos fazem concessões, mas nem todo mundo pode ser uma vítima dos seus caprichos."

"Caprichos", ele exclamou. "Por Júpiter! Como se as garotas do Quartier Latin não fossem caprichosas."

"Não importa, nem toque nesse assunto. Você não está em posição de julgá-las. Logo você, de todos os homens. Por que veio aqui esta noite? Ah!", exclamou a mulher. "Vou lhe dizer por quê! *Monsieur* recebeu um bilhetinho, enviou uma resposta, arrumou-se com a sua indumentária de conquista..."

"Não fiz isso", protestou Clifford, bastante corado.

"Fez sim, e essa roupa se torna quem você é", ela replicou num sorriso desbotado. Em seguida recomeçou, agora solene: "Estou à sua mercê, mas sei que estou à mercê de um amigo. Vim aqui para admitir isso para você. E é por causa disso que preciso lhe pedir um favor".

Clifford arregalou os olhos, mas não disse nada.

"Estou muito angustiada. É sobre *monsieur* Hastings."

"Sim?", Clifford disse surpreso.

"Gostaria de lhe pedir algo", ela continuou num tom baixo. "Quer dizer, eu gostaria de pedir que, caso você fale de mim na presença dele, não conte que... não diga que..."

"Não vou comentar com ele a seu respeito", disse ele, muito sério.

"Você poderia precaver os outros?"

"Posso fazer isso, se eu estiver presente e ouvir algo. Posso perguntar por quê me pede isso?"

"Não seria justo", ela lamentou. "Você sabe que ele tem muita consideração por mim, por mim e por todas as mulheres. Você sabe que ele é bem diferente de você e dos outros. Jamais havia conhecido um homem como *monsieur* Hastings."

Clifford não notou que o cigarro tinha se apagado.

"Eu quase temo por ele, e temo que ele descubra o que realmente somos aqui no Quartier. Ah, eu não quero que ele saiba. Não quero que se afaste de mim e que pare de me tratar como me trata. Você, você e todos os outros não fazem ideia de como tem sido para mim. Eu não conseguia acreditar nele, que fosse um sujeito decente. Não quero que fique sabendo tão cedo de tudo. Porque cedo ou tarde ele vai descobrir. Vai acabar descobrindo por si mesmo e então vai se afastar de mim", disse Valentine, cheia de emoção. "E como você sabe, ele vai se afastar de mim, mas não de *você*, não é mesmo?"

Clifford, deveras envergonhado, fitou o cigarro.

A moça se levantou. Ela estava bastante pálida. "Ele é seu amigo. Você tem o direito de preveni-lo."

"Ele é meu amigo", ponderou o homem.

Eles trocaram um olhar em silêncio.

"Mas por tudo o que é mais sagrado, não conte para ele", ela pediu.

"Vou confiar no que é sagrado para você", disse ele, num tom amigável.

V

O mês de Hastings passou rápido, deixando poucas lembranças duradouras. Mas de fato deixou algumas. Uma delas foi um amargo encontro com o sr. Bladen no Boulevard des Capucines, que vagava na companhia de uma jovem expansiva cuja risada causou-lhe certa consternação. O sr. Bladen o arrastou a um café para que bebessem uma cerveja preta. Quando ele enfim foi capaz de escapar, sentiu que todo o boulevard estava olhando para ele, julgando-o por suas companhias. Mais tarde, Hastings teve um palpite a respeito da jovem companhia do sr. Bladen e isso fez suas bochechas enrubescerem. Ele voltou à pensão num estado de espírito tão miserável que *miss* Byng mostrou-se alarmada, afirmando que ele necessitava superar a saudade de casa de uma vez por todas.

Havia outra lembrança vívida. Certo sábado de manhã, ele vagueou pela cidade sentindo-se solitário e acabou indo parar na Gare St. Lazare. Era cedo demais para tomar café, mas ele entrou no Hôtel Terminus e sentou-se a uma mesa próxima da janela. Ao se virar para fazer o pedido, um homem que vinha rapidamente pelo corredor entre as fileiras esbarrou nele. Hastings ergueu o rosto para receber o esperado pedido de desculpas, mas em vez disso ganhou um tapa no ombro e uma indagação calorosa:

"Mas que diabos você está fazendo aqui, meu caro?"

Era Rowden, que enganchou no braço dele e pediu que o acompanhasse.

Então, protestando sem muita insistência, Hastings foi conduzido a uma sala reservada onde Clifford, um tanto enrubescido, saltou da mesa e o recebeu com uma expressão de surpresa, logo amaciada pela sincera camaradagem de Rowden e pela exemplar polidez de Elliott. Este último o apresentou a três garotas encantadoras que o saudaram de maneira adorável, concordando com Rowden quando ele exigiu que Hastings se juntasse a eles, o que ele aceitou de imediato. Enquanto Elliott fazia um breve resumo sobre o objetivo da viagem a La Roche, Hastings saboreava satisfeito a omelete, correspondendo aos sorrisos de Cécile, Colette e Jacqueline. Nesse meio-tempo, Clifford sussurrou para Rowden, informando-o do quanto ele era idiota. O pobre Rowden pareceu arrasado, mas Elliott deu-se conta para onde as coisas estavam se encaminhando, então deu a Clifford um olhar de reprovação e encontrou um modo de dizer a Rowden que todos tentariam lidar com a situação da melhor maneira possível.

"Cale essa boca", Elliott disse a Clifford. "Foi o destino, está resolvido."

"Foi Rowden, está resolvido", Clifford murmurou, disfarçando a contrariedade. Ele não era a ama de Hastings, afinal de contas.

Assim, o trem que partiu as nove e quinze da Gare St. Lazare fez uma breve parada no caminho para Havre e uma trupe alegre desceu na estação de telhas de barro de La Roche, munida de guarda-sóis, varas de pesca e uma bengala, esta carregada por um desentrosado Hastings. Eles escolheram um lugar num bosque de sicômoros que margeava o pequeno rio Epte. Nesse ponto, Clifford, o reconhecido especialista em tudo o que dizia respeito à prática esportiva, assumiu o comando.

"Rowden", disse ele, "divida suas iscas artificiais com Elliott, mas fique de olho nele ou o sujeito vai tentar usar um flutuador e uma chumbada. E impeça-o, mesmo que à força, de sair por aí caçando minhocas."

Elliott protestou, mas cedeu diante da gargalhada geral.

"Você me faz parecer um tapado", ele afirmou. "Acha que essa é minha primeira truta?"

"Vou ficar encantado ao ver sua primeira truta", Clifford comentou, desviando do anzol que Elliott lançara na direção dele.

Clifford tratou de selecionar e preparar três varas delgadas destinadas a oferecer satisfação e peixes a Cécile, Colette e Jacqueline. Ele decorou cada uma das linhas com quatro chumbadas cortadas, um diminuto anzol e um cintilante flutuador adornado com penas.

"*Não vou encostar nas minhocas*", Cécile anunciou num frêmito.

Jacqueline e Colette se apressaram em dar-lhe razão. Então Hastings cordialmente se ofereceu para repor as iscas e retirar os peixes dos anzóis. Mas Cécile, sem dúvida fascinada pelas iscas espalhafatosas de Clifford, decidiu aceitar que ele lhe desse lições na verdadeira arte da pescaria e logo desapareceu, arrastando Clifford ao longo da margem.

Elliott lançou um olhar incerto a Colette.

"Prefiro pescar góbios", disse ela decidida. "Você e *monsieur* Rowden podem ir procurar um lugar quando quiserem, não é mesmo, Jacqueline?"

"Mas é claro", respondeu Jacqueline.

Elliott, indeciso, examinou a vara e o molinete.

"Você está segurando o molinete de cabeça para baixo", Rowden interveio.

O outro titubeou, lançando um olhar furtivo para Colette.

"Estou pensando em, bem, quer dizer... hum... acho que é melhor eu não jogar a isca na água ainda", ele recomeçou. Cécile deixou uma vareta ali e...

"Não chame de vareta", Rowden o corrigiu.

"*Vara* então", Elliott respondeu, saindo atrás das duas garotas. Mas Rowden imediatamente o deteve.

"Não, nem pensar! Para que um sujeito precisa de flutuador e chumbada se ele tem uma ótima isca artificial com penas e tudo nas mãos?"

Onde o plácido Epte cruzava à mata na direção do Sena, uma margem relvada sombreava o lugar em que se pescava góbios. Colette e Jacqueline estavam sentadas ali na orla, conversando, rindo e observando os flutuadores emplumados se agitarem na superfície da água. Hastings estava deitado na relva, o chapéu cobrindo os olhos, a cabeça recostada num banco de musgo, ouvindo as suaves vozes das garotas, e sempre que o vulto da vara e uma exclamação semiabafada anunciavam um peixe, ele galantemente retirava um pequeno e furioso góbio do anzol. A luz do sol era filtrada pelas frondosas copas das árvores, que pareciam responder ao canto dos pássaros. Pegas de uma imaculada plumagem preta e branca brincavam nos arredores, saltitando pelos galhos, agitando as caudas. Gaios-azuis de peito rosado gorjeavam em meio às árvores e um falcão singrou os campos de trigo maduro, provocando uma revoada de pássaros.

Do outro lado do Sena, uma gaivota sobrevoou a água feito uma pluma. O ar estava límpido e quieto. Mal uma folha se movia. Ouviam-se os vagos rumores de uma fazenda distante, com o canto agudo do galo e um monótono latido. De vez em quando, um rebocador dotado de uma imensa chaminé fumacenta, nomeado *Guêpe 27*, subia o rio, arrastando uma interminável linha de barcaças. Em outras ocasiões, um barco a vela descia a corrente na direção da lânguida Rouen.

O suave frescor de terra e água pairava no ar e, em meio aos feixes de sol, borboletas rajadas de laranja dançavam acima do charco e outras aveludadas voavam pelas florestas cobertas de musgo.

Hastings pensava em Valentine.

Eram duas da tarde quando Elliott voltou e, admitindo com franqueza que havia despistado Rowden, sentou-se satisfeito ao lado de Colette, preparando-se para tirar um cochilo.

"Onde estão suas trutas?", Colette disse num esgar.

"Ainda estão vivas", Elliott sussurrou e, sem demora, caiu no sono.

Rowden surgiu em seguida, lançou um olhar desdenhoso ao dorminhoco e exibiu três trutas sarapintadas.

"E este", Hastings sorriu preguiçosamente, "este é o sagrado remate pelo qual labutam aqueles que têm fé: o abate de três peixinhos usando um pouco de seda e penas."

Rowden sequer se deu ao trabalho de responder-lhe. Colette pegou outro góbio e então acordou Elliott, que, aos resmungos, perscrutou os arredores em busca das cestas de comida. Clifford e Cécile reapareceram, afirmando que necessitavam de descanso imediato. As saias de Cécile estavam ensopadas e as luvas, destruídas, mas ela cintilava de alegria. Clifford revelou uma truta de um quilo e permaneceu um momento imóvel, sendo aplaudido pelo grupo.

"Onde diabos você pegou isso?", Elliott quis saber.

Cécile, molhada e entusiasmada, contou como havia se dado o confronto. Clifford elogiou-a por sua habilidade com a isca e, como prova, retirou outro peixe do cesto, um que, como ele apontou, era quase uma truta.

Todos almoçaram em grande animação. Hastings foi considerado "encantador". Ele se viu imensamente satisfeito, só que às vezes parecia-lhe que, na França, os flertes iam um pouco além do que iam em

Millbrook, Connecticut. Ele considerou que Cécile poderia demonstrar um pouco menos de interesse por Clifford, que talvez fosse melhor se Jacqueline não se sentasse tão perto de Rowden, e que era provável que Colette pudesse, ao menos por um instante, tirar os olhos de Elliott. Ainda assim, ele apreciou a viagem. Então pensou em Valentine, sentindo que se encontrava muito longe dela. La Roche ficava a pelo menos uma hora e meia de Paris. Também era verdade que ele se sentiu feliz e de coração acelerado quando, às oito da noite, o trem que os conduzira de La Roche adentrou na Gare St. Lazare e ele se viu mais uma vez na cidade de Valentine.

"Boa noite", eles se despediram, reunidos ao redor dele, "Você precisa vir conosco de novo da próxima vez."

Ele prometeu que iria e observou-os mergulhar aos pares naquela cidade crepuscular. Então fitou-os por tanto tempo que, quando desviou o olhar, o vasto boulevard chamejava iluminado por postes a gás. Em meio àquele chispar amarelado, as luzes elétricas o espreitavam feito luas.

VI

Na manhã seguinte, ele despertou de coração acelerado, com o primeiro pensamento do dia destinado a Valentine.

O sol já tingia de dourado as torres de Notre Dame, os ruídos do vai e vem dos trabalhadores ecoava de outra rua e, na casa da frente, um melro cantava extasiado numa amendoeira florida.

Ele decidiu acordar Clifford para que fizessem uma caminhada matutina pelo campo, esperando que, para o bem de sua alma, pudesse mais tarde atrair o cavalheiro a uma igreja americana. Ele deparou-se com Alfred, o *concierge* de olhos penetrantes, ocupado em varrer a calçada que levava ao estúdio.

"*Monsieur* Elliott?", ele replicou à comum saudação: "*Je ne sais pas.*"

"E *monsieur* Clifford?", Hastings indagou um tanto surpreso.

"*Monsieur* Clifford vai adorar recebê-lo", o *concierge* disse numa bela ironia, "já que ele se retirou cedo. Na verdade, ele acabou de chegar."

Hastings hesitou. O *concierge* descambou num intenso panegírico sobre pessoas que nunca ficavam fora a noite toda e não vinham bater à sua porta nas horas em que até um *gendarme* consideraria sagradas ao sono. Ele também discursou de maneira eloquente sobre os méritos da abstinência, depois bebeu um ostentoso copo d'água da fonte do jardim.

"Acho que não vou entrar", Hastings disse.

"*Pardon, monsieur*", o *concierge* resmungou, "talvez fosse acertado visitar *monsieur* Clifford. Ele deve precisar de ajuda. A mim, atira botas e escovas; é um milagre que nunca tenha jogado uma vela e ateado fogo em alguma coisa."

Hastings vacilou por um instante, mas, engolindo a antipatia por tal tarefa, cruzou a passos lentos a passagem coberta de hera, seguiu pelo jardim e chegou ao estúdio. Ele bateu à porta. O silêncio era total. Bateu outra vez, então alguma coisa atingiu a porta pelo lado de dentro.

"Isso", o *concierge* disse, "foi uma bota." O homem fez uso de sua chave reserva e indicou que Hastings entrasse. Clifford, trajando um pijama amarrotado, estava sentado no tapete no meio da sala. Ele segurava um sapato e não pareceu surpreso ao ver Hastings.

"Bom dia, você usa sabonete Pears?", ele questionou num gesto vago e num sorriso mais vago ainda.

Hastings sentiu um aperto no peito. "Pelo amor de Deus, homem!", disse ele. "Vá para a cama, Clifford."

"Não enquanto aquele Alfred 'tiver tentando meter a cara pela porta e eu tiver um sapato sobrando."

Hastings apagou a vela, juntou o chapéu e a bengala de Clifford.

"Isso é terrível, Clifford. Nunca soube que você fazia esse tipo de coisa", disse ele sem conseguir disfarçar a agitação.

"Bem, eu faço", Clifford declarou.

"Onde está Elliott?"

"Meu velho", Clifford replicou, agora autoindulgente. "A providência divina, que alimenta... que cuida... hum... dos pardais e tudo mais também cuida do vagabundo imoderado..."

"Onde está Elliott?"

Clifford apenas deu um aceno de cabeça e fez um gesto indistinto.

"Ele 'tá por aí em algum lugar." Tomado por uma súbita vontade de ver o amigo ausente, ele ergueu a voz e o chamou aos uivos.

Hastings se viu chocado, então se sentou emudecido no sofá. Em seguida, depois de derramar incontáveis lágrimas, Clifford animou-se e levantou-se com grande cautela.

"Meu camarada", observou ele, "você quer ver um milagre? Bem, *vam'lá. Eu vô começá.*" Ele fez uma pausa, esboçando um vago e alegre sorriso. "Um milagre", repetiu.

Hastings imaginou que ele estivesse se referindo ao milagre de conseguir ficar em pé, mas não disse nada.

"Eu vou *pra* cama", ele anunciou. "O coitado do Clifford vai *pra* cama, isso sim com certeza é um milagre."

E ele de fato foi. E o fez demonstrando uma bela noção da distância e um equilíbrio que teria feito Elliott agraciá-lo com uma salva de palmas caso estivesse ali para o assistir *en connaisseur*. Mas não estava. Ele ainda não havia voltado ao estúdio. Estava a caminho, no entanto, e sorriu em magnífica condescendência quando Hastings o encontrou, meia hora mais tarde, acomodado num banco nos Jardins de Luxemburgo. Ele permitiu que Hastings o ajudasse a se levantar, que espalmasse a poeira de sua roupa e o conduzisse até o portão. Depois disso, recusou qualquer auxílio adicional e, fazendo uma mesura condescendente, tomou o rumo — razoavelmente correto — da Rue Vavin.

Hastings observou-o sumir de vista, depois refez o caminho na direção da fonte. De início, sentiu-se triste e melancólico, mas, aos poucos, o frescor da manhã aliviou-lhe o peso no peito. Ele sentou-se no banco de mármore sob a sombra do deus alado.

O ar estava fresco e adocicado, permeado pelo perfume de flores de laranjeira. Havia pombos por toda parte: eles se banhavam na fonte e as gotículas de água brilhavam na plumagem opalescente de seu peito. Entravam e saíam nos jatos do chafariz, mergulhando até quase o pescoço na água cintilante. Os pardais também se agitavam energéticos, encharcando as penas cor de terra na lagoa límpida e chilreando a plenos pulmões. Sob os sicômoros que circundavam a lagoa do outro lado da fonte Marie de Médicis, patos e gansos bicavam ervas e vagavam em fila pela margem, embarcando em alguma jornada solene e sem rumo.

Borboletas, talvez enfastiadas da noite frígida, repousavam sob os lilases, erravam aqui e ali sobre flores pálidas ou descreviam um voo sôfrego rumo a arbustos aquecidos pelo sol. As abelhas já se encontravam ocupadas e uma ou duas moscas de olhos avermelhados estavam pousadas num feixe de sol ao lado do banco de mármore. Um vez ou outra, elas zumbiam em círculos apenas para voltar ao mesmo lugar e esfregar, exultantes, as patas traseiras.

Sentinelas iam e vinham em passos apressados, pausando de quando em quando para fitar a guarita em busca do destacamento que os substituiria. Por fim eles chegaram, arrastando os pés, as baionetas estalando. A ordem foi dada, as sentinelas deixaram o posto e se foram pelo pavimento de cascalho.

Um brando badalar projetou-se do relógio do palácio, respondido pelo eco profundo do sino de St. Sulpice. Hastings divagava sentado à sombra do deus alado. Então alguém surgiu e sentou-se ao seu lado. Num primeiro momento, ele não deu qualquer indício de ter notado a presença dela. Foi só depois que ela disse alguma coisa que ele se empertigou.

"Você aqui? A essa hora?", disse ele.

"Eu estava agitada, não consegui dormir." Ela continuou num tom mais baixo e lento: "E você também, a essa hora?".

"Eu consegui dormir, mas acordei com o sol."

"*Eu* não consegui dormir", repetiu ela. Por um instante, uma sombra indefinível pareceu cair-lhe sobre os olhos. Ela sorriu. "Estou tão contente, foi como se eu soubesse que você viria. Não ria, eu acredito em sonhos."

"Você de fato sonhou que eu estaria aqui?"

"Acho que sonhei acordada", ela admitiu.

Eles se calaram por um tempo, reconhecendo naquele silêncio a alegria de estarem juntos. Afinal, o silêncio era eloquente. Eles trocaram olhares, instigados por algum pensamento secreto e em seguida sorrisos suaves apareceram e reapareceram em seus lábios. Quando enfim articularam algumas sentenças, elas pareceram quase supérfluas. Nada muito profundo. Talvez a coisa mais interessante que Hastings tivesse dito fizesse referência direta ao café da manhã.

"Mas que sujeito materialista você é", ela disse. Depois confessou: "Ainda não tomei meu chocolate".

"Valentine, eu gostaria...", ele começou impulsivo. "Eu gostaria que você passasse o dia comigo, só hoje, só dessa vez."

"Ah, Deus!" Ela sorriu. "Você não é apenas materialista, mas é também egoísta!"

"Não sou egoísta, só estou faminto", replicou ele, olhando para ela.

"E também é um canibal."

"Valentine, você aceita?"

"Mas meu chocolate?"

"Tome comigo."

"E o *déjeuner*?"

"Almoçaremos juntos, em St. Cloud."

"Eu não posso."

"Juntos. O dia inteiro. Você aceita, Valentine?"

Ela silenciou.

"Só dessa vez", ele insistiu.

E de novo aquela sombra indefinível recaiu sobre os olhos dela. Quando a impressão se dissipou, ela disse: "Eu aceito, passaremos o dia juntos, mas só dessa vez."

"O dia inteiro?", ele inquiriu, duvidando de sua sorte.

"O dia inteiro." Ela deu um sorriso. "Ah, estou com tanta fome."

Ele riu encantado.

"Que moça materialista você é."

Há uma *crémerie* na Boulevard St. Michel, um lugar de fachada azul e branca, organizado e impecável. Assim que entraram, uma garota ruiva, que atendia pelo nome de Murphy e falava francês como uma nativa, deu-lhes um belo sorriso, jogou um guardanapo limpo sobre uma mesa *tête-à-tête* e serviu, num baque, duas xícaras de chocolate e um cestinho repleto de *croissons* frescos e crocantes.

Os tabletinhos de manteiga tinham a cor de prímulas amarelas, eram gravados com um trevo em relevo e pareciam saturados pela fragrância das pastagens da Normandia.

"Que delícia", disseram os dois ao mesmo tempo e então riram da coincidência.

"Duas almas, mas apenas uma consciência", ele comentou.

"Que absurdo." Ela riu, as bochechas corando. "Estou pensando que gosto do *croisson*."

"Eu também", replicou ele, triunfante. "Isso é prova suficiente."

Foi quando se viram numa contenda. Ela o acusava de se comportar feito uma criança mimada, o que ele negava, apresentando contra-acusações. *Mademoiselle* Murphy riu em simpatia e o último *croisson* foi comido sob um acordo de trégua. Eles se ergueram, ela tomou-lhe o braço e deu um aceno afável para *mademoiselle* Murphy, que gritou para eles num tom alegre: "*Bonjour, madame! bonjour, monsieur!*" A moça viu-os pegar um cabriolé e desaparecer. "*Dieu! qu'il est beau*", ela suspirou e logo acrescentou: "Não sei, será que eles são casados? *Ma foi ils ont bien l'air*".

O cabriolé sacolejou pela Rue de Médicis, pegou a Rue de Vaugirard e seguiu-a até o cruzamento com a Rue de Rennes, onde tomou a direção da ruidosa avenida e parou diante da Gare Montparnasse. Eles chegaram a tempo de pegar o trem. O último sinal de partida ecoou pelo arco da estação e eles dispararam escada acima, na direção dos vagões. O casal se instalou numa cabine e o guarda bateu a porta. Um apito soou, logo respondido pelo silvo da locomotiva. O trem deslizou estação afora, acelerando mais e mais, avançando pela manhã ensolarada. Os ventos de verão sopravam pela janela aberta, agitando os cabelos macios de Valentine.

"Temos a cabine só para nós", Hastings comentou.

Ela inclinou-se no assento estofado diante da janela, os olhos imensos refulgentes, os lábios semiabertos. O vento lhe desalinhou o chapéu, fazendo as fitas de cetim farfalharem sob o queixo. Num gesto instintivo, ela as desamarrou, retirou um longo alfinete do chapéu e depositou-o no assento ao seu lado. O trem voava.

A cor subiu-lhe às bochechas. Valentine tinha a respiração rápida, entrecortada, e seu peito subia e descia sob o arranjo de lírios em seu pescoço. Árvores, casas e lagoas passavam em borrões, entremeadas por vultos de postes telegráficos.

"Mais rápido! Mais rápido", ela exclamou.

Ele não conseguia tirar os olhos dela, e os dela, vastos e azuis feito um céu de verão, pareciam fixos em alguma coisa à frente, alguma coisa distante, que jamais se aproximava, fugindo deles enquanto eles fugiam dela.

Seria o horizonte, num instante marcado pela fortaleza sombria na colina, noutro pela cruz de uma capela interiorana? Seria a fantasmagórica lua de verão, que deslizava pelas vagas anis do firmamento?

"Mais rápido! Mais rápido", ela exclamou.

Os lábios entreabertos de Valentine ardiam em grená.

O vagão estremecia e os campos fluíam diante da vista feito uma torrente esmeralda. Ele foi arrebatado pelo momento e seu rosto se iluminou.

"Ah", ela suspirou e, num movimento instintivo, pegou na mão dele, puxando-o para a janela ao seu lado. "Olhe! Venha aqui comigo."

Hastings viu os lábios dela se moverem, e não escutou nada. A voz dela afogou-se no fragor da locomotiva. Mas ele entrelaçou os dedos nos dela e agarrou-se ao peitoril. O vento zunia em seus ouvidos.

"Não se incline tanto, Valentine. Tome cuidado", ele balbuciou.

Lá embaixo, um amplo rio aparecia e desaparecia entre os dormentes da ferrovia. O trem trovejou túnel adentro e irrompeu outra vez ao longo de campos vívidos e verdejantes. O vento rugia diante deles. A garota inclinou-se em demasia na janela e então Hastings agarrou-a pela cintura. "Não tanto", disse ele. Mas ela apenas sussurrava: "Mais rápido! Mais rápido! Para longe da cidade, para longe de tudo! Mais rápido, rápido, rápido! Para longe do mundo!".

"Sobre o que você está falando, aí sozinha?", ele indagou, mas sua voz feneceu, e o vento soprou a sentença de volta garganta abaixo.

Ela o tinha ouvido, então se afastou da janela e fitou o braço que a envolvia. Então olhou nos olhos dele. O vagão estremeceu e as vidraças crepitaram. Singravam uma floresta agora, com a luz do sol irrompendo entre as copas orvalhadas feito fugazes relâmpagos de fogo.

Ele fitou os olhos inquietos de Valentine, puxou-a para si e beijou os lábios semiabertos. Mas ela soltou uma exclamação mordaz e desamparada: "Isso não! Não faça isso!".

Porém, a envolvendo num abraço intenso, ele sussurrou palavras de amor e paixão sincera. E ela voltou a titubear: "Isso não, isso não. Eu fiz uma promessa! Você precisa saber que não mereço". Mas em face da pureza de seu próprio amor, as palavras dela não tinham sentido para ele, e jamais teriam.

A voz de Valentine cessou e ela descansou a cabeça no peito dele. Hastings apoiou-se na janela, os sentidos açoitados pelo vento furioso e o coração atribulado pelo júbilo. A floresta se foi e o sol imergiu de trás da mata, inundando o mundo em luz. Ela ergueu o rosto e fitou a janela. Valentine começou a falar, mas sua voz saía sem força. Hastings aproximou o rosto do dela para ouvir: "Não consigo ficar longe de você, não tenho forças para tanto. Já faz muito tempo que só tenho olhos para você. Meu coração e minha alma são seus. Eu quebrei uma promessa feita a alguém que confiava em mim. E isso é tudo. De que importa o resto?" Ele sorriu diante da inocência dela e ela admirou a dele. Então ela voltou a falar: "Aceite-me ou abandone-me, de que isso importa? Você pode me matar com uma só palavra e talvez seja mais fácil morrer do que contemplar a felicidade perdida desse momento".

Ele a tomou nos braços.

"Mas o que você está dizendo, minha querida? Olhe lá para fora, para o sol, para as pradarias e riachos. Nós seremos felizes neste mundo tão vívido."

Ela volveu-se na direção do sol. Da janela, o mundo parecia-lhe de fato belo.

"Se o mundo é assim, jamais o conheci", ela disse trêmula de alegria.

"Nem eu, e que Deus me perdoe", sussurrou ele.

Quem sabe foi Nossa Senhora dos Campos quem os perdoou.

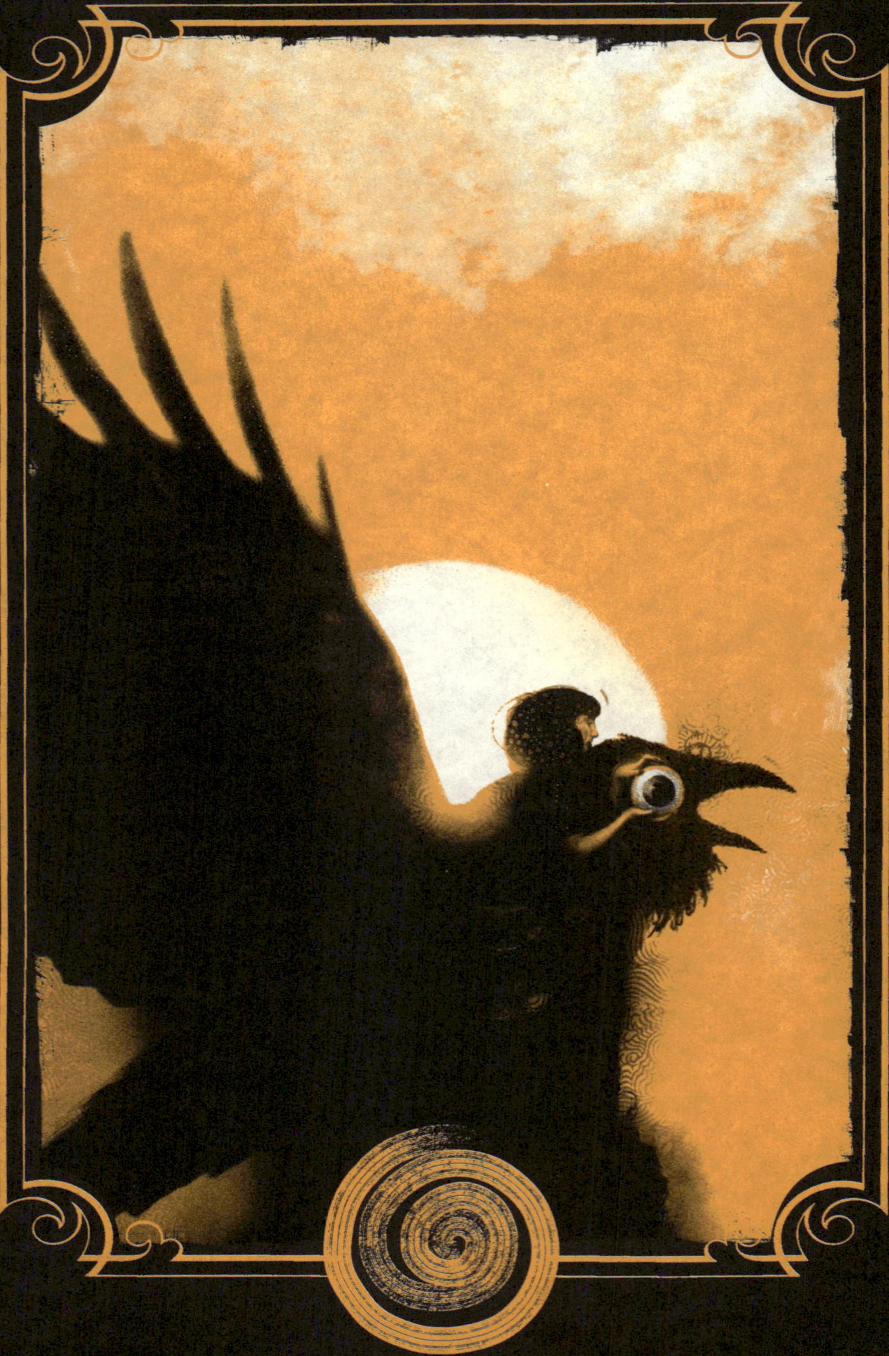

TOMO X

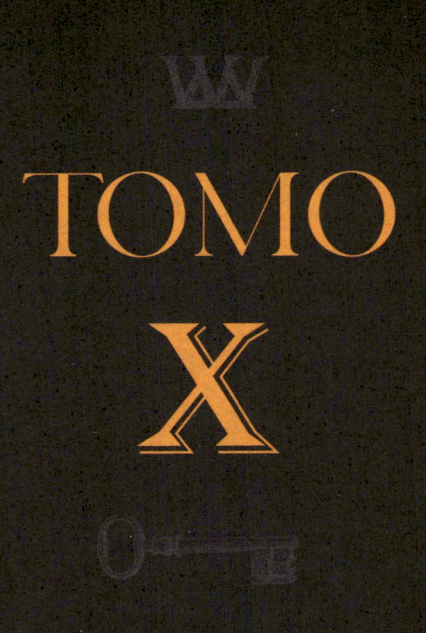

"RUE BARRÉE"

Na história que fecha o livro, somos apresentados a Selby, um jovem estudante que acaba de chegar a Paris e conhece Clifford. Selby se apaixona por uma misteriosa jovem — cujo nome não é revelado — que mora numa rua interditada, rua esta que dá nome ao conto e pela qual a moça é conhecida. O conto trabalha com diferentes focos de desejo. De um lado, vemos os avanços do experiente Clifford — o mesmo personagem do conto anterior e protagonista do romance de Chambers publicado um anos antes, *In The Quarter* — que declara-se para ela e reclama de suas negativas. Do outro, acompanhamos os percalços do inexperiente Selby, que ao apaixonar-se pela enigmática garota, tem de lidar com a concorrência dos amigos e com suas próprias fragilidades. O conto de encerramento de *O Rei de Amarelo* nos leva a um clima onírico, com remissões a outros contos do volume, talvez sugerindo um encerramento múltiplo para as histórias de medo, amor e paixão que perpassam a obra de Chambers. Seria este um fim ou um recomeço para os exploradores de Carcosa e seus arredores?

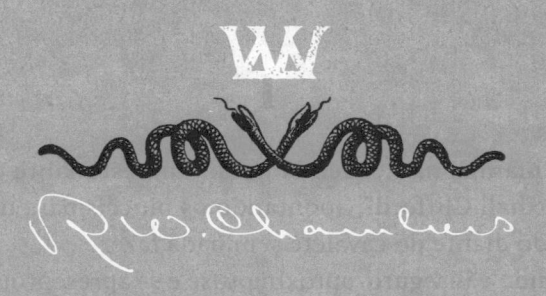

RUE BARRÉE

Deixe o filósofo e o médico a pregar contentes
Tudo o que admiram e o que desgostam pensar,
Ambos não são mais que um elo na eterna corrente
Que ninguém é capaz de romper ou ultrapassar.

Omar Khayyám,
editado por Edward Fitzgerald

Nem rosas rubras ou brancas,
Ou o mar e suas puras danças,
São capazes de se igualar
Ao teu divino arfar.

O lírio lânguido me cansa;
O mar estável me aliança,
Sofro do meu próprio amor,
Por tudo de ti que é louvor.

Há apenas imensidão:
Teu beijo em fissão;
Teus seios e cachos e mãos
São toda a minha paixão.

Theodore Wratislaw

I

Numa dada manhã, na Academia Julian, um estudante disse a Selby: "Aquele é Foxhall Clifford", apontando os pincéis para um jovem que estava sentado diante do cavalete sem nada fazer.

Selby, tímido e inseguro, aproximou-se e se apresentou: "Meu nome é Selby, cheguei a Paris há pouco tempo e tenho uma carta de recomendação". Sua voz se perdeu em meio ao estrondo provocado pela queda de um cavalete, cujo dono prontamente atacou o colega ao lado.

Por um tempo, o rumor da contenda ecoou pelo estúdio de *monsieur* Boulanger, mas Lefebvre prontamente conduziu a briga às escadarias lá fora. Selby fitou Clifford apreensivo em relação a sua própria recepção no estúdio, mas o jovem não fez mais do que permanecer sentado, observando a briga.

"Está um pouco barulhento aqui", falou Clifford, "mas você vai gostar do pessoal depois de conhecê-los melhor."

Selby viu-se encantado pelos modos sinceros de Clifford. Depois, numa simplicidade que lhe conquistou o coração, ele o apresentou a meia dúzia de estudantes de variadas nacionalidades. Alguns foram cordiais, mas todos foram simpáticos. Até mesmo a imponente criatura que ocupava a posição de *massier* pulou as cerimônias e disse: "Meu amigo, alguém que fala francês tão bem quanto você, e que também é amigo de *monsieur* Clifford, não vai ter qualquer problema neste estúdio. Você sabe que vai ter que alimentar o fogareiro até que apareça outro *nouveau*, não é?".

"Mas é claro."

"Você se importa com as chacotas?"

"Não", respondeu Selby, embora odiasse.

Clifford, deveras surpreso, colocou o chapéu e comentou: "Espere muitas piadinhas agora no começo".

Selby também pôs o chapéu e seguiu Clifford na direção da porta. Quando passaram pela modelo, a moça soltou uma furiosa exclamação: "*Chapeau! Chapeau!*". Um estudante saltou de trás do cavalete, mirando Selby de maneira ameaçadora, que enrubesceu e olhou para Clifford.

"Você deve tirar o chapéu para eles", explicou ele, sorrindo.

Um tanto envergonhado, ele volveu-se e fez uma mesura ao estúdio.

"*Et moi?*", a modelo inquiriu.

"Você é encantadora", Selby comentou, espantado em face da própria audácia.

O estúdio se ergueu em coro, bradando um "Muito bem!" e "Ele é um dos nossos!", ao passo que a modelo deu-lhe um sorriso e soprou-lhe um beijo.

"*À demain beau jeune homme!*", disse a moça.

Selby trabalhou a semana inteira no estúdio sem sofrer qualquer incômodo. Os estudantes franceses o batizaram de "*l'Enfant Prodigue*", que em tradução livre seria algo como "O Jovem Talentoso", por sua vez desdobrado em "Jovem", "Jovem Selby" e "Jelby". Mas aquela febre logo se espalhou por todo o lugar e "Jelby" tornou-se "Jeca", então "Pileca", ponto em que a autoridade de Clifford deu um basta na coisa toda e o apelido regrediu a "Jovem".

A quarta-feira enfim deu as caras e, com ela, *monsieur* Boulanger. Durante três horas inteiras, os estudantes foram acossados pelo sarcasmo mordaz do professor, entre eles Clifford, que foi informado de que sabia ainda menos sobre trabalhar com arte do que sabia sobre a arte de trabalhar. Selby teve mais sorte. *Monsieur* Boulanger analisou seu esboço em silêncio, estreitou os olhos para ele e se foi sem qualquer comentário comprometedor. Em seguida ele partiu de braços dados com Bouguereau, para o alívio de Clifford, que se viu livre para colocar o chapéu e ir embora.

No dia seguinte, ele não apareceu. Selby tinha contado que o encontraria no estúdio, e mais tarde ele aprendeu que era presunção esperar que Clifford aparecesse por lá. Então acabou vagando de volta ao Quartier Latin.

Paris ainda era estranha e nova para ele. Selby se via um tanto assombrado pelo esplendor da cidade. Nenhuma sensação delicada agitava seu coração americano na Place du Châtelet ou diante de Notre Dame. O relógio, os torrões e os sentinelas em azul e rubro do Palais de Justice; a turbulência dos ônibus e aquelas medonhas estátuas de grifos cuspindo água na Place St. Michel; a colina de Boulevard St. Michel; o rumor dos bondes; os policiais vagando aos pares; a varanda abarrotada de mesas do Café Vachette — todas essas coisas e tantas outras ainda não significavam nada para ele. E Selby também não tinha consciência de que, ao deixar para trás a Place St. Michel e ganhar o asfalto do Boulevard, ele havia cruzado uma fronteira invisível e adentrado na área estudantil: o famoso Quartier Latin.

Um cocheiro o tachou de *"bourgeois"*, insistindo na superioridade de uma viagem de carruagem sobre uma caminhada. Um menino de rua, que parecia bastante preocupado, o questionou sobre as últimas notícias telegrafadas de Londres. Então, demonstrando excessiva confiança, desafiou-o para uma queda de braço. Uma linda garota deu-lhe uma olhadela anil. Ele não a viu, e ela, ao contemplar o próprio reflexo numa vitrina, surpreendeu-se diante do rubor em seu rosto. Ela deu as costas e tratou de tomar seu rumo, então se deparou com Foxhall Clifford e, apressada, se foi. Clifford, boquiaberto, acompanhou-a com o olhar. Em seguida, ele avistou Selby, que havia pegado a Boulevard St. Germain na direção da Rue de Seine. Ele analisou a si mesmo na vitrina de uma loja e a conclusão pareceu insatisfatória.

Eu não sou uma beldade, ele ponderou, *mas também não sou uma coisa medonha. Por que será que ela corou quando viu Selby? Eu nunca a tinha visto olhar para ninguém antes. Ninguém no Quartier tinha. De qualquer jeito, posso garantir que ela nunca olhou para mim e Deus sabe que eu demonstrei todo o afeto que o decoro permite.*

Clifford suspirou, resmungando uma predição a respeito da salvação de sua alma imortal. Então retomou aquele gracioso vaguear que sempre o caracterizara. Alcançou Selby na esquina sem qualquer esforço e, juntos, eles cruzaram o ensolarado Boulevard e se sentaram sob o toldo do Café du Cercle.

Clifford cumprimentou a todos, em todas as mesas, e então disse: "Você vai conhecer todo mundo depois. Agora permita que eu te apresente a duas atrações turísticas de Paris: *monsieur* Richard Elliott e *monsieur* Stanley Rowden".

As "atrações" pareciam amáveis e bebiam vermute.

"Você não foi ao estúdio hoje", Elliott disse a Clifford, que evitou seu olhar desaprovador.

"Para entrar em contato com a natureza?", comentou Rowden.

"Quem é dessa vez?", quis saber Elliott.

"Nome: Yvette. Origem: Bretã", Rowden prontamente respondeu.

"Errado", Clifford replicou langoroso. "É Rue Barrée."

Eles imediatamente mudaram de assunto. Surpreso, Selby agora os ouvia mencionar pessoas que ele não conhecia e tecer elogios aos mais recentes vencedores do Prix de Rome. Ele viu-se encantado diante de opiniões expressas com ousadia e das questões debatidas com sinceridade, ainda que utilizassem gírias demais, tanto em francês quanto em inglês. Ele ansiava pelo momento em que também embarcaria na busca pela fama.

Os sinos de St. Sulpice bateram a hora e o Palácio de Luxemburgo respondeu à badalada. Eles fitaram o sol, que se afogava na poeira dourada além do Palais Bourbon, e em seguida se levantaram e partiram. Cruzaram então a Boulevard St. Germain e deambularam na direção da École de Médecine. Uma garota passou apressada por eles. Clifford arreganhou um sorriso, Elliott e Rowden se inquietaram, e todos fizeram uma mesura. Sem olhar para eles, ela cumprimentou-os de volta. Selby, que tinha ficado para trás, fascinado por alguma alegre vitrina, ergueu o rosto e deparou-se com os dois olhos mais azuis que já tinha visto na vida. Num átimo, os olhos dela desviaram dos dele e o jovem se apressou para alcançar os outros.

"Por Júpiter, vocês não têm ideia", disse ele. "Acabei de ver a garota mais linda...", mas o trio explodiu num clamor sombrio, agourento, como o coro de uma peça grega.

"Rue Barrée!"

"O quê?", falou Selby, pasmo.

A única resposta que recebeu foi um gesto vago de Clifford.

Duas horas depois, durante o jantar, Clifford volveu-se para Selby e disse: "Você quer me perguntar uma coisa. Está na cara, não para quieto".

"Sim, quero", disse de modo um tanto inocente. "É sobre aquela garota. Quem é ela?"

Havia pena no sorriso de Rowden e amargura no de Elliott.

"Ninguém sabe o nome dela", Clifford disse em tom solene. Depois acrescentou como se fosse uma autoridade no assunto: "Pelo menos, até onde se sabe. Todo camarada do Quartier a cumprimenta e ela sempre cumprimenta de volta de um jeito sério, mas ninguém jamais conseguiu dela mais do que isso. Quanto à profissão, a julgar pelas partituras, deve ser pianista. Ela vive numa rua pequena e humilde mantida num perpétuo processo de manutenção pelas autoridades municipais. Nós só a conhecemos pelo nome pintado em letras góticas na barreira que mantém a entrada da rua interditada: Rue Barrée. *Monsieur* Rowden, dono de um conhecimento imperfeito da língua francesa, indicou a barreira, chamando-a de *Roo Barry*..."

"Não fiz nada disso, não", disse Rowden, contrariado.

"Então Roo Barry, ou Rue Barrée, tornou-se o objeto de adoração de todos os aprendizes de pintura do Quartier."

"Não somos meros aprendizes", Elliott contestou.

"*Eu* pelo menos não sou", Clifford rebateu. "Mas gostaria de chamar a sua atenção, Selby, para o fato de que estes dois cavalheiros, em vários e aparentemente infelizes momentos, já ofereceram mundos e fundos à Rue Barrée. Nesses momentos, ela é capaz de expressar um sorriso terrível." Então ele tornou-se demasiado taciturno: "Assim, me vi forçado a acreditar que nem o charme intelectivo de Elliott nem a beleza rude de Rowden foram capazes de tocar o gélido coração dessa moça".

"E quanto a você?", Elliott e Rowden bradaram, fervendo de indignação.

"Quando a mim?", Clifford falou num tom brando. "Eu temo dar sequer um passo em direção ao lugar em que vocês, tolos, se aventuram aos tropeços."

II

Vinte e quatro horas depois, Selby havia esquecido completamente da Rue Barrée. Durante a semana, ele deu tudo de si no estúdio e, sábado à noite, se achava tão exausto que foi para cama antes do jantar e sonhou que estava se afogando num rio de amarelo-ocre. No domingo de manhã, sem qualquer razão aparente, ele pensou em Rue Barrée e, dez segundos depois, viu-a pela rua. Ela examinava um arranjo de amores-perfeitos. Estava claro que o florista havia se empenhado na transação, ainda assim, Rue Barrée deu um aceno negativo com a cabeça.

Seria de se perguntar se Selby teria parado para dar uma olhada num buquê de rosas se Clifford não tivesse desenrolado a história da terça anterior. Era possível que ele só estivesse curioso, uma vez que, exceto pela galinha que atravessou a rua, não existisse nenhum bípede mais curioso sobre a face da Terra do que um garoto de dezenove anos, algo que depois, dos vinte até a hora da morte, ele tentaria esconder. No entanto, para ser justo com Selby, também era verdade que a feira era atrativa. Buquês e arranjos se acumulavam ao logo da ponte marmórea, recendendo contra o céu sem nuvens. O clima estava ameno e o sol tecia um sombreado rendilhado sobre as palmeiras, incendiando o coração de uma centena de rosas. A primavera chegara com toda intensidade. As carroças d'água e borrifadores aspergiam frescor no Boulevard, os pardais se mostravam descarados e intrometidos e o persistente pescador do Sena acompanhava ansioso a frondosa boia emplumada que flutuava em meio à espuma de sabão dos lavatórios. As nogueiras, repletas de flores, exibiam seus ramos verdejantes, vibrando sob o zumbido das abelhas. Borboletas enfastiadas livravam-se dos resquícios do inverno voando entre as balsaminas. Havia um aroma de terra fresca no ar, um som semelhante a um riacho interiorano a surgir nas ondas do Sena. As andorinhas se erguiam em voo e pairavam em meio às embarcações ancoradas. Em alguma janela, um pássaro enjaulado gorjeava seus anseios ao sol.

Selby fitou o buquê de rosas, depois os céus. Alguma coisa na cantoria do pássaro engaiolado talvez o tivesse tocado ou quem sabe tenha sido algum encanto perigoso nos ares de maio.

A princípio ele mal teve consciência de que havia parado ali e mal se deu conta de por que tinha parado. Selby pensou que seguiria seu caminho, em seguida pensou que não iria, e então ele olhou para Rue Barrée.

"*Mademoiselle*, este é sem dúvidas um belo arranjo de amores-perfeitos", disse o florista.

Rue Barrée deu um aceno negativo com a cabeça.

O florista sorriu. Era óbvio que ela não queria comprar as flores. Mas já havia adquirido vários arranjos de amores-perfeitos ali, dois ou três a cada primavera, sem pechinchar. O que será que ela queria então? Era óbvio que os amores-perfeitos eram um indicativo de uma transação mais importante. O florista esfregou as mãos e deu um olhar de soslaio para Selby.

"Essas tulipas são magníficas", Selby comentou, "e esses jacintos também." Ele se viu inebriado pelo mero vislumbre dos arranjos fragrantes.

"Aquele ali", Rue sussurrou, apontando o guarda-sol fechado para uma esplêndida roseira. Apesar do gesto decidido, a voz dela vacilou. Selby notou, sentindo-se envergonhado por estar prestando atenção à conversa alheia. O florista também percebeu e, escondendo o rosto atrás das rosas, fechou o negócio. Ainda assim, para ser justo com o sujeito, ele não acrescentou sequer um centavo ao valor real da planta, afinal de contas, era bem provável que Rue fosse uma moça pobre. Além disso, qualquer um admitiria que era também encantadora.

"50 francos, *mademoiselle*", o florista disse num tom sério.

Rue notou que seria inútil pechinchar. Os dois permaneceram em silêncio por um momento. O florista não se empenhou na transação, e todo mundo concordaria que a roseira era linda.

"Vou levar os amores-perfeitos", disse a garota, tirando 2 francos de uma bolsa surrada. Ela ergueu o rosto. Uma lágrima refratava a luz do sol feito um diamante; e logo deslizou pelo contorno de seu nariz. Então ela notou a figura de Selby olhando para ela. Depois que a carícia de um lenço secou aqueles alarmados olhos azuis, o próprio Selby pareceu bastante envergonhado. Ele de súbito olhou para o céu, aparentemente arrebatado pelo desejo de obter qualquer saber astronômico. Ele seguiu em suas investigações por cinco longos minutos e então o florista também fitou os céus, assim como um guarda. Depois Selby deitou os olhos às suas botas. O florista o encarou e o guarda seguiu adiante. Rue Barréee havia desaparecido.

"Posso oferecer alguma coisa a *monsieur*?", perguntou o florista.

Selby jamais soube a razão, mas sem mais nem menos ele começou a comprar flores. O florista mostrou-se extasiado. Ele jamais vendera tantas flores, e nunca a preços tão bons, e nunca, nunca a um cliente tão decidido. Todavia, sentiu falta da barganha, da negociação, de jurar por Deus para fechar uma venda. Vender a Selby foi um tanto sem sal.

"Essas tulipas são magníficas."

"São mesmo", Selby concordou com entusiasmo.

"Mas, bem, tenho muito apreço por elas."

"Vou levá-las."

"*Dieu!*", o florista sussurrou sem fôlego, "ele é mais desatinado do que a maioria dos ingleses."

"Este cacto!"

"Lindo!"

"Meu Deus!"

"Envie para mim junto ao resto."

O florista apoiou-se no parapeito da ponte.

"Aquela esplêndida roseira, tão linda", Selby começou de forma indistinta. "Acredito que custe 50 francos." Ele se calou, o rosto todo corado.

O florista se divertia diante da confusão de Selby, mas aquela agitação foi repentinamente substituída por uma dignidade comedida. Ele encarou o florista, que se mostrou um tanto intimidado.

"Vou levar a roseira. Por que aquela moça não a comprou?"

"*Mademoiselle* não é rica."

"Como o senhor sabe?"

"*Dame*, eu vendo a ela uma boa quantidade de amores-perfeitos. Amores-perfeitos não são caros."

"Foram aqueles que ela comprou?"

"Estes aqui, *monsieur*, os azuis e amarelos."

"Então o senhor ainda vai entregá-los para ela?"

"Ao meio-dia, depois que a feira acabar."

"Entregue a roseira também e..." Ele encarou o florista. "Não ouse dizer a ela quem as mandou." Os olhos do sujeito se arregalaram, mas Selby disse num tom calmo e vitorioso. "Mande o resto para o Hôtel du Sénat, na Rue de Tournon, número 7. Vou deixar instruções com a *concierge*."

Ele abotoou a luva de maneira digna e tratou de partir. Depois de virar a esquina, fora da vista do florista, Selby enrubesceu, dominado pela furiosa convicção de que era um idiota. Dez minutos depois, acomodado em seus aposentos no Hôtel du Sénat, ele tinha um sorriso tolo estampado no rosto e repetia "que anta que eu sou, mas que anta que eu sou".

Uma hora mais tarde, ele ainda se encontrava na mesma poltrona, na mesma posição, ainda de chapéu e luvas. Mas havia se calado, aparentemente absorto na contemplação das próprias botas. Seu sorriso era menos idiota e até um tanto introspectivo.

III

Perto das cinco da tarde, a mulher de olhos tristes que cumpria a função de *concierge* do Hôtel du Sénat fez um gesto de espanto ao contemplar uma carroça abarrotada de flores parar diante da porta. Ela chamou Joseph, o garçom descarado. Ele calculou o valor das flores em *petits verres* e negou com tristeza qualquer conhecimento sobre o destino delas.

"*Voyons*", a diminuta *concierge* disse, "*cherchons la femme!*"

"Você?", ele sugeriu.

A mulher refletiu por um instante, então deu um suspiro. Joseph coçou o nariz, um nariz que, em questão de extravagância, era capaz de rivalizar com qualquer ostentação floral.

O florista se aproximou, trazendo o chapéu nas mãos. Alguns minutos depois, Selby se encontrava em seus aposentos, sem casaco e de camisa arremangada. O cômodo possuía, além da mobília, quase dois metros de espaço livre, uma área agora ocupada por um cacto. A cama reclamava sob o peso de caixas de estrado abarrotadas de amores-perfeitos, lírios e balsaminas. O sofá estava coberto por jacintos e tulipas e o lavatório acomodava alguma espécie de árvore jovem que, em algum momento, floresceria.

Clifford deu as caras um pouco mais tarde. Ele caiu sobre uma caixa de ervilhas-de-cheiro, praguejou e se desculpou e, quando o esplendor da *fête* floral o atingiu, ele se sentou assombrado sobre um gerânio, prontamente destruído.

"Não se preocupe", disse Selby, fitando o cacto.

"Você vai dar um baile?", Clifford indagou.

"Não, não, eu só gosto muito de flores", Selby comentou, mas a resposta carecia de entusiasmo.

"É o que parece." Depois de uma pausa, Clifford acrescentou: "Aquele é um belo cacto".

Selby contemplou a planta e tocou-a com a atitude de um *connoisseur*, espetando o dedo em seguida.

Clifford cutucou um amor-perfeito com a bengala.

Joseph apareceu, trazendo a conta e anunciando a quantia em voz alta, em parte para impressionar Clifford, em parte para intimidar Selby a desembolsar uma generosa *pourboire* que ele dividiria, se bem entendesse, com o florista. Clifford tentou fingir que não tinha ouvido, ao passo que Selby pagou a conta e a gorjeta sem nem um pio. Ele voltou à sala tentando parecer indiferente, mas, ao enganchar e rasgar as calças no cacto, falhou miseravelmente.

Clifford teceu um comentário trivial, acendeu um cigarro e mirou a janela, dando um momento a Selby. Ele tentou aproveitar a deixa, mas o melhor que conseguiu foi comentar que "a primavera enfim tinha chegado", depois congelou. Ele fitou a parte de trás da cabeça de Clifford, que revelava muito sobre ele. Aquelas orelhinhas atiçadas pareciam formigar de satisfação reprimida.

Selby fez um esforço desesperado para assumir o controle da situação. Então se apressou em oferecer ao outro alguns cigarros russos, utilizando-os como pretexto para recomeçar a conversa. Mas seus intentos foram frustrados pelo cacto, de quem mais uma vez ele se tornou presa. Aquela foi a última gota.

"Que cacto desgraçado." A exclamação foi arrancada de Selby contra a sua vontade, contra seu próprio instinto de autopreservação. Acontece que os espinhos do cacto eram longos e afiados e, depois de repetidas estocadas, sua raiva reprimida transbordou. Era tarde demais agora. Estava feito. E Clifford olhava para ele.

"Selby, por que diabos você comprou todas essas flores?"

"Eu gosto delas."

"O que vai fazer com elas? Você não vai nem conseguir dormir aqui."

"Eu até consigo, se você me ajudar a tirar os amores-perfeitos de cima da cama."

"Onde podemos colocá-los?"

"Será que eu poderia dá-los à *concierge*?"

Assim que Selby falou isso, se arrependeu. O que em nome de Deus Clifford ia pensar dele? Ele tinha ouvido o valor da conta. Será que ele deduziria que Selby havia adquirido essas frivolidades como uma tímida declaração à sua *concierge*? Será que o Quartier Latin comentaria sobre o caso de sua costumeira forma implacável? Ele temia o ridículo e conhecia a reputação de Clifford.

Então, alguém bateu à porta.

Selby olhou para Clifford com uma expressão atribulada, o que tocou o coração do jovem. Tratava-se de uma confissão e, ao mesmo tempo, de uma súplica. Clifford pôs-se em pé de pronto, abriu caminho através do labirinto de flores e, observando pelo vão da porta, disse:

"Quem diabos está batendo?"

Esse estilo gracioso de recepção era típico do Quartier.

"Elliott", disse a voz, dando uma olhadela por cima do ombro, "e Rowden também. E os seus buldogues."

Clifford falou com eles através da fenda:

"Sentem-se na escadaria. Selby e eu já estamos saindo".

Discrição é uma virtude. O Quartier Latin conta com poucas delas e a discrição raramente figurava na lista.

Elliott e Rowden se sentaram e começaram a assobiar.

"Estou sentido cheiro de flores. Eles estão farreando lá dentro", Rowden falou de imediato.

"Você já devia conhecer Selby melhor do que isso", Clifford resmungou por trás da porta enquanto o amigo se apressava em trocar as calças arruinadas.

"*Nós* já conhecemos Selby", Elliott enfatizou.

"Conhecemos sim", Rowden disse. "Ele dá festas com direito a decorações pomposas e convida Clifford, mas nós temos que nos sentar nas escadas. Ah, sim, estamos sentados aqui enquanto as beldades do Quartier caem na farra." Rowden comentou, acrescentando num súbito receio: "Odette está aí?"

"E quanto à Colette?", Elliott inquiriu. Em seguida ergueu a voz num lamento: "Colette, você está aí? Você está aí dentro enquanto eu estou plantado aqui fora, no corredor?".

"Clifford é capaz de qualquer coisa", disse Rowden. "Ele ficou amargurado porque Rue Barrée não quis saber dele."

"Falando nisso, nós vimos alguém entregando flores na casa de Rue Barrée perto do início da tarde", Elliott disse alto demais.

"Amores-perfeitos e rosas", Rowden fez questão de especificar.

"Provavelmente para ela", Elliott acrescentou, acarinhando o buldogue.

Clifford voltou-se para Selby, dando-lhe um repentino olhar de suspeita. O rapaz, por sua vez, cantarolava uma melodia, enquanto escolhia um par de luvas. Ele selecionou uma dúzia de cigarros e os guardou na cigarreira. Aproximou-se do cacto e, com cuidado, colheu uma flor e acomodou-a na lapela. Depois apanhou o chapéu e a bengala e sorriu para Clifford. Este se encontrou por demais intrigado.

IV

Na segunda de manhã, na Julian, os estudantes disputavam seus lugares e os veteranos expulsavam outros que, desde que as portas tinham sido abertas, sentavam-se nas cobiçadas banquetas, esperando reivindicá-las depois da chamada. Eles digladiavam-se por paletas, pincéis, pranchetas e, aos brados, chamavam Ciceri, pedindo pão. Ciceri era um ex-modelo malicioso que, em seus dias de glória, havia posado como Judas. Agora ele vendia pão velho a um centavo e ganhava o bastante para suprir sua necessidade de cigarros. *Monsieur* Julian entrou na sala, deu um sorriso paternal e se foi. Assim que sumiu, um escriturário apareceu, uma criatura ardilosa que pairou em meio à horda ensandecida em busca de uma presa.

Três sujeitos que não estavam em dia com os pagamentos foram localizados e convocados à tesouraria. Um quarto foi identificado, seguido e flanqueado. Ele tentou bater em retirada, mas a rota da porta foi bloqueada e foi então capturado atrás do fogareiro. Foi mais ou menos nesse momento que brados insurgentes se elevaram na sala, clamando por "Jules!".

Jules surgiu e, esboçando uma resignação melancólica nos imensos olhos castanhos, apartou duas brigas, apertou a mão de todo mundo e dissolveu-se em meio à multidão, deixando para trás uma sensação de tranquilidade e benevolência. Os leões se acomodaram ao lado dos cordeiros e o *massier* reservou os melhores assentos para si e seus amigos. Ele subiu no púlpito da modelo e abriu a chamada:

"Esta semana, vamos começar pela letra C", anunciou ele.

E assim foi.

"Clisson!"

O sujeito em questão deu um pulo e escreveu o próprio nome a giz diante de uma das banquetas da fileira da frente.

"Caron!"

O camarada saiu trotando no intuito de garantir um lugar.

Bang! Um cavalete foi-se ao chão. "*Nom de Dieu!* Para onde diabos você 'tá indo?" *Crash!* Um estojo de tintas despencou, levando consigo os pincéis. "*Dieu de Dieu de...*" *Spat!* Um estrondo e uma rápida agitação e um safanão e uma confusão, até a voz do *massier* ecoar num tom austero e reprovador: "*Cochon!*".

E a chamada foi retomada.

"Clifford!"

O *massier* fez uma pausa e examinou a sala, o dedo indicador marcando a página do livro-razão. "Clifford?"

Clifford não estava presente. Ele se encontrava a quase cinco quilômetros de distância e, a cada instante, essa distância aumentava. Não que estivesse caminhando rápido — pelo contrário, ele vagueava naquele passo langoroso tão característico. Elliott vinha ao lado dele e os dois buldogues, à retaguarda. Elliott lia *Gil Blas*, romance que parecia diverti-lo, mas, julgando que aquele tipo de humor exagerado era inadequado ao estado de espírito de Clifford, ele resumia seu contentamento a uma série de sorrisos discretos. Clifford, melancolicamente ciente desse fato, não dizia nada. Eles acabaram entrando nos Jardins de Luxemburgo. Clifford acomodou-se num banco próximo ao terraço norte e pôs-se a contemplar a paisagem com desagrado. Elliott prendeu os dois buldogues de acordo com o regulamento do Luxemburgo e deu um olhar interrogativo ao amigo. Em seguida, retomou a leitura e os sorrisos discretos.

O dia estava perfeito. O sol pairava sobre Notre Dame e refulgia por toda a cidade. As copas verdejantes das nogueiras sombreavam o terraço e conjuravam um rendilhado tão anil sobre as trilhas e calçadas que Clifford poderia ter encontrado ali o ímpeto para desenvolver seus "violentos estudos impressionistas". Ele precisava apenas ter olhado ao redor. Todavia, como de costume naquele período de sua carreira, ele pensava em tudo, exceto na profissão. Por todo lado, pardais bramiam e tagarelavam seus cantos de cortejo, os grandes pombos rosados voejavam de árvore em árvore, as moscas se agitavam em feixes de sol e as flores exalavam centenas de fragrâncias distintas, algo que intensificou a langorosa melancolia de Clifford. Foi nesse ânimo que ele deu início à conversa.

"Elliott, você é um amigo de verdade."

"Você deve achar que eu sou idiota", disse o outro, fechando livro. "Foi o que eu pensei. Está atrás de um rabo de saia de novo." E ele continuou irritado: "Se foi por isso que você me fez faltar à aula hoje, se foi só para me atazanar a respeito dos encantos de alguma pobre jovem tola que..."

"Ela não tem nada de tola", Clifford protestou mansamente.

"Mas que coisa! Você vai ter coragem de tentar me convencer de que está apaixonado de novo?"

"De novo?"

"Sim, de novo e de novo e de novo e, meu Deus, você está apaixonado, não está?"

"Desta vez é sério", Clifford disse com tristeza.

Por um instante, Elliott teve vontade de esbofeteá-lo, mas ele riu em total desamparo.

"Tudo bem, continue, continue. Vamos ver, já passamos por Clémence, Marie Tellec, Cosette, Fifine, Colette, Marie Verdier..."

"Todas são encantadoras, extremamente encantadoras. Mas nunca foi sério."

"Deus me ajude", Elliott disse solene. "Cada uma dessas moças, a seu próprio modo e momento, partiu seu coração e encheu você de angústia, o que também me fez perder minha reputação na Julian. Cada uma delas, a seu próprio modo e momento. Você nega isso?"

"O que você está dizendo talvez tenha fundamento, pelo menos de certo modo, mas me dê o mérito de ter sido fiel a cada uma delas."

"Até que a próxima paixonite aparecesse."

"Mas dessa vez é mesmo diferente. Elliott, acredite, estou arrasado."

Como não havia mais nada a dizer, Elliott rangeu os dentes e se aprumou para ouvir.

"É a Rue Barrée."

"Ah", Elliott escarneceu, "você está se lamentando por causa *daquela* garota? Da garota que já nos fez querer que o chão se abrisse e nos engolisse? Sim? Então, por favor, continue!"

"Vou continuar falando, não me importo. A timidez se foi."

"Sim, a sua inerente timidez."

"Estou desesperado, Elliott. Será que é mesmo amor? Nunca me senti tão triste. Não consigo dormir, juro. E não consigo mais comer direito."

"São os mesmos sintomas do caso de Colette."

"Escute, por favor."

"Espere um pouco, eu sei o resto de cor. Mas agora me deixe te perguntar uma coisa: você acredita que Rue Barrée seja uma moça inocente?"

"É claro", Clifford disse, enrubescendo.

"Você sente que a ama? Quero dizer, não do mesmo jeito que você se sente quando corre atrás de cada uma daquelas lindas paixonites. Você a ama de verdade?"

"Amo", o outro afirmou obstinado. "Eu até mesmo…"

"Espere aí, você está dizendo que se casaria com ela?"

O rosto de Clifford se incendiou.

"Sim", ele murmurou.

"Sua família vai adorar as boas novas", Elliott rezingou, suprimindo a raiva. "'Meu caro pai, acabo de me casar com uma parisiense pobre e encantadora. Estou certo de que o senhor a receberá de braços abertos, acompanhada, é claro, da mãe dela, uma estimável lavadeira'.

Meu Deus! Dessa vez você conseguiu se superar. Dê graças aos céus, meu caro, que eu tenha bom senso o suficiente para nós dois. Ainda assim, isso não me preocupa. Rue Barrée acabou inequivocamente com as suas expectativas."

"Rue Barrée", Clifford recomeçou, empertigando-se. Mas repentinamente se calou. A jovem passeava pelo pavimento com rendilhado sombreado, onde o sol vertia em feixes dourados. Seu vestido se mostrava impecável e o imenso chapéu se inclinava sobre a fronte pálida, projetando sombras sobre seus olhos.

Elliott se levantou e fez uma mesura. Clifford tirou o chapéu de um modo tão melancólico, tão queixoso, tão humilde, que Rue Barrée até sorriu para ele.

O sorriso foi uma coisa maravilhosa e Clifford viu-se tão atarantado que chegou a perder o equilíbrio e tropeçar. E ela não foi capaz de conter outro sorriso. Alguns momentos depois, ela acomodou-se numa cadeira no terraço, retirou um livro da bolsa de partituras, folheou-o, encontrou a página marcada e largou-o aberto sobre o colo. Após um suspiro, um sorriso leve e uma olhadela para a cidade, a jovem já havia esquecido completamente de Foxhall Clifford.

Depois de um tempo, ela pegou o livro outra vez, mas em vez de lê-lo, passou a ajustar uma rosa que trazia no arranjo da lapela. Ela era imensa e vermelha, chispava feito fogo sobre o coração dela e, feito fogo, aquecia-lhe o peito, agora arfando sob aquelas pétalas sedosas. Rue Barrée suspirou uma vez mais. Ela se encontrava radiante — o céu era tão azul, o ar tão fresco e fragrante, o sol tão cálido — e o coração cantarolava dentro do peito, cantarolava para aquela rosa em seu seio. E era isso que ele cantava: "Em meio à multidão e a todos os dias passados e aos milhões de rostos que se foram, um deles deitou os olhos sobre mim".

O coração dela cantava sob a rosa em seu seio. Então dois pombos cinzentos voejaram por ela e aterrissaram no terraço, por onde eles pavonearam e piaram e bambolearam até que ela risse extasiada. Quando Rue Barrée ergueu o rosto, deparou-se com Clifford diante de si. Ele trazia o chapéu nas mãos e seu rosto estava adornado por um sorriso tão melancólico que teria derretido até mesmo o coração de um tigre-de-bengala.

Rue Barrée franziu o cenho por um segundo, então o fitou com curiosidade. Quando ela se deu conta da semelhança entre a mesura de Clifford e o bambolear dos pombos, seus lábios se abriram num riso involuntário e encantador. Aquilo era mesmo do feitio de Rue Barrée? Tudo parecia tão diferente que nem ela mesma sabia dizer. Mas, ah!, a canção que seu coração cantava abafava o resto do mundo e se insinuava em seus lábios, exigindo ser ouvida, ser pronunciada, uma canção que permeava o riso que ela dera por nada — por causa de um pombo e de *monsieur* Clifford.

*

"Você acha que só porque correspondo aos cumprimentos dos estudantes do Quartier isso lhe dá o direito de ser recebido em particular, como um amigo? Não o conheço, *monsieur*, mas a presunção é o segundo nome dos homens. Sinta-se satisfeito, *monsieur* Presunção, pois hei de ser meticulosa, ah!, deveras meticulosa quando retribuir seus cumprimentos."

"Mas eu peço que... Não! Eu imploro que você permita que eu demonstre o respeitoso interesse que há tanto tempo..."

"Ah, meu Deus, eu não ligo para esse tipo de *interesse*."

"Então permita apenas que eu fale com você de vez em quando, em dadas ocasiões, sem muita frequência."

"Mas se eu fizer essa concessão a *você*, por que não faria a outros?"

"Eu seria a discrição em pessoa."

"Discrição? Por quê?"

Os olhos dela estavam claros demais e Clifford estremeceu por um instante, mas apenas por um instante. Então o demônio da imprudência o possuiu e ele se sentou ao lado dela, oferecendo-lhe mundos e fundos, alma e coração. E durante todo aquele tempo ele tinha plena consciência de que fazia papel de idiota e que afeição não era amor e que cada palavra que proferia estava agrilhoada de modo inescapável a sua própria honra. E durante todo aquele tempo, Elliott tinha o rosto franzido e encarava o largo da fonte e controlava o ímpeto febril dos buldogues, impedindo-os de disparar ao resgate de Clifford — pois mesmo os cães sentiam que havia algo errado. E Elliott se enfurecia por dentro e resmungava imprecações.

Quando Clifford parou de falar, seu rosto cintilava de empolgação. No entanto, Rue Barrée demorou-se em responder, e seu ardor se arrefeceu, ao passo que a situação assumia, pouco a pouco, as justas proporções. Então o arrependimento insinuou-se em seus pensamentos, mas ele o pôs de lado e retomou sua solene declaração de amor. Contudo, à primeira palavra, Rue Barrée o silenciou.

"Eu lhe agradeço", falou ela num tom bastante sério. "Nunca antes um homem me pediu em casamento." Ela virou-se e fitou a cidade. Depois de um momento, voltou a falar: "Você me oferece coisas demais, mas eu não tenho ninguém, não tenho nada, não sou nada". Ela volveu-se outra vez e olhou para Paris: bela e fulgurante sob o sol de um dia perfeito.

Ele acompanhou o olhar da jovem.

"Ah!", ela soltou um suspiro. "É difícil, sabe? É difícil trabalhar sempre sozinha, sem nem um amigo para compartilhar a vida. Mas quando a paixão se esvai o amor prometido sempre acaba nas ruas, no boulevard. Sei disso, nós sabemos disso, *nós*, os outros que não têm nada nem ninguém e que se doam sem ressalvas quando amam. Sim, sem ressalvas, oferecendo alma e coração, mesmo sabendo como tudo vai terminar."

Ela tocou a rosa em seu peito. Por um minuto, ela pareceu esquecer-se dele. Mas logo depois, disse num tom solene: "Eu lhe agradeço." Ela abriu o livro, arrancou uma pétala da rosa e deixou-a cair entre as páginas.

Então ergueu o rosto para ele e acrescentou: "Mas não posso aceitar".

V

Clifford levou um mês para se recuperar por completo, ainda que, ao fim da primeira semana, Elliott, que era uma autoridade no assunto, já o considerasse convalescente. O fato de que Rue Barrée correspondia de maneira cordial aos solenes cumprimentos de Clifford também contribuía para tal. E ele abençoava a jovem ao menos quarenta vezes por dia por ela ter recusado o pedido, dando graças aos céus por isso. Por outro lado — ah! Esse nosso incorrigível coração! —, ele sofria as angústias de uma criatura amaldiçoada.

Elliott se mostrava aborrecido, em parte devido à reticência de Clifford, em parte devido à inexplicável calidez da antes frígida Rue Barrée. Clifford e seus camaradas costumavam encontrá-la com frequência quando iam ao Café Vachette. Como de costume, eles topavam com ela na Rue de Seine, com suas partituras em mãos e um imenso chapéu na cabeça. Então, diante dos respeitosos cumprimentos do grupo, ela corava e sorria para Clifford. Aquele sorriso despertou as adormecidas suspeitas de Elliott, mas ele nunca descobriu nada e acabou desistindo, considerando que a coisa toda estava além de sua compreensão. Ele tomou Clifford por mero idiota e resguardou qualquer opinião sobre Rue Barrée.

E por todo aquele tempo, Selby se mordia de ciúmes. A princípio, negou-se a reconhecer isso para si mesmo e faltou à aula para dar um passeio pelo campo, mas as matas e prados não fizeram mais do que agravar sua aflição. Os riachos sussurravam sobre Rue Barrée e o eco dos ceifeiros trabalhando nas plantações acabava por balbuciar "Rue-Bar-rée-e". Aquele dia despendido no interior o deixou irritado por uma semana, e por uma semana ele foi para Julian mal-humorado, constantemente atormentado pelo desejo de saber por onde Clifford andava e o que ele estaria fazendo. Esse estado de espírito o impeliu a passar o domingo flanando pela cidade, até se ver na feira de flores na Pont au Change. Então retomou a caminhada, que culminou no necrotério e depois, novamente, na ponte de mármore. Não, aquilo não era nada bom. Selby sentiu que devia visitar Clifford, que convalescia bebendo *mint juleps* no jardim.

Eles sentaram-se lado a lado e discutiram sobre a moral e a felicidade humana, entretidos e satisfeitos pela companhia um do outro, ainda que, para deleite de Clifford, Selby tivesse falhado em sondá-lo. Mas os *juleps* recobriram de bálsamo a ferida do ciúme e sugeriram esperança ao desesperançado. Quando Selby disse que precisava partir, Clifford o acompanhou até o portão, e quando Selby, não querendo que o outro levasse a melhor, insistiu em acompanhar Clifford de volta à porta, Clifford decidiu que acompanharia Selby até a metade do caminho. Por isso, descobrindo que seria difícil se separarem, eles decidiram jantar juntos e "farrear" — um verbo aplicado às proezas noturnas de Clifford e que expressava, quem sabe tão bem quanto qualquer outro termo, o passatempo proposto. Eles foram jantar no Mignon e, enquanto Selby questionava o *chef*, Clifford manteve um olhar atento no garçom.

O jantar estava uma delícia — ou estava no nível do que normalmente se considerava uma delícia. Durante a sobremesa, Selby ouviu ao longe alguém dizer: "o jovem Selby, bêbado feito um velho". Um grupo de homens se aproximou deles. Pareceu-lhe que havia apertado dezenas de mãos e rido demais e que todos tinham sido muito espirituosos. Então ali estava Clifford diante dele na mesa, jurando lealdade eterna ao seu camarada Selby, e também lhe pareceu que havia outras pessoas ali, sentadas ao lado deles ou indo e vindo com o farfalhar de saias sobre o assoalho encerado. O aroma das rosas, o rumor dos leques, os risos e o roçar de braços macios se tornaram cada vez mais vagos. O cômodo pareceu sufocado em neblina. Num átimo, cada um dos objetos ao redor tornou-se dolorosamente nítido, apenas formas e rostos jaziam distorcidos e as vozes soavam lancinantes. Ele levantou-se calmo, sério, em pleno domínio de si, mas exageradamente bêbado. Consciente de seu estado, se mostrava tão cauteloso e atento, tão desconfiado de si mesmo quanto estaria de um ladino em seu encalço. Ele então reteve seu autocontrole o bastante para permitir que Clifford segurasse sua cabeça com firmeza sob alguma fonte de água corrente, também para chegar à rua, ainda que num estado quase lastimável, embora jamais suspeitasse que seu próprio camarada estivesse bêbado. Ele foi capaz de manter o controle por um tempo. Seu rosto estava só um pouco mais pálido e tenso que de costume, e sua voz só um pouco mais lenta e langorosa. Era meia-noite quando ele deixou Clifford na santa paz do sono, acomodado na poltrona de alguém, uma longa luva de camurça pendendo-lhe da mão e uma echarpe emplumada protegendo-lhe a garganta de correntes de ar. Ele cruzou o vestíbulo, desceu as escadas e viu-se num bairro que não conhecia. Selby instintivamente ergueu o rosto à placa gravada com o nome da rua, mas ele não lhe era familiar. Ele deu meia-volta e ajustou o curso na direção de um aglomerado de luzes no fim da rua, mas elas provaram-se mais distantes do que ele havia previsto. Depois de uma longa caminhada, ele concluiu que seus olhos tinham sido misteriosamente removidos de seus devidos lugares e recolocados nas laterais da cabeça, como os olhos de um pássaro. Ele afligiu-se ao considerar as inconveniências que essa transformação lhe causaria. Depois tentou inclinar a cabeça que nem uma galinha, no intuito de testar a mobilidade do pescoço. De repente, ele foi acometido por um imenso desespero — lágrimas se acumularam nos dutos lacrimais, o coração ardeu e ele chocou-se contra uma árvore. A pancada inundou-o de lucidez. Selby sufocou o selvagem anseio em seu coração, pegou o chapéu e seguiu em frente num passo mais estável. Seus lábios estavam pálidos e ressequidos e seus dentes, firmemente cerrados. Ele manteve o rumo com considerável precisão, perdendo-se não mais do que uma ou duas vezes. Depois do que pareceu um período de tempo infinito, ele viu-se passando por uma fileira de diligências. O fulgor rubro, amarelado e esverdeado das lamparinas o irritou e ele considerou que seria bastante agradável destruí-las com a bengala. Mas conteve o impulso e seguiu em frente. Mais tarde, uma ideia lhe ocorreu: seria menos cansativo se ele pegasse uma carruagem. Então ele tratou de voltar, mas as diligências pareciam agora tão distantes e as lamparinas tão intensas e ofuscantes que ele desistiu. Recompondo-se, ele por fim olhou ao redor.

Uma sombra imensa, vasta e indefinida assomou-se a sua direita. Ele reconheceu o Arco do Triunfo e, numa expressão grave, sacudiu a bengala na direção dele. O tamanho do monumento o incomodava, era grande demais. Então ele ouviu o estrépito de alguma coisa caindo na calçada e considerou que devia ter sido sua bengala, mas não importava, não de verdade. Depois que reassumiu o controle de sua perna direita, que demonstrava sinais de insubordinação, ele viu-se cruzando a Place de la Concorde a uma velocidade que ameaçava arrastá-lo até a igreja de la Madeleine. Aquilo não era nada bom. Ele descreveu uma curva fechada para a direita, cruzou a ponte, passou trotando pelo Palais Bourbon e impeliu-se para o Boulevard St. Germain. Seguiu em frente com bastante competência, ainda que o tamanho do Ministério da Guerra o insultasse profundamente. Daí ele sentiu falta da bengala, pois teria sido agradável arrastá-la pela grade de ferro fundido. Ocorreu-lhe substituir o chapéu por outro, mas assim que o encontrou, esqueceu-se por que o queria. Então, num gesto solene, voltou a colocá-lo na cabeça. Em seguida, foi obrigado a confrontar-se com o violento desejo de se sentar e chorar. Essa sensação durou até que ele alcançasse a Rue de Rennes, onde se viu absorto, contemplando a criatura draconiana na sacada sob a entrada da Travessa do Dragão. E o tempo passou e ele lembrou-se vagamente de que não tinha nada a fazer ali, o que o fez seguir em frente outra vez. Foi uma lenta empreitada. A ânsia de se sentar e chorar havia sido substituída por um desejo de solidão e reflexão. Nesse ponto, sua perna direita esqueceu-se que lhe devia obediência e atacou a esquerda, arremessando-o contra um pedaço de madeira que parecia obstruir-lhe o caminho. Ele tentou contornar o obstáculo, mas notou que a rua estava fechada. Tentou empurrar a barreira, mas descobriu que era inútil. Então percebeu uma lamparina rubra sobre uma pilha de paralelepípedos do outro lado da barreira. Que maravilha. Como é que ele ia chegar em casa se o boulevard estava interditado? Mas ele não estava no boulevard. Sua traiçoeira perna direita o tinha enganado, afastando-o de seu caminho. O boulevard jazia atrás dele, emoldurado por aquela infinita fileira de postes e lampiões. Mas então o que era essa rua estreita e arruinada, repleta de montes de terra, argamassa e pilhas de pedras? Ele ergueu o rosto. Os tipos góticos na barreira o encaravam:

RUE BARRÉE

Ele se sentou. Dois policiais conhecidos se aproximaram e o aconselharam a se levantar, mas ele argumentou sobre a questão, defendendo que, no fundo, tratava-se de uma questão estética. Os policiais foram embora rindo.

Naquele momento, ele viu-se consumido por um problema: de que maneira poderia ver Rue Barrée? Ela estava ali, em algum lugar, talvez naquela casa com sacadas de ferro fundido. A porta estava trancada, mas e daí? Uma ideia simples lhe ocorreu: ele poderia gritar o nome dela até que ela aparecesse. Mas essa ideia foi substituída por outra igualmente lúcida: bater na porta até que ela aparecesse. Por fim, depois de rejeitar ambas as opções, uma vez que se provavam pouco contingentes, ele decidiu escalar a sacada, abrir a janela e educadamente perguntar sobre Rue Barrée. Ele só conseguia avistar luz numa das janelas, no segundo andar, então esse foi o rumo que tomou. Selby subiu na barreira de madeira e escalou os montes de pedras, para em seguida chegar à calçada e erguer os olhos à fachada, procurando por um ponto de apoio. Parecia-lhe impossível, mas uma repentina fúria o dominou, uma obstinação ébria e cega que fez o sangue subir-lhe a cabeça, fervendo e pulsando nas têmporas feito o indistinto troar das ondas.

Ele cerrou os dentes, agarrou-se no peitoril da janela e impulsionou-se para cima, pendurou-se nas barras de ferro. A razão se foi, com sua mente sendo inundada pelo som de inúmeras vozes e seu coração descambando ao ritmo de um tambor enlouquecido. Ele agarrou-se à cornija, deu seu jeito pela fachada, enlaçou as calhas, depois as venezianas e enfim conseguiu impelir-se para dentro da sacada iluminada. O chapéu caiu e chocou-se contra as vidraças. O homem apoiou-se ofegante na balaustrada por um momento. A janela se abriu lentamente pelo lado de dentro.

Eles encararam um ao outro por algum tempo. Mas logo a garota retrocedeu dois passos. Selby viu o rosto dela, todo corado agora, e também viu-a desabar numa cadeira próxima da mesa onde se encontrava a lamparina. Sem dizer nada, ele a seguiu quarto adentro e fechou as imensas portas envidraçadas atrás de si. Eles fitaram um ao outro em silêncio.

O quarto era pequeno e sem cor. Nada nele revelava cor alguma: o dossel da cama, o lavatório no canto, as paredes nuas, a luminária de porcelana — incluindo seu próprio rosto, caso ele tivesse percebido. O rosto e o pescoço de Rue incendiavam-se nas mesmas cores da roseira em floração sob o consolo da lareira ao lado dela. Ele não se deu conta de que podia falar. Ela não parecia esperar que ele falasse qualquer coisa. A mente do homem lutava para absorver todas as impressões que o quarto transmitia. Aquela palidez — a extrema pureza de tudo aquilo — começou a perturbá-lo. Quando seus olhos se acostumaram à iluminação, outros objetos se tornaram distintos, assumindo um lugar sob a aura da lamparina. Havia um piano, um balde de carvão, um diminuto baú de ferro e uma banheira. Uma cortina de chita branca emoldurava as roupas penduradas num cabideiro de madeira fixo à porta. Um guarda-sol e um imenso chapéu de palha jaziam sobre a cama e, sobre a mesa, jaziam partituras, tinteiro e algumas folhas de papel. Atrás dele estava o roupeiro de portas espelhadas, mas, por alguma razão, ele ainda não queria contemplar a própria face. O homem estava um pouco mais sóbrio agora.

A garota ficou olhando para ele sem dizer uma única palavra. O rosto dela era inexpressivo, ainda que de quando em quando seus lábios estremecessem de maneira quase imperceptível. Os olhos, tão azuis à luz do dia, pareciam escuros e macios como veludo. A cor do pescoço se adensava e empalidecia a cada respiração. Ela parecia menor e mais esguia do que quando ele a vira pela rua. E agora havia algo quase infantil nos contornos das bochechas. Quando enfim ele virou-se e encarou o próprio reflexo no espelho, sobressaltou-se como se tivesse visto algo vergonhoso. Então sua mente e pensamentos nebulosos clarearam. Os olhos deles se encontraram por um momento. Ele mirou o chão, os lábios se contorceram e aquela tormenta dentro dele o obrigou a fazer uma mesura, tencionando todos os músculos do corpo. E agora era tarde demais, pois a voz interior havia se pronunciado. Ele escutou-a sem muito interesse, já sabendo como tudo ia acabar. De fato, pouco importava. As coisas sempre acabariam do mesmo jeito para ele. O homem sabia disso agora. Sempre do mesmo jeito — mas a voz cresceu dentro dele e ele escutou-a sem muito interesse. Depois de um tempo, ele se endireitou e, de súbito, ela se levantou, com sua diminuta mão pousada na mesa. Selby abriu a janela e pegou o chapéu, mas voltou a fechá-la. Ele foi até a roseira e recostou o rosto nas flores. Havia uma rosa num copo d'água sobre a mesa e a garota instintivamente tomou-a na mão, deitou-a sobre os lábios e largou-a sobre a mesa, diante dele. Ele pegou a flor sem nada dizer, cruzou o quarto e abriu a porta. A escadaria estava escura e vazia, mas a garota pegou a lamparina, passou por ele e desceu as escadas na direção do átrio. Ela destrancou os ferrolhos e abriu o portão de ferro.

 E então ele se foi, em posse de sua rosa.

END   FIM

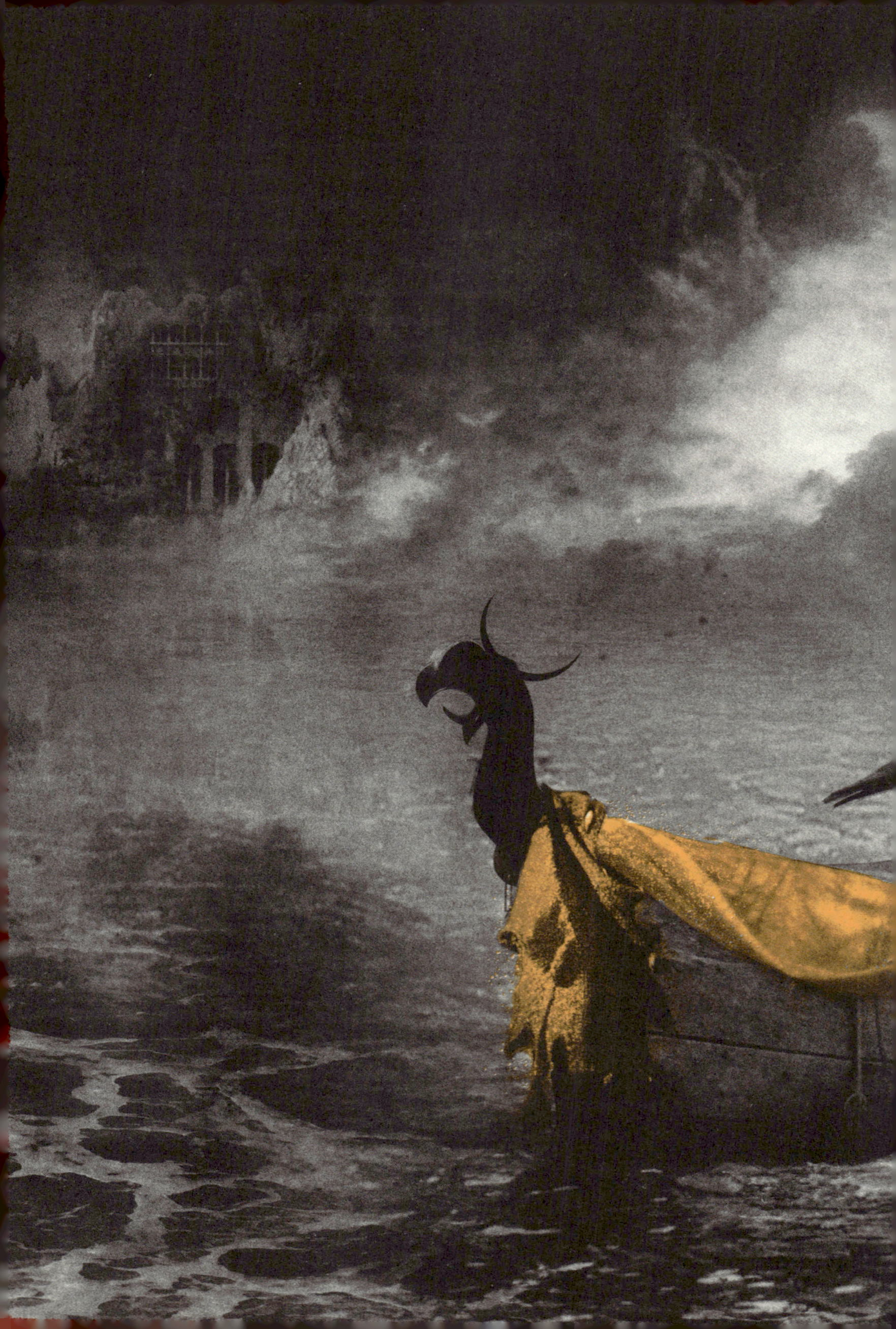

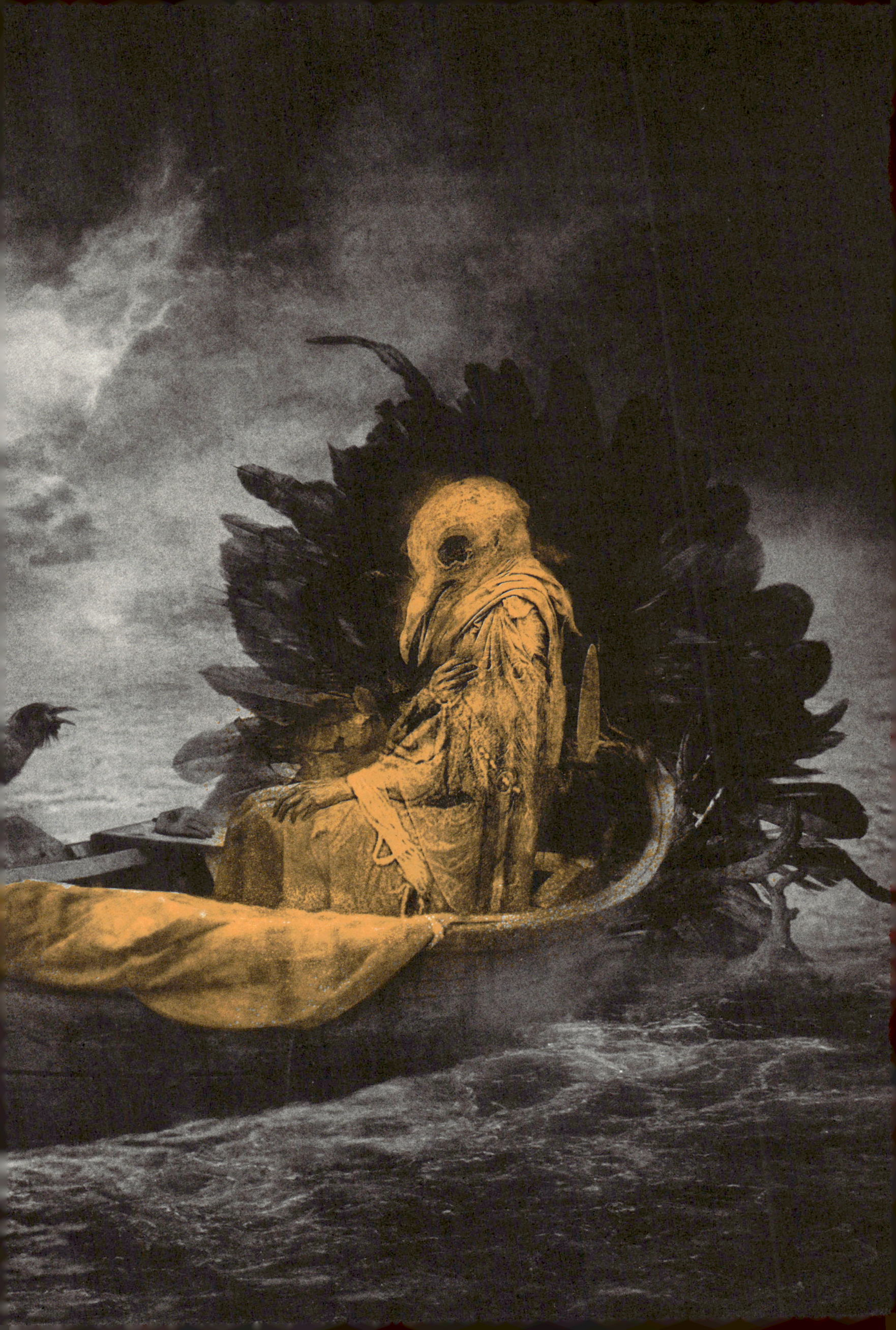

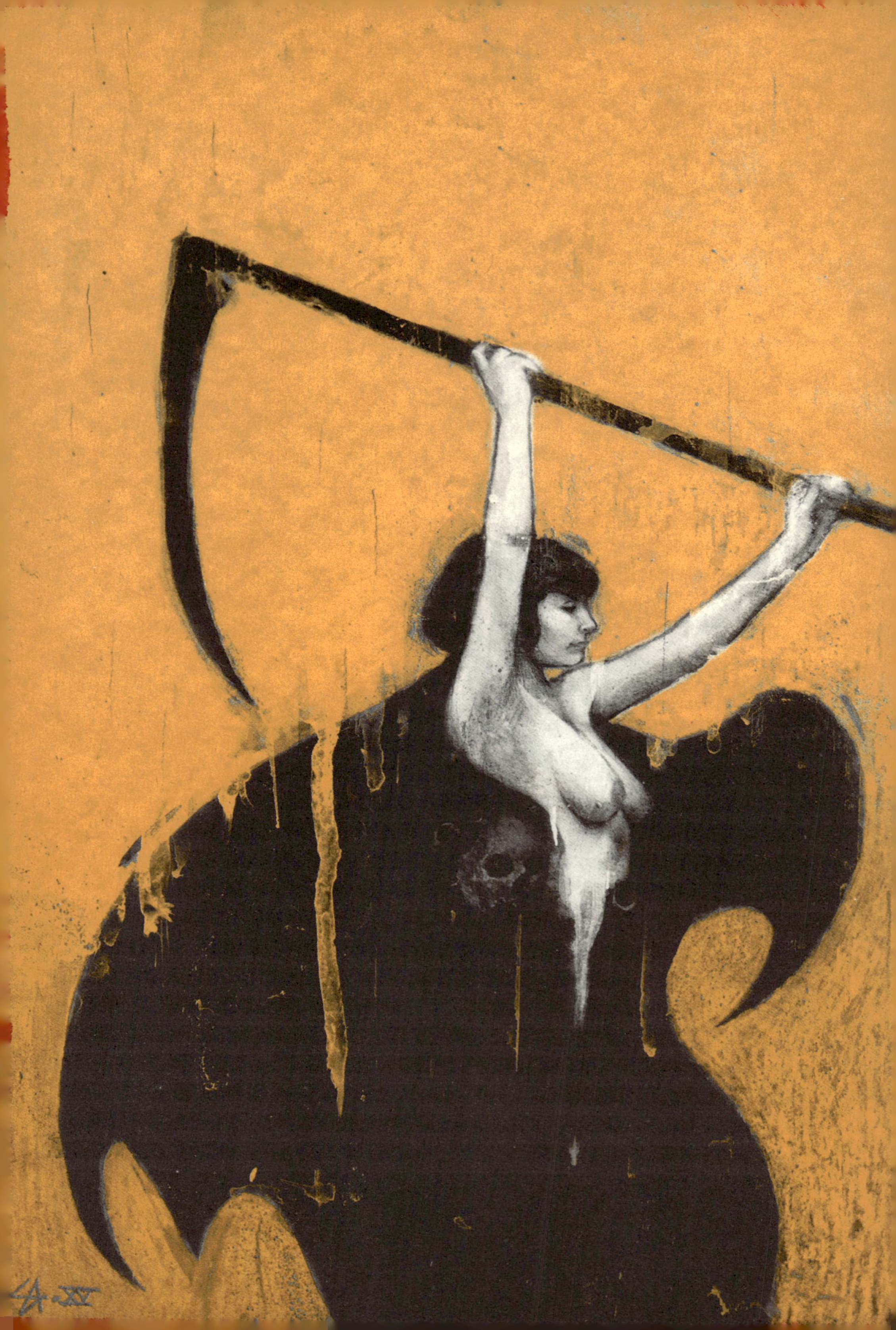

ROBERT W. CHAMBERS

ROBERT WILLIAM CHAMBERS nasceu em 26 de maio de 1865 em Nova York, em uma família de médicos e advogados. Desde a infância, desejava o caminho das artes plásticas, sobretudo a escultura. Esse desejo o levou à Art Students League em Chelsea, Manhattan, onde estudou entre 1885 e 1886. Nessa época, ele e o amigo e colega Charles Dana Gibson (1867—1944) enviaram histórias e desenhos para a revista *Life*, tendo ambos sido aceitos. Esse primeiro sucesso, como ilustrador, não como escritor, o fez matricular-se como estudante de pintura e desenho na Académie Julian e na École des Beaux-Arts de Paris, experiência referenciada em diversos contos de *O Rei de Amarelo*.

Em seus anos parisienses, de 1886 a 1893, Chambers viajou pela Europa, dedicando-se à leitura, à pesca e a outros passeios, além de sua formação como artista visual. Durante essa época, Chambers conheceu o mundo dos decadentistas franceses e ingleses e também, possivelmente, seus excessos, tendo contatado poetas como Paul Verlaine e Ernest Dowson, a quem referiria posteriormente. Findados seus anos de formação, ele voltou aos Estados Unidos em 1893, onde estabeleceu moradia nos círculos artísticos de Greenwich Village e onde voltou a encontrar o amigo Charles Dana Gibson. Ao longo desse período, Chambers assinaria ilustrações em periódicos reconhecidos como *Life*, *Vogue* e *Truth*. Foi quando o chamado à escrita pareceu suplantar seus desejos prévios de tornar-se um artista gráfico. De seus anos de formação em Paris e também da atmosfera artística, política e social europeia e norte-americana surgiriam dois livros, *In the Quarter* (1894) e *O Rei de Amarelo* (1895).

O primeiro romance deriva dos escritos de Chambers em Paris, trazendo o mesmo tipo de narrativa que veríamos na obra seguinte, o que inclui vários personagens como Braith — de "A Rua da Primeira Bomba" — e Elliott e Clifford — dos contos que encerram *O Rei de Amarelo*. No enredo, familiar ao leitor das histórias posteriores, um jovem estudante de arte norte-americano que vive em Paris se envolve com uma cantora francesa, num romance repleto de desafios, ciúmes e de um desenlace trágico. O insólito continuou a fascinar o autor, apesar de críticas terem reduzido sua produção do período como imitação a Poe e aos diabolistas franceses. Além de *O Rei de Amarelo*, Chambers publicaria outras obras — longas ou coletâneas — com contos estranhos e fantásticos. Em *The Maker of Moons* (1896), temos uma coleção de contos insólitos que vão desde ameaças ocultas, comédias sobre reencarnação e figuras enigmáticas. Em *The Mystery of Choice* (1897), Chambers volta à atmosfera de "A Demoiselle d'Ys", sobretudo à Bretanha, com histórias de detetives, mortos-vivos, espectros medievais e um correlativo ao sigilo amarelo no conto intitulado "The White Shadow".

No livro *In Search of the Unknow* (1904), o zoólogo sr. Smith, do zoológico do Bronx, Nova York — uma figura que seria recorrente em outras obras de Chambers — sai em busca de mistérios e paixões, quando não de monstros aquáticos. Em *The Tracer of Lost Persons* (1906), o detetive inventor e explorador Westrel Keen está em busca da identificação de almas gêmeas. Já em *The Green Mouse* (1910), Chambers voltaria a esse tema ao criar uma empresa que patenteia um dispositivo que busca psiquicamente por almas gêmeas. Fecha esse primeiro ciclo fantástico *The Tree of Heaven* (1907), com outros contos obscuros e de temas sobrenaturais que ora brincam com o exótico oriental ora com as visões de um místico.

Embora todas essas obras tenham alcançado certo sucesso, Chambers conquistaria o estrelado literário com livros de caráter mais social e histórico. Uma prévia desse estilo é a segunda metade do presente volume, sobretudo com o conto "A Rua da Primeira Bomba". Em 1901, por exemplo, ele produziria o romance histórico *Cardigan*, ambientado no estado de Nova York em 1774.

Nessa época, Chambers casou-se com Elsa ("Elsie") Vaughn Moller (1882-1939) e começou a ampliar a casa de sua família em Broadalbin. Há rumores de que o escritor mantinha um gabinete particular de trabalho — um local desconhecido para sua família e até para conhecidos — no Central Park West. Lá poderia ter sua privacidade e concentração garantidos. O mistério sobre a real localização desse gabinete privado atiça a imaginação sobre os segredos que Chambers teria guardado em sua vida aparentemente tranquila.

Seu verdadeiro sucesso de público veio com *The Fighting Chance* (1906), que vendeu 200 mil cópias em dois meses e alcançou o terceiro lugar na lista dos mais vendidos do ano. Em 1908, Chambers havia vendido mais de um milhão de livros, firmando-se como um romancista popular de literatura sentimental e por vezes, erótica, a ponto de algumas bibliotecas proibirem suas obras.

À frente de seu tempo, Chambers vendeu o direito de muitos de seus livros para o cinema. Ele criou roteiros ou cedeu romances para quase 30 filmes de 1908 a 1934, tornando-se amigo do diretor D.W. Griffith e sendo considerado pela revista *Cosmopolitan* o "escritor mais popular da América". Esse sucesso, como era de se esperar, rendeu péssima recepção crítica, com alguns autores julgando seus livros como baratos, apelativos e sentimentais em excesso. Entre 1916 e 1917, Chambers passou a integrar a Vigilantes Society of Writers, sobretudo para encorajar a entrada americana na Primeira Guerra Mundial.

Durante esse tempo, sua produção insólita continuou, com destaque para *The Dark Star* (1917) — uma trama que une espionagem e astrologia —, *The Slayer of Souls* (1920) — um romance sobre uma conspiração ocultista, continuação do livro anterior, que apresenta uma heroína mística lutando contra uma camarilha de magos sombrios cujos poderes alteram a política mundial —, e *The Talkers* (1923) — sobre um hipnotizador e um cirurgião que reanimam uma mulher morta. Seu último sucesso mais significativo foi *In Secret* (1919), uma história de amor com um ângulo de espionagem, que registra o clima entre guerras e a antipatia crescente direcionada à política alemã. A protagonista, a criptógrafa Evelyn Erith, passa por uma série de aventuras, algumas de cunho mais pessoal, como desviar das investidas de seu chefe, além de uma luta contra o alcoolismo, a guerra e as viagens por cenários como Escócia e Suíça.

Na década seguinte, quando a Lei Seca mudou significativamente a sociedade de Nova York que ele tanto apreciava retratar, suas obras mais sentimentais passaram a vender menos. Nos anos subsequentes,

Chambers parou de aparecer nas colunas literárias. Ele ainda escreveria mais dezenove romances na última década de sua vida e outra meia dúzia seria publicada postumamente, editados por sua esposa Elsie com o auxílio do amigo Rupert Hughes. Chambers faleceu em Nova York em 16 de dezembro de 1933 de complicações após uma cirurgia para tratar um câncer intestinal.

Robert W. Chambers não deixou nenhuma autobiografia, exceto algumas anedotas sobre caça e pesca, uma correspondência dispersa e outros manuscritos hoje perdidos. Depois de uma produção que ultrapassou oitenta livros, é hoje praticamente desconhecido exceto pela coletânea *O Rei de Amarelo*, e por razões que por vez mais tem a ver com seus seguidores — entre eles H.P. Lovecraft — do que por sua criação, talento e imaginação. Após a morte de sua esposa Elsie, seis anos depois do falecimento de Chambers, a casa em Broadalbin, no interior do estado de Nova York, caiu em semiabandono. O único filho do casal, Robert Edward Stuart Chambers — também um escritor que assinava seus textos como Robert Husted Chambers — era alcoólatra e vivenciou uma gradativa doença mental. A casa dos Chambers ficou relegada ao abandono ano após ano. Assim, as suntuosas coleções de móveis, armaduras, porcelanas, borboletas e documentos que Chambers e sua esposa reuniram por toda a vida desapareceram junto de sua biblioteca.

Embora de modo diverso e no transcurso de uma vida repleta de vitórias e alegrias, o destino da obra de Chambers parece dialogar com o do livro fictício criado por ele. Assim como a malfadada peça *O Rei de Amarelo* ressurge das sombras de tempos em tempos para aterrorizar seus leitores, o mesmo podemos dizer do livro de Chambers, que continua desafiando e provocando aqueles que ousarem virar a próxima página e pagarem o preço por tal ousadia.

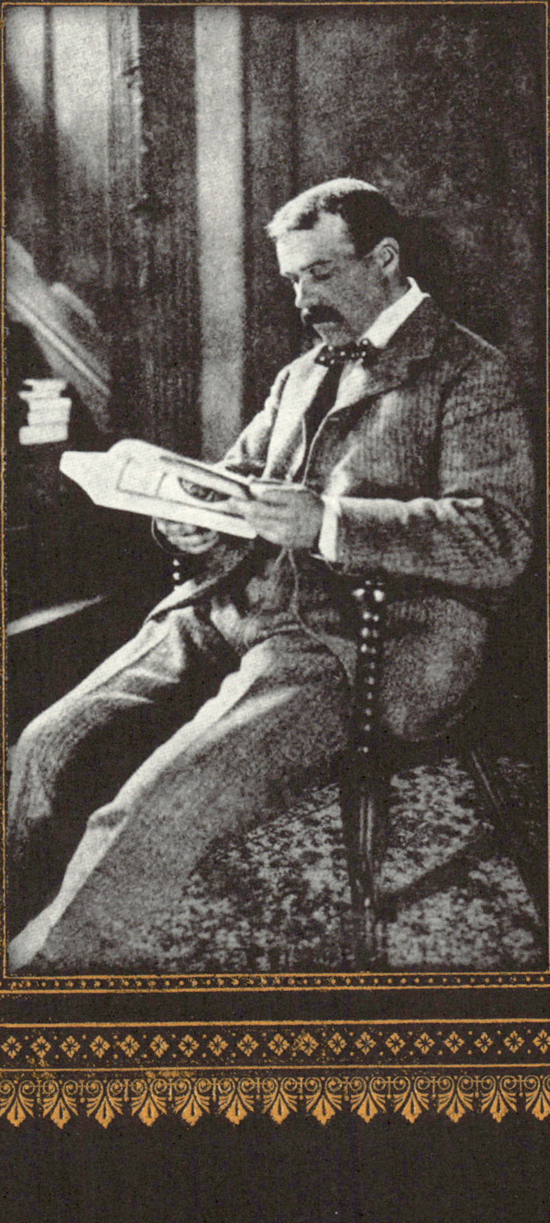

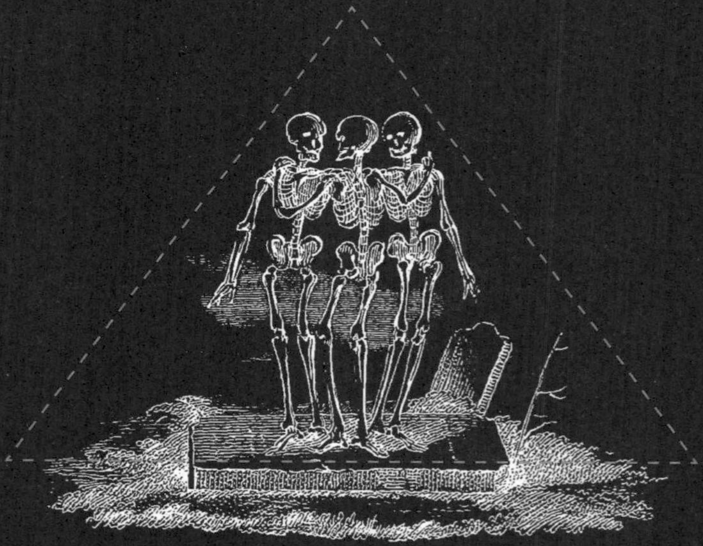

SAMUEL ARAYA é um artista que vive no coração venenoso da América do Sul. Seu trabalho apareceu em uma variedade de mídias, desde videogames, camisetas, pôsteres, discos, cartões e livros, incluindo cinco edições do prestigioso anuário *Spectrum: The Best In Contemporary Fantastic Art*. Atualmente, também se dedica à carreira de artista de galeria, com um importante número de mostras internacionais marcando seu portfólio. Araya foi vencedor do World Fantasy Award 2015 na categoria Artista. Alguns de seus clientes são Tor.com, Nuclear Blast Records, Easton Press, CCP Games/White Wolf Publishing, Roadrunner Records, Seattle Opera House e Onyx Path Publishing. No Brasil, seu trabalho mais conhecido são as ilustrações para o RPG *Vampiro: A Máscara*. Mais de seu trabalho em arayaart.com.

ANDRIO J. R. DOS SANTOS é escritor, tradutor e pesquisador, especializado na literatura de língua inglesa dos séculos XIX e XX. Tem mestrado nos livros iluminados de William Blake e doutorado nas *Crônicas Vampirescas* de Anne Rice. Atualmente, dedica-se a pesquisar a ficção gótica queer e suas relações com ansiedades sociais a respeito de corpo, gênero e sexualidade. Publicou o romance *O Réquiem do Pássaro da Morte* (2017) e foi roteirista da graphic novel *Metalmancer* (2021).

ENÉIAS TAVARES é professor na UFSM e escritor. Publicou pela DarkSide® Books os romances transmídia *Parthenon Místico* e *Lição de Anatomia*. Para a Caveira, organizou *O Retrato de Dorian Gray*, de Oscar Wilde, e *A Máquina do Tempo*, de H.G. Wells, além de traduzir *Carmilla*, de Le Fanu, *Palavras, Magias e Serpentes*, de Alan Moore e Eddie Campbell, e *A Bíblia Clássica do Tarot*, de Rachel Pollack. Hoje, atua como diretor da Editora da UFSM e como consultor para a DarkSide® Books. Foi visto pela última vez com um livro de capa amarela entre os dedos sussurrando estranhas palavras sobre Carcosa e Hastur. Mais de sua produção em eneiastavares.com.br.

O Rei de Amarelo é
dedicado ao meu irmão.

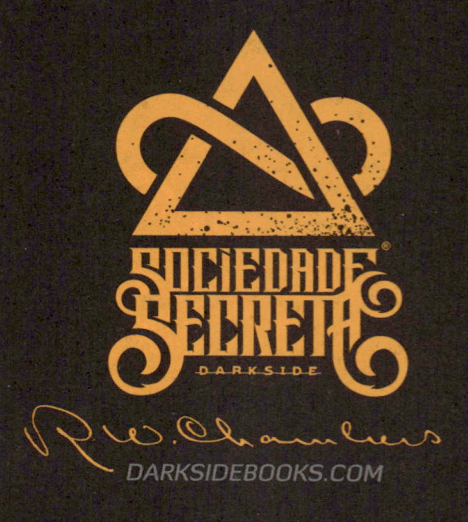